JN059052

エリア・スタディーズ
76
デンマークを知るための70章
【第2版】
村井誠人（編著）
明石書店

はじめに

『デンマークを知るための70章【第2版】』をお届けいたします。本書は、『デンマークを知るための68章』が2009年に刊行されて以来14年の経過を受けて、そこに掲載された6章をほぼそのまま再録しているとはいえ、39名の執筆者の方々にご協力を仰ぐという形で、新たなデンマークの情報をお伝えしようというものです。編集方針としましては、初版に掲載された情報の存在を前提にしており、それらもデンマークが紹介される際の「賞味期限が失われていない」なんら遜色のない情報として考えております。結果として全体の構成という点では本書の地理的・歴史的配置がいささかバランスを欠いていることに、読者の皆様は気付かれることでしょう。機会がおありならば、初版にも目をお通し願いたいものです。

初版との最大の違いは、Ⅳ「デンマークの政治・経済」内に収めた第34章から第40章に至るデンマークの経済事情・財政・税制・地方制度といったことに関する項目です。私たちがデンマークに出かけた経験からその現代社会の状況を体感的に理解していたところを、経済を専門とする方々に明確な根拠をもって説明していただくことができました。たとえば、デンマークの友人宅を訪れた際に感じられる彼らの労働と社会生活における余裕あるバランスに、日本から訪れた私たちとの差異が、イソップ童話の「アリとキリギリス」の寓話——几帳面にせっせと働くアリである私たちと余裕を持って生活を楽しむキリギリスであるデンマーク人たち——を思い出させるものの、決して彼らは、夏のみではなく一年中、そのようであり、それってなぜなのだろうと疑問が浮かぶのですが、その問いの答えとなるヒントをこれらの章が与えてくれているように思われます。

２０２２年2月24日のロシアによるウクライナ侵攻が、北欧に重大なインパクトを与え、フィンランドとスウェーデンがＮＡＴＯ加盟に動き、それが承認されていく流れの中で、デンマークにも確実に重要な変化が生じました。デンマークは、１９９２年に国民投票でマーストリヒト条約の批准を拒否し、その年末のエディンバラ合意によってデンマークが欧州内の防衛・安全保障に関わらなくてもよいということを含めた4つの「特典」が認められたことで、翌年、国民投票でマーストリヒト条約を批准していました。ところが、ロシアのウクライナ侵攻を受けて、6月1日の国民投票は、欧州の防衛・安全保障に関わらないという特典を自ら放棄することを選びました。国際情勢の中で、デンマークの立ち位置を明確にしたのです。

また、本書の歴史分野において、18世紀から19世紀への移行に関し、意識的に触れておきたいことがあります。すなわちデンマーク史という概念において国家形態を語るとき歴史的連続性の危うさが存在しています。今、北欧諸国の一員としてのデンマークということに、「ＮＯ！」という人はいません。ところが、それはいつまでさかのぼれるのでしょうか。デンマーク王国では１６６１年以来の絶対王制下の「礫岩国家デンマーク」から、「スカンディナヴィアの一員としての北欧」にアイデンティティを求めていく非ドイツ性を強調する市民階級の国民国家理念が19世紀に台頭してくる状況の理解に、歴史的後知恵(あとぢえ)に惑わされないためのアイデアを示唆しておきたいという欲求があります（第

24章)。それは、ホルシュタインという地名を、低地ドイツ語の——そしてデンマーク語でもそう呼ぶ——「ホルスティーン」と記すことで、ドイツ統一を意識した国民主義的な「ドイツのホルシュタイン」のイメージではないニュートラルなものにできないかということです。たとえば、第22章で、デンマーク国家の官僚・役人になれる条件に1776年の「出生地法」が制定され、デンマーク礫岩国家内に生を受けた人物が基本的にはその該当者となることを規定しました。すなわち、ノルウェー、デンマーク(当時の表現ではスリースヴィ公爵領をあえて表現せず、ここに含めていました)、そしてホルスティーン公爵領の出身者であり、とくに18世紀のホルスティーンは「デンマーク国家」の構成員として住民にも積極的に自認されておりました。デンマーク国家への「パトリオティズム」は揺るがず、ホルスティーン以外の北ドイツのユンカー家族を出自とするデンマーク国家を担う官僚たちも、デンマーク国家への忠誠は揺るがなかったといえます。18世紀後半の彼らが仕切ったデンマーク国家の中立外交はデンマーク史内での評価も高い。彼らの意識の中に「オルタナティヴ」な自らの忠誠の対象として「ドイツ国家」は当時存在していなかったといえましょう。

もう1つ、編者としてのこだわりを、第68章に示しました。それは我が国の戦後世代の人々に独特な、そして非常に刷り込みの深い「デンマーク像」の存在です。第二次世界大戦の敗北後に、我が国が平和立国として復興していこうとするときに、合言葉のように響いた「外に失われたものを、内にて取り戻さん」の言葉に関するものです。その言葉、およびその歴史状況は、過去の事実とは異なるものです。そしてそのイメージの存在は、美しいものであり、平和な日本という国家の再生に大いに貢献しましたし、本当に美しき誤解です。そのことを、その言葉が語られた時代に生きたものの1人として、正しく本書にて記しておきたいと考えました。ですから、とくに世間に影響力のある方々がいまだに、その言葉をもってデンマークを語るのはやめにしようではありませんか。

さて、本書が日の目を見る前に、昨年8月、筆者にとっては1969年のコペンハーゲン以来の良き導き手であられた間瀬英夫氏（大阪外国語大学名誉教授）が亡くなられております。長年のお付き合いの中で、デンマーク語カナ表記などに関し、あれこれご指摘をいただきましたし、本書のデンマーク語カナ表記の基準を作る際に間瀬英夫・新谷俊裕・大辺理恵『デンマーク語固有名詞カナ表記小事典』を参考にさせていただきました。コンゲンスヘーヴェ公園のアンデルセン像を背にしてキャッチボールをして以来の御厚情には感謝しております。そして、我が国のデンマーク語研究にとっては、氏の逝去は大きな痛手でもあります。

本書の刊行に至る執筆者各位とのご連絡、原稿の集積、編集などに関しては、明石書店編集部の長尾勇仁さんに多大なご尽力をいただきました。ここに、御礼申し上げます。

2023年10月1日

村井誠人

デンマークを知るための70章【第2版】

目次

I　デンマークの位置

Ⅱ　デンマーク語とは

Ⅲ　デンマークの歴史から

Ⅳ　デンマークの政治・経済

V　デンマークの文学・芸術

Ⅵ　デンマークの暮らしと社会

Ⅶ デンマークと日本

◉デンマーク概略図

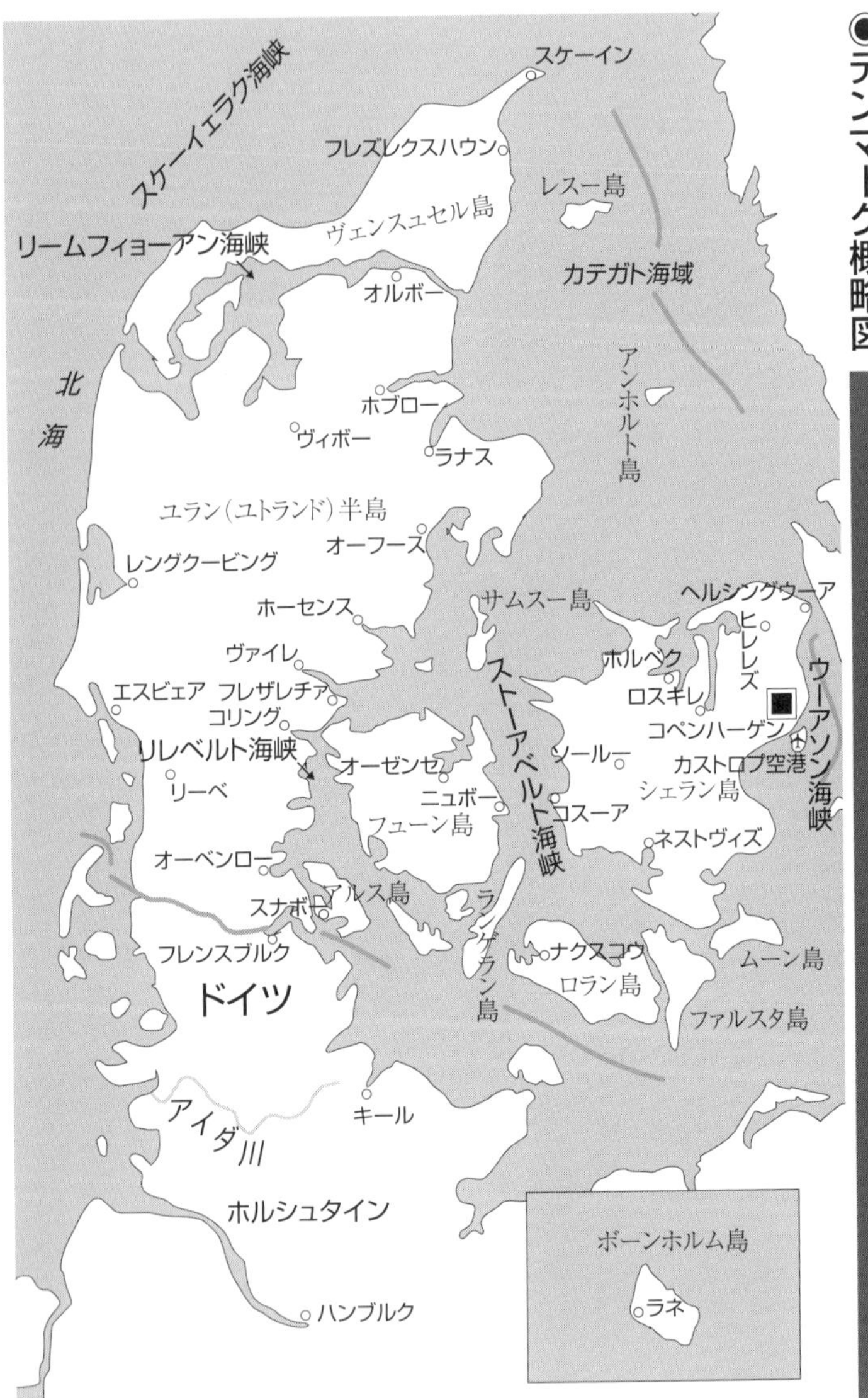

スケーイン
スケーイェラク海峡
フレズレクスハウン
レスー島
ヴェンスユセル島
リームフィョーアン海峡
カテガト海域
オルボー
アンホルト島
北海
ホブロー
ヴィボー
ラナス
ユラン(ユトランド)半島
オーフース
レングクービング
ホーセンス
サムスー島
ヘルシングウーア
ヒレレズ
ヴァイレ
ホルベク
エスビェア
フレザレチア
ロスキレ
コリング
コペンハーゲン
ウーアソン海峡
リレベルト海峡
ストーアベルト海峡
オーゼンセ
ソールー
カストロプ空港
リーベ
ニュボー
シェラン島
コスーア
フューン島
ネストヴィズ
オーベンロー
アルス島
スナボー
ランゲラン島
フレンスブルク
ナクスコウ
ムーン島
ロラン島
ドイツ
ファルスタ島
キール
アイダ川
ホルシュタイン
ボーンホルム島
ラネ
ハンブルク

I

デンマークの位置

1

デンマークの地勢

★浅海に散らばった土塊の国★

デンマークのどこを探しても、海岸線から52キロ以上離れた場所を見出すことはできない。私たちにとって港や海辺を飛び交うカモメは、デンマークの鳥類図鑑では「野の鳥」であり、どこにでも見られる野鳥。そして、デンマーク女王の「行幸」は、国内どこに行くにも王室ヨットの「ダネブロー」号で。

デンマークは、海抜170メートル強を最高点とするいわば浅海に散らばった土塊の国と言える。1658年までスカンディナヴィア半島の南端の地、スコーネ地方を領有して、デンマーク王国はバルト海の入り口を扼(やく)し、北海（カテガト海峡）への出口としてその土塊を分かつ3つの瀬（ベルト）をその版図に擁していた。東からウーアソン、大(ストーア)ベルト、小(リレ)ベルトの三海峡がそれで、それらを表すためにロイヤル・コペンハーゲン製の陶磁器の底には、絵付け職人のイニシャルと3本の波形が標されることになっている。ウーアソン海峡の最狭部には、デンマーク最大の島、シェラン島のヘルシングウーアにクローンボー城を配し、1429年以来19世紀の半ばまで「海峡税」をデンマーク王室が徴収した。三海峡を越えた一番西にはユラン（ユトランド）半島が横たわり、大・小ベルトに挟まれてフューン島が存在し、そのほか500あまりの島々から、デンマーク版図は形成されている。

では、その国土がどのようにできたのかというと、コペンハーゲンの観光スポットの1つ「ゲフィオンの噴水」（アナス・ボンゴー作、1908年）に纏わる物語が示している。スノッリ・ストゥルルソンによる『散文のエッダ』内の『ギュルヴィたぶらかし』には、ギュルヴィ王に「一晩で耕すことができる土地を与える」と持ちかけられた女神ゲフィオンが、4人の息子を雄牛に変身させ、彼らに牽かせた犂で大地を鋤き、それをフューン島とスコーネの間の海に運び、シェラン島を創ったというのである。抉られた箇所がスウェーデンのストックホルムが面するメーラレン湖であるという。ところが、「ゲフィオンの噴水」の観光用解説では、シェラン島の形状によく似たスウェーデン南部の湖、ヴェーネン湖がゲフィオンの鋤き取った大地の窪みの跡だとしている。またフューン島の東部の小村ヘスルエーヤには、周囲の土壌とはまったく無縁の、約370立方メートル、重量1000トンあまりの大石が存在し、それは「姥石 Damestenen」(Hesselagerstenen) と呼ばれる。その花崗岩がどこからやって来たかというと、やはりはるばるスカンディナヴィア半島のどこかからであろうと考えられ、それが氷河地形の説明で語られる捨子石とか迷子石 (vandreblok) とか言われるものであることは確かである。

私たちにとって氷河地形と言えば、氷河の「浸蝕」によって形成される山頂のホーンやカール（圏谷）、そしてU字谷やフィヨルドを、さらに氷床の「浸蝕」によるフィンランドの森と湖の景観をなす氷河湖とエスカーの組み合わせ、フィンランド湾やストックホルム周辺のバルト海上の「多島海」の存在を、思い浮かべるだろう。しかし、それらが主に「削る」ことででき上がった地形であるのに対し、そこで削られた岩や地塊はさらに平野を外側へと移動する氷床によって運び去られ、その拡大が限界に達するあたりで氷床が融け、後退する際に、置いていかれて「堆積」されるのである。ここでは文脈上「氷河」が「氷床（ice sheet / indlandsis）」という言葉に変わらざるを得なくなるので、いささか説明が必要だ。私たちが「氷河」と言うとき、そのイメージは万年雪がその自重から、圧縮・凝縮して氷となり、山岳地帯を川のごとく流れ行く（移動していく）ものということになる。しかし、氷河期には、海岸線が今より200メートルも下がるほどに海からの水分が陸地に〝雪〟として降り続き、厚いところでは3000メートルに達する一面の氷の原が出現する。中心に雪が降り続く限りそれが徐々に周囲に向かって拡大していく様を、私たちは想像する必要がある。それは「氷河」と呼ぶにはあまりにも大きな〝地表を覆っていく氷の広がり〟であり、日本語では「大陸氷河」と呼ばれることはあっても、もはや「河」のイメージは超越されるため、「氷床」という表現が適当となる。

すなわち、デンマークの位置とは、最後の氷期に氷床が目いっぱいに広がった南西方向の最終地点にあって、スカンディナヴィア半島やバルト海地域から運ばれてきた土砂・砂礫・岩などが、さまざまな粘土層、石灰岩、燧石（フリント）からなる土壌の基層の上に、置き残されたところにあたっているのである。氷床の運搬・堆積作用、さらにその融解時の水流と氷河期の終焉期に向かって起きた海水面の上昇によって、現在のデンマークの地形が形成されていったのである。私事ではあるが、50年前、コペンハーゲン大学地理学科に留学した際に目にした、当時のデンマークの地形学の泰斗アクセル・スコウ（Axel Schou）教授がフリーハンドで黒板に描いた見事な地形構造図は、いまだに筆者の脳裏に氷床が重厚な軋み音を立てながら移動していく様を思い描かせる。

図1　氷床先端部の模式図

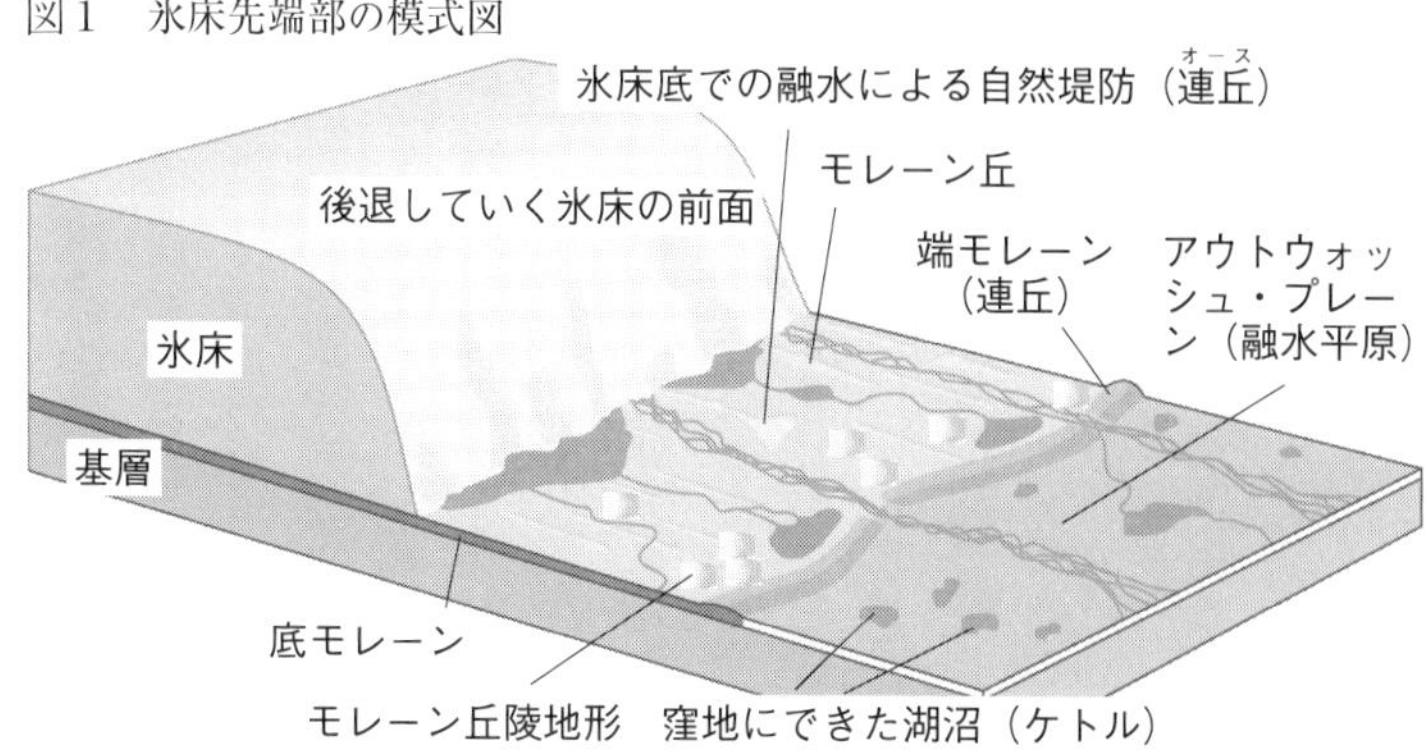

出典：http://da.wikipedia.org/wiki/Gletsjer

図1は、氷床先端部の模式図であり、氷床が運んできた土塊（モレーン、日本語では「氷堆石」と書く）が形成する地形に注目してみよう。氷床の進出限界部に一列に連なる終堆石（エンドモレーン）が形成され、その内側にはモレーンの丘がいくつも大きく波打って横たわり、終堆石（図中では端モレーン）の列の前方（外側）には、氷床が融けてあっちこっちから噴き出すように流れ出す水流が作り上げた起伏のない平原（アウトウォッシュ・プレーン）が存在する。それが実際となると、図2で見るように、デンマークのユラン半島上には最後の氷河期（ヴァイクセル・ヴュルム氷期）にスカンディナヴィア半島を覆った氷床の先端が乗っていて、その終堆石の連続丘が氷床全体の南西方向への進出限界を示している。この氷床の縁に位置する終堆石は、東方から運ばれてきた土塊が押し出されたものであり、その東側（内側）には、氷床のなかに取り込まれた土塊が氷がなくなって地表に残され、それらがゆるやかな起伏の丘陵地形を展開する。したがって、ユランの北部と東部は、デンマークの島嶼部と同じようなモレーン丘陵地形となってい

図２　デンマークの地形図

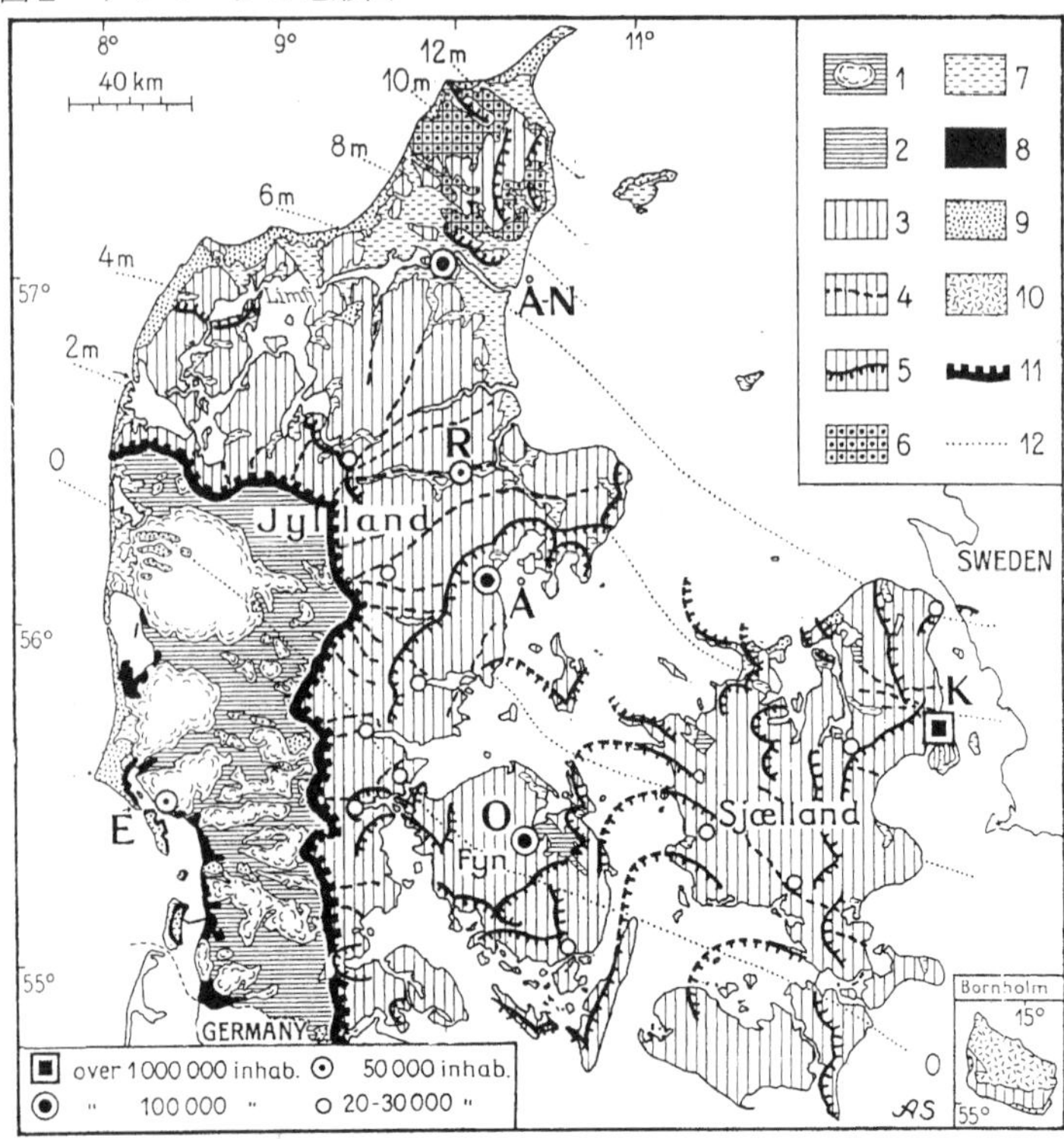

1　古い氷期（ザーレ・リス氷期）に形成された旧モレーンの丘

2　アウトウオッシュ・プレーン（氷床の融水流によって外側に土砂が堆積してできた平原）

3　起伏に富む若いモレーン丘陵地形（ヴァイクセル・ヴュルム氷期／最終氷期時）

4　長狭な湖と湿地の続く準氷河谷

5　端堆石（ターミナルモレーン）。（氷床後退期にも、繰り返し起こる氷床の小さな進出の跡で、その外側には小さなアウトウォッシュ・プレーンが存在）

6　ヨルディア海（北欧に間氷期にできた海）海底の隆起部（後期氷河期台地）

7　海底隆起平野

8　低湿地

9　砂丘・砂浜

10　花崗岩基層（ボーンホルム島は本土から離れ、スウェーデン・ポーランド間に位置し、例外）

11　終堆石（エンドモレーン）。（ヴァイクセル・ヴュルム氷期時、氷床の進出限界部に形成された端堆石）

12　最終氷期以降の地表の隆起（単位メートル）

＊　都市名略号　E エスビェア　K コペンハーゲン　O オーゼンセ　R ラナス
Å オーフース　ÅN オルボー／ナアアソンビュー

出典：Axel Sømme ed., *A Geography of Norden*, 1960, p.88.

る。そして、その終堆石の列が西に延びようとするところと南に下がろうとするところの交点の近くには、土塊が一番多く重なり合い、そこにデンマークの170メートルを超す海抜最高地帯が形成された。終堆石の前方では、つまり、ユランの西部では、この最後の氷期に先立つ氷期（ザーレ・リス氷期）の氷床が運んできた旧モレーンの残丘が存在するところを除いては、西の北海の海岸に至るまで、まったく平らな地形が存在し、それがアウトウォッシュ・プレーンである。そこは、砂地で地味が悪く、植生としてはヒースの広がる平原である。

デンマークはもとより、ドイツなどのバルト海南岸の地はブナやミズナラが茂るモレーン丘陵地形で、海岸線の形態は複雑で、内陸からの河川の出口にあたる長狭な湾が、大昔より良港の条件を人びとに提供してきたが、デンマークではそれらの湾の地名が「……Fjord / -fjord」（フィョーア）となっている。すなわち、それらは名称としては「フィヨルド」であり、ノルド語系の言語で、それらがそう呼ばれることはもともと彼らがそう呼んでいたのであるから当然であろうが、「フィヨルド」が〝氷河の通った跡のU字谷に海進があって、内陸深く奥入り、切り立った崖に挟まれた長狭な湾〟であると、地質学・地理学で術語化されていることから、かなりの混乱が生じている。文学作品の翻訳において、その物語の展開の舞台をいったん「フィヨルド」と呼んだ途端に、多くの人びとはその語にノルウェーにあるようなフィヨルド景観を思い浮かべるのであるが、それがデンマークの、それも比高がせいぜい5、60メートルの開けた丘に面する川辺のような「フィョーア」の景色との混同は、致命的でもある。たとえば、J・P・ヤコブセンの『ニルス・リューネ』（山室静訳『死と愛〈ニイルス・リイネ〉』）の11章で、山室は「エリクとフェニモアは二年前に結婚して、マリアジェル・フィヨルドの小さな山荘で家庭を持っていた」と訳した。デンマークの景観を知らなかった少年の頃の筆者は、〝内陸深く奥入り、切り立った崖に挟まれたフィヨルドの岸辺近くに佇む山荘〟を思い浮かべて読んでいたが、実際、その舞台はユラン東海岸の〝マーイエーヤ・フィヨーアの水辺近くの小さな一軒家〟であった。その家が、やはり前者の文脈的設定では「山荘」と訳したくもなるわけだが、むしろニルス・リューネの〝神の救いを拒絶する無神論のなかでの死〟という結末を考えると、ロマンティックな「フィヨルド」は向いていなかったなあ、と変にこだわりを持つ、筆者のこのごろである。要するに、デンマークの「フィヨーア」の名称は、砂州によって形成されたラグーン（潟湖）であるレングクーピング・フィヨーア（Ringkøping Fjord）にさえも付けられており、fjord の語をこちら側が勝手に作り上げたイメージを前提に解釈しようとすること自体に問題があり、言葉は科学や学問に先んじて存在しているのである。

（村井誠人）

2

小国デンマークが自らの国境線を決めるとき

★「己の欲せざる所は、人に施すなかれ」★

「国」の形として、「フリーハンド」で人々が自らの国境を引くことができるとき、だれがその人々の担い手であるのかが問題となる。第一次世界大戦直後に、「デンマーク人」が自らの国境線を自らの意志によって〝平和裏に〟引くという、現代史史上きわめて異例の事態があった。

孔子が、「己（おのれ）の欲せざる所は、人に施す勿（なか）れ」といった言葉が、半世紀以上にわたってドイツ国家の支配下にあり、ようやく自らの運命を決すべき機会を得た「デンマーク人」同胞に対し、デンマークの歴史家H・V・クラウセンが1918年に語り掛けた言葉に重なる。第一次世界大戦に敗れたドイツ帝国から、「民族自決」権に則って住民投票によってデンマーク国家へと自らの帰属を選択しようとする人々に告げたのである。クラウセンは、小冊子『決定を前に（Før Afgørelsen）』のなかで語った。「我々自身に対しされたくない不正義を、他者に対して行ないたくない。我々が関わりもない、また積極的に加わろうとも思わない国や文化的社会に組み込まれることを強いられたくない」と。

1919年6月28日、ヴェルサイユ条約が第一次世界大戦の終結後、交戦国間で締結され、翌年1月10日に発効した。その第109条・第110条に則り、ドイツ内のシュレースヴィヒ（デンマーク語ではスリースヴィ）北部から中部における住民の国家的帰属を問う「住民投票」が実施された。1920年2月10日に第一投票地区、3月14日に第二投票地区で投票が行なわれ、その結果（それぞれ、75％、28％のデンマーク票）に基づいてシュレースヴィヒ北部がデンマークに「再結合（Genforeningen）」され、第二投票地区はドイツ内に残留することになった。同年6月15日、公式にデンマーク・ドイツ間の国境の成立が宣言され、国境の移動によって生じた新しい国土（王国領土の10分の1、王国人口の20分の1）のデンマークへの移管を、デンマークでは「再結合（復帰）」と表現するのである。

この流れがデンマーク通史では記されるのであるが、その背景には不可思議なことが存在し、それは通常の「デンマーク史」には登場しない。デンマークは第一次世界大戦においては交戦国ではなく、中立の立場をとり、ヴェルサイユ条約の締約国でもない。したがって、終戦時にデンマーク政府には、新たな国境を求める〝権利〟は存在しなかったし、形式的にはあくまでもドイツ帝国内のデンマーク系少数民族組織が、「祖国復帰」を希望する声を上げることで、事態が動き始めるという手続きが必要であった。実はその「手続き」を促したのは、大戦中に「中立」を通してきたデンマークの急進左翼党政府であった。1918年11月11日のドイツが敗北に至るその直前に、急進左翼党に近いコペンハーゲン大学の歴史学教授オーウ・フリースを中心とする人々が「十月宣言（Oktoberadressen）」を起草し、デンマーク王国民、および敗北を目前にしていたドイツ国民の良心に訴えた。デンマーク政府が国境の南側にいるデンマーク少数民族の「祖国再結合」への理解を求めたのである。終戦前のドイツ政府に「自発的に」デンマークへの北部スリースヴィの割譲を促したと理解される。この宣言はドイツの外交官にまで伝えられたと考えられるが、正式には、公表されずに終わっている。そこでは、以下のように訴えている。

「決してドイツ民族の権利を踏みつけようとする意図はない。我々の望みは、ただ、デンマーク語を語り、デンマーク人として感じ、（ドイツ国家のなかにあって）デンマーク人であり続けたいとする住民をデンマークに復帰させることである。すなわち、それは、デンマーク系北部スリースヴィの全域であって、デンマーク系北部スリースヴィのみであり、それ以上のなにがしかもデンマークに結合させてはならない」と。

それが、だれに対し「宣言」しているのかは最終的には公開されなかったので定かではないが、どうもフランスの姿勢などドイツへの過酷な制裁の動きに連動した国内の保守派による、より大きな面積の地をデンマークに「復帰させようとする」動きを牽制したものでもあっただろう。

また、実際の住民投票が、２つの投票地区設定をもって行なわれたことも不思議である。

実は、前述のフリース教授が、終戦直後に列車でベルリンに出向き、デンマークに関わるこの問題の知識に乏しいドイツ外務長官ゾルフと外務長官執務室で面会し、ゾルフに促されてフリースが鉛筆で将来そうなるべき「国境線」を目の前に広げられた地図の上に描いてみせている。それはクラウセンが長年の研究調査ののちに想定した「北部スリースヴィの南限線」（クラウセン・ライン）であり、将来生ずるデンマーク内の「ドイツ系少数民族」をできる限り少なくすることを目指すラインであった。その会談のなかで、フリースの助言の下、北部シュレースヴィヒ選出の帝国議会議員H・P・ハンセンに対し、長官が「当該住民の祖国復帰の請願を受けて」のちにデンマーク史内で「ゾルフ書簡」と呼ばれる文書を認め（したため）、当該地域の住民投票を認める文書を送るという手立てが講じられた。筆者の調べた結果から言うと、「ゾルフ書簡」の下書きはフリースが書いており、また実際、ベルリン駅から故郷に列車で発とうしているハンセン議員にフリースがゾルフの清書した「ゾルフ書簡」を手渡していた。以上は、デンマークの歴史書には書かれてはいない。ハンセン議員は故郷に帰り、すぐにオーベンローの「民族の家（フォルケイエム）」で住民集会を開き、そこで住民投票を経て「デンマークへの復帰」の道筋が決まっていくのであった。ところがその集会におけるハプニングとして、クラウセン・ライン以南の地の住民から、自分たちもデンマークに復帰できるチャンスを与えてほしいと言い出され、その結果、第一投票地区は単一投票区として投票結果の過半数をもって判断され、第二投票地区は、各コミューンごとの結果によるとされた。その結果、クラウセン・ラインが、今のデンマーク・ドイツ国境であり、第二投票地区で最大のデンマーク人居住地フレンスブルク（フレンスボー）市もドイツ側に残留することとなった。

また、ベートーヴェンの交響曲第九番が、我が国で初めて演奏されたところが、第一次世界大戦で青島（チンタオ）で捕虜となったドイツ兵が収容された徳島県の板東俘虜収容所で、1918年6月にヘルマン・ハンセン（1886〜1927）が指揮したと言われるが、この彼が、上記住民投票（多分、第二投票地区のフレンスブルク市）に参加するため、ほかの捕虜たちより早期に帰国していった者たちのなかにいたと、伝えられている。氏名からは、デンマーク系・ドイツ系という判断はできないが、たぶん、彼が投票したとしたら、そのドイツ内の音楽教育の経験などから、ドイツ票に投じたのではないかと、筆者は想像する。

話題がそれてしまったが、ドイツにおいてナチス党が興隆していく際の、シュレースヴィヒ地方国境担当の任にあったペパーコーン牧師（1890〜1967）の1933年6月のレンツブルク集会で発した言葉は、上記に紹介したデンマーク側の言説に真っ向から反するものであった。

「国が強力な政府を持てば、国はつねに拡張を望む。それはまったく自然の道理である。いつだってそうである。弱い政府を国が持ったら、国自身が弱くなり、外からの圧力に抗しきれない。その国境は戦争やほかの方法で破られるものなのだ。それに対し強い政府を持つならば、状況は逆なのだ。自然の法に従って、国は外へと広がっていくことになる。国境は外へと圧力がかかり、弱い国が退くのだ」と。

しかし、デンマーク・ドイツ国境は、不変のまま、動くことなくいまに至る国境でもある。現在も、自動車専用道路ではなく、フレンスブルク市から北に向かう国道上のクルーソーの国境検問所のあったところに、白い大きな石の記念碑が立っている。1920年の新国境の成立によって国境の南側に残されたデンマーク系住民に対するデンマーク国民の惜別の情が記されている。そこに刻まれた言葉は、「お前たちを、忘れはしない（I skal ikke blive glemte）」である。

（村井誠人）

コラム1

デンマークのあちらこちらで

村井誠人

ドラーウウア(Dragør)

ドラーウウアとは、アマー島南東のコペンハーゲンのカストロプ空港近くの小さな港町で、コペンハーゲン中央駅から12キロの距離をバスが通っており、丸石で舗装された迷路のような街路に黄色の壁、赤い瓦屋根の平家ないし2階家の小さな集落がそれで、デンマークの伝統的な田舎の雰囲気を保っている景観が印象深い。地名では「曳き舟と砂(砂利)浜」の漁村をさすのだが、16世紀にクリスチャン2世王が王室で消費する野菜の栽培のために当時の農業先進地のオランダから24家族の農民を呼び寄せて住まわせたことがその景観の始まりだといわれる。彼らがデンマークにニンジンをもたらしたのだ。入りくねった街路に面した窓の外に、通行人を陰ながら見張る「世間話の鏡(sladder spejl)」と呼ばれる一見蝶々のような形の小さな両面鏡があるのを筆者は見つけた。デンマークには古来、「ヤンテの掟(Jantelov)」と呼ばれる余所者に対する「十戒」が人々の間に伝わっており、そこでは「汝、己をひとかどの人間と思うなかれ」とか、「汝、己を我らより知恵者だと思うなかれ」とかが挙げられており、筆者には「ヤンテの掟」が語られるときに、部屋のな

ドラーウウアの街路(筆者撮影)

かからこの両面鏡を通して通行する人々のふるまいを眺めていたお年寄りたちの存在を想像してきた。筆者自身がバス代の5クローネを払えず倹約を旨とした学生時代に、自転車に乗ってそこまで走っていった日々を思い出す。

追悼の森(Mindeslunden)

コペンハーゲンにはところどころに第二次世界大戦時の防空壕の塚がいまだに存在する。また、北の郊外、中央駅から約9キロ離れたヘレロプの南に大戦下のドイツ占領時に、抵抗運動に参加した人々が銃殺刑に処された場所がそのままに残され、そこは「追悼の森」と名付けられた緑地となっている。今も草に覆われた窪地には3本の木製の柱が立ち、つい昨日まで銃殺が行なわれていたような錯覚を覚える。その緑地の入り口には「自由の闘士(Friheds Kæmpere)」を追悼する記念碑が立っており、さらに進むと多くの墓石の前に倒れた青年を抱えた母の白亜の像が立ち、台座には「デンマークのために」と刻まれている。平和な国、デンマークの実際の歴史を思い起こさせられるひと時であり、ぜひ時間がおありの時に、自転車でも借りて、行かれることをお勧めする。

「追悼の森」の、抵抗運動の人々が銃殺された窪地(筆者撮影)

「デンマークのために」の像(筆者撮影)

キルケゴールの父の生まれ故郷にあるセディングの教会

コラム2

中里巧

ユラン（ユトランド）半島南西部、北海沿岸にあるエスビェア港の北5キロの位置に、セディング教会が建っている。セディング教会は、尖塔のない石造りの建物であるが、キリスト教がユラン地域に布教された初期の頃にすでに、この場所に小さな木造教会が建てられていたのではないか、と思われる。そもそもキリスト教化以前からこの場所は、異教時代の「聖域」であり、鉄器後期ヴァイキング時代においても祭儀がこの場所で執り行なわれていたのではないか、と推測する。なぜなら祭儀を行なう場所は、宗教が代わっても変わらないからであり、聖域として独特の霊性を帯びていると北欧の神々を信仰していた人々は感じ取っていたからである。現在のセディング教会内部の祭壇右手前の柱にある紋様は、ケルト＝ヴァイキング紋様に酷似している。以前に建てられていた木造教会にあった紋様を継承したのではないかと思う。また、巨大な石の洗礼盤が教会内部にあり、現在も用いられているが、初期セディング教会にまで遡りうるものかもしれない。

父ミケールの生家があった場所の記念碑（筆者撮影）

コラム2

キルケゴールの父の生まれ故郷にあるセディングの教会

現在のセディング教会の北側50メートルほどのところに、キルケゴールの父ミケール（1756~1838）の生家があった。現在では記念碑が建てられている。記念碑には、「ここに、セーアン・キルケゴール一族の家が建っていた」と記されている。父ミケールの生家がセディング教会に隣接しているなどの点から、おそらく、キルケゴール家は、教会の鍵を預かり管理する墓守の役目も担っていたであろう。ミケールの生家から1キロ北東に、ホイエストホイという前期鉄器時代の塚があり、この塚の上で羊の番をしていた少年ミケールはその辛さゆえに繰り返し神を呪った。また、セディングから北に20キロメートルほど行くと、ダイベアという地域があり、ここで祭儀に用いられた約2000年前の牛車または馬車（デンマーク国立博物館所蔵）が出土している。ダイベアにある博物館には、祭儀の様子を復元したジオラマが展示されている。この祭儀用具は、タキトゥスの著作『ゲルマニア』にも記述されており、この車の中央には大地母神ネルトゥスが置かれたと伝えられている。ユラン地域の痩せた土地を改良したエンリコ・ミリーウス・ダルガス（1828~1894）の記念碑も、ダイベアにある。

父ミケールの呪詛には、こうしたキリスト教化以前の土俗的霊性との関わりがあり、ミケールの呪詛を発端とするキルケゴールの思想もまた、同様であると、筆者は考える。

ホイエストホイ。キルケゴールの父ミケールが12歳のとき、神を呪詛した場所（筆者撮影）

3

自治区「フリータウン・クリスチャニア」

★他者への寛容とデンマーク人らしい「自由」の象徴★

コペンハーゲン中央駅や遊園地「チボリ（ティヴォリ）」から東に約2・5キロ、女王の住むアメーリエンボー宮殿からは1キロというコペンハーゲン市中心部のクレスチャンスハウンにある「自由都市・クリスチャニア Fristaden Christiania」（本章では、デンマーク語音表記にとらわれずに、一般化した表記をとることをあらかじめ記しておく）は、約34ヘクタールの広大な土地に850人が住む「自治区」である。1968年の「若者の蜂起」、ヒッピー・ムーヴメントを背景に、1971年にジャーナリスト、ヤコブ・ルズヴィセン（Jacob Ludvigsen：1947〜2017）らが、移転により放置状態にあった旧海軍施設を不法占拠したことで始まった。ルズヴィセンの呼びかけにすぐに若者が大挙して集まり、ちょうど総選挙後の新政府の組閣中であったため、当局の対処が遅れたという幸運が重なった。当時、ヒッピーが集った地域があちこちに出現したが、クリスチャニアは「1つの町」としての機能を持ち、現在まで続いている点が世界でもユニークであり、現在のエコビレッジや共同生活体の先駆けである。ルズヴィセンの言葉を借りれば、ここは「ヒッピーの野外博物館」だ。

住民は設立当初から経済至上主義の現代社会を否定し、反物質主義で、リサイクル・エコロジー・自給自足を重んじ、個人を尊重する、寛容で愛情ある社会を目指してきた。住民共同基金に納めて費用をシェアし、合議型民主主義を守り続けてきた。

「あなたは今、EUを離れます」と書かれたゲートをくぐると、ディズニーランドに入場したときと全く反対の体験をする。「夢のような」コペンハーゲンの美しい街並みとは別世界の、落書きだらけのボロボロの壁、どぎつい色のグラフィックアート、手書き文字の看板、水溜まりのある砂利道、痩せて汚れた放し飼いの犬、昼間から酔っぱらっている人々というヒッピーの世界に突然入り込んでしまう。入口広場では観光客向けに、赤地に3つの黄色い丸が並ぶ、クリスチャニアの旗をデザインした土産物の露店が並ぶ。ビーガン・メニューが充実しているカフェやレストラン、住民のなかの芸術家が制作した作品を売るギャラリー、ライブハウスやコンサート会場があり、国内外から年間約50万人の観光客が訪れ、大型バスツアーの客も来る、コペンハーゲン「第四」の観光地である。少し奥には保育園や共同浴場、スポーツクラブ、有名なクリスチャニア・バイクの組立工場や廃品利用工場、女性だけの鍛冶場などといった住民の生活の場が点在する。

さて、クリスチャニアといえば、マリファナである。「プッシャー通り」では、警察官と売人とのゲームのようないたちごっこが繰り返されている。国内のマリファナの半分がここで消費されているとも言われ、マリファナと音楽、その組み合わせはヒッピーの町クリスチャニアの魅力の1つである。1970年代後半からデンマークで急速に広まったハードドラッグはクリスチャニアが温床になっていると言われ、警察に敵視され、ときには両者の暴力的な抗争も見られた。以来、ハードドラッグは禁止、マリファナはOKというのがクリスチャニアのルールとなっていたが、一方、行き場のない薬物常習者に対しては、住民は寛容な姿勢をとった。2004年には、クリスチャニア側も公的にはマリファナの販売を禁止し、「外部から来た者たち」が、「勝手に販売しているのだ」と説明する。

危険地帯と思われているのか、日本のガイドブックではクリスチャニアはほとんど触れられていない。筆者は日本人の友人にデンマーク社会の多様性を見せたくて、クリスチャニアを案内したことがあった。だが、こんなところが見たくてデンマークに来たわけじゃないと怒り出し、彼らはすぐに出てしまった。確かに、「お洒落な」北欧デンマークのイメージはここにはない。

クリスチャニアのもう1つの魅力は、カオスな表の顔の奥に広がる、平和な心休まる豊かな自然環境である。コペンハーゲンの街中にいることを忘れてしまうような、木々の間の散歩道のなかに、廃材を利用したユニークな手作りの家が点在し、その先には橋のかかる広い水面が現れる。1971年、ルズヴィセンがその自然に感動し、クリスチャニア誕生の宣言をしたこの湖のほとりの草の上で、人々は寝転び、ピクニックを楽しんでいる。車の乗り入れが禁止されているため、皆のんびりと歩き、ゆったりとした時間が流れ、知り合いと立ち話を楽しんでいる。子連れで歩けば、「あそこにブランコがあるから、好きに遊んでいいよ」と声をかけられ、自分がクリスチャニアの住民に受け入れられていると感じる。コペンハーゲンの街中で驚くほど速く走る、忙しい自転車の群れや車の流れ、またクールなデンマーク人たちの態度に、自分がやや疲れていたことに気づく。

不法占拠から始まったクリスチャニアは、あえて例えてみれば、市ヶ谷の元陸軍省（現防衛省）がヒッピーの若者に占拠されたようなもので、当然、これまでのクリスチャニアの歩みは存続の危機との闘いであった。1973年、当時の国防相、社会民主党のケル・オーレセンの巧みな話術の下、政府から「3年間の社会実験」として暫定的にクリスチャニアの継続の承認を得たのが自治区への第一歩であった。オーレセンは、筆者との2013年のインタビューで、当初から完全にクリスチャニア擁護派であり、クリスチャニアの住民と頻繁に会って話し合っており、保守国民党などの議会での追及をかわすなど、自ら積極的に住民たちと政治家との調整役を果たしていた、と答えている。

以来、コペンハーゲン市、国防省、文化省、経済省、各政党、警察などが住民たちの退去と首都に位置するこの広大な一等地の再開発を画策して、膨大な議論を行なってきた。だが、必ずしも関係者間の足並みは揃わず、この問題の決着を長い間見出せずにいた。一方、住民側はときにオーレセンをはじめとする政治家や弁護士など、社会的地位がある者の協力を得、また週刊の広報誌の発行やコンサートなどのイベント、クリスチャニア内外で行なわれたパレード、クリスマスのチャリティディナーなどを通じて、クリスチャニアの存在意義を社会にアピールし続けてきた。

控訴を含めた長い闘いの末、2011年2月、最高裁判所でクリスチャニアは敗訴、とうとう撤退命令が下る。8月半ばまでにクリスチャニアを明け渡すか、そのエリアを購入するかという二者択一が迫られ、住民たちはクリスチャニアを4日間完全閉鎖して真剣な協議を行なった。その結果、彼らは購入の道を選び、資金集めのためファンドを立ち上げ、「クリスチャニアを守ろう！」と世界に呼びかけた。マルグレーテ女王の夫君であったヘンレク王配までもファンドを購入するなど短期間で資金を集めることに成功し、2012年、8500万クローネを支払い、売買契約及びリース契約を結び、ようやくクリスチャニアは名実ともに「自由都市（Fristaden）」となったのだった。「独立」祝賀

入口のカール・マセン広場をそぞろ歩く観光客たち

会にはオーレセンも参加、「1971年の設立時の気持ちを忘れずに、常にオープンで寛容であり、刺激的な存在であり続けて下さい」とスピーチをした。ここまで住民たちは50年もの間、真剣に理想的な社会を考え、努力を続けてきた。一方、個人の自由や多様性、他者への寛容を何よりも尊重するデンマーク社会だからこそ、クリスチャニアは存在する。ある意味、クリスチャニアはデンマーク人らしい「自由」の象徴なのだ。

ゲートを出て、「ヒッピーの野外博物館」を後にしてコペンハーゲンの街に戻る。筆者は、今度は忙しい街の雑踏に驚き、すぐにクリスチャニアを懐かしく思うから不思議である。

（オールセン八千代）

4

自治領グリーンランド・フェーロー諸島

★デンマーク国家共同体のかたち★

本書の初版が出版された2009年当時、私は本章（初版第6章）の記述を、「グリーンランド・フェーロー諸島に対して明確なイメージを持つ日本人は多くない」という一文から始めた。当時、大学院生だった私は、研究のメンター（たち）から、「グリーンランド・フェーロー諸島などという風変わりなものを、そのままの状態で差し出しても誰も手を付けてくれないのだから、美味しく見せる方法を考えろ」と言われていた。冒頭の一文は当て推量だったが、経験に基づくものではあった。

2010年代以降、状況の変化を促す出来事はいくつかあった。グリーンランドは、地球温暖化の加速度的な進展と紐づく形で、メディアで頻繁に取り上げられるようになった。2019年には、トランプ米大統領（当時）によるグリーンランド購入発言と相乗しながら、グリーンランドの戦略的価値に注目が集まった。フェーロー諸島は、スペイン・カタルーニャの独立問題が報じられるなかで、「次のカタルーニャ」の1つとして取り上げられた。2017年には、英国の全国紙『ガーディアン』などが特集を組んだことで、独立という選択肢と、北の孤島の島民との結い目に、世界の関心が向けられた。ゴンドウクジラの追い込み漁に対するバッシングも、和歌山県太地町の追い込み漁との対比のなかで、フェロー諸島を可視化した。

他方で、研究のアウトリーチ活動を通して感じるのは、グリーンランドとフェーロー諸島が、今なお多くの日本人にとって、遠い存在であり続けているということである。両者が、デンマーク国家共同体（Rigsfællesskabet：以下、国家共同体）という枠組みを構成するデンマークの自治領であることなど、さらに知られていない事柄だろう。

本章は、2009年以降の動静をふまえつつ、グリーンランドとフェーロー諸島の基本を押さえながら、国家共同体の自治領として、両者がどのように未来を構想しているのかを素描するものである。

まず、グリーンランド（Kalaallit Nunaat, Grønland）は、北大西洋と北極海の間に浮かぶ世界最大の島である。北部から中部にかけては寒帯だが、南端は亜寒帯気候であり、わずかながら樹木も生育する。領土面積は、約218万平方キロメートル。ただし、全島の83％が氷床や万年雪に覆われているため、住民はそれらに覆われていない沿岸部に町を形成して生活を営んでいる。

人口は約6万人、うち3割強は中心都市ヌークに集中する。エスニシティは大きく2つに方向付けられる。1つは、約5000年前にチュコトカ半島を出発し、アラスカ、カナダを経て、グリーンランドに到達したパレオ・エスキモーという遺伝子集団および約1000年前に同様の過程でグリーンランドに辿り着いたネオ・エスキモー遺伝子集団（図1）。もう1つは、スカンディナヴィアからグリーンランドへと新たな地平を求めた10世紀のノース人（図2）および18世紀以降のデンマーク＝ノルウェー同君連合の出身者である。現代グリーンランドは、両者（東西）の交渉史の上に成り立って

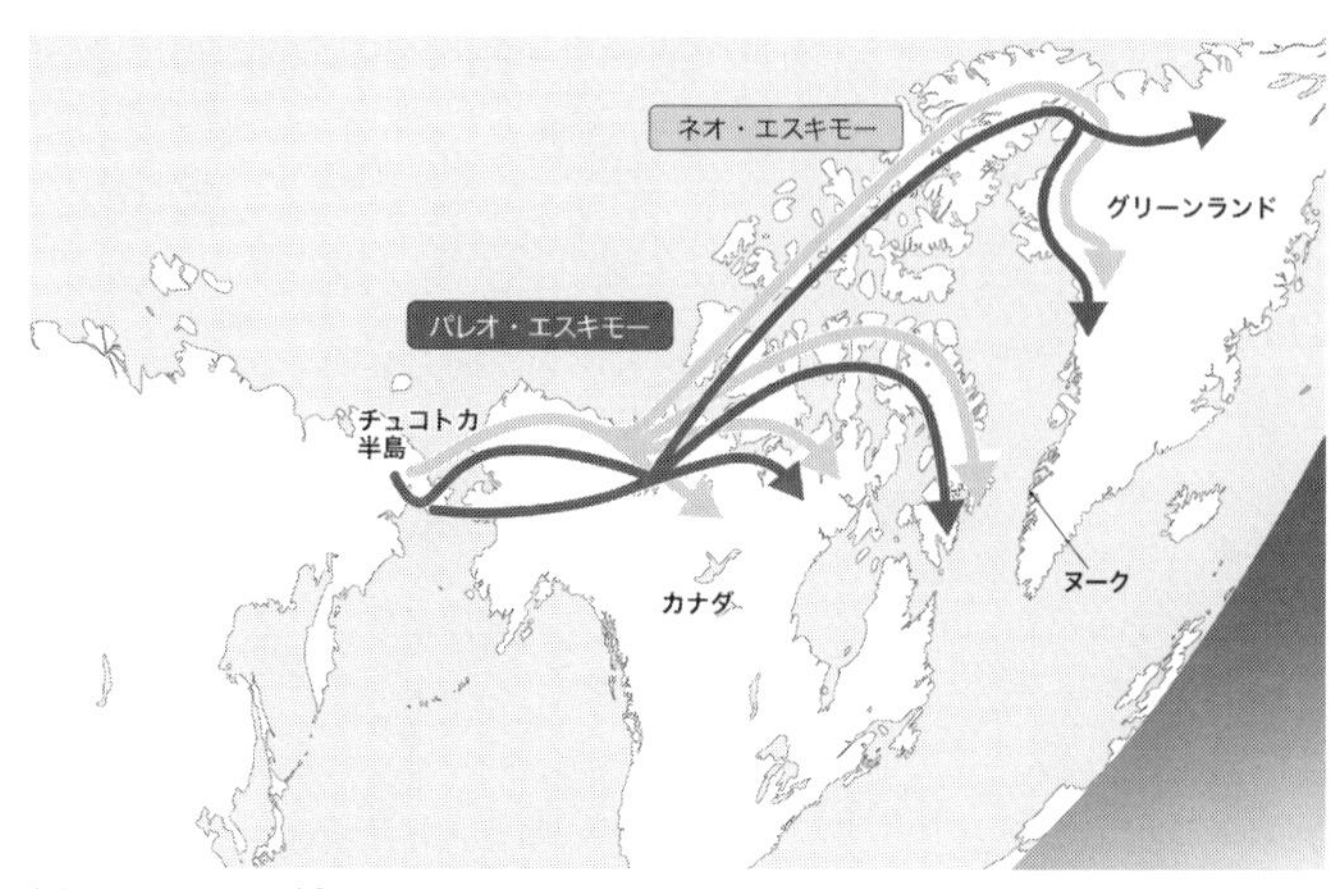

図1　パレオ／ネオ・エスキモーのあゆみ

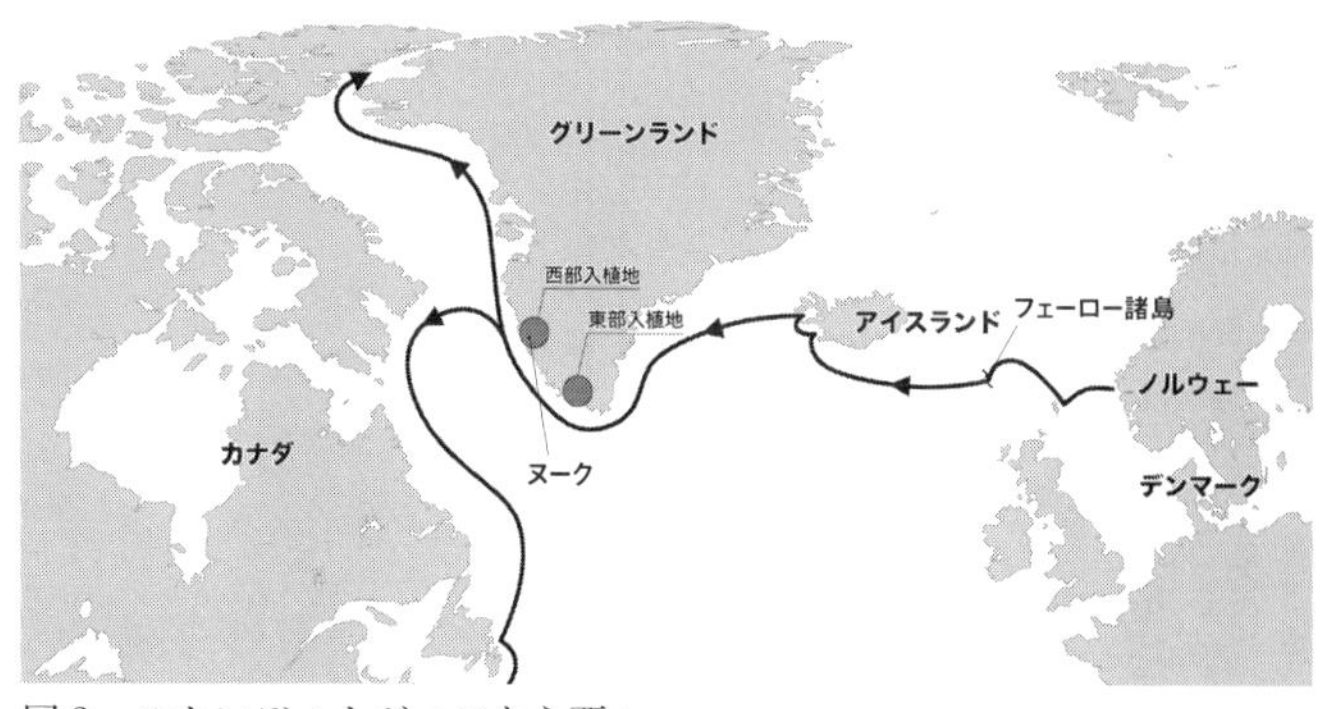

図2　スカンディナヴィアから西へ

いる。

公用語はグリーンランド語（東エスキモー語）である。行政や教育の場ではデンマーク語も使われる。しかし、近年、デンマーク語の使用者は相対的に低下している。背景の1つには、戦後デンマークが主導した画一的かつ集中的な近代化政策に対して、グリーンランドのグリーンランド化＝自治（home-rule）を推し進めたことがあった。原綴りにhomeが使われていることからも明らかなように、この動きは、国家共同体（home）のなかで、一定の自律性を獲得することを目指すものだった（1978年11月29日付内政自治法）。

時代が下るにつれて、自治はデンマークからの自立（self-rule）、そして独立を志向するようになっていく。２００９年６月には、自治法が改正され、独立条項が明記されるにいたった（次章参照）。２０１９年の意識調査では、有権者の約７割が、デンマークからの将来的な独立を支持した。こうした世論にも後押しされて、２０２３年３月には、グリーンランド史上初の憲法試案が発表されるにいたった。

これまで、独立の足かせになってきたのは、水産物およびその加工品（特にエビ）に多くを頼るグリーンランド経済であると言われてきた。実際に、２０２０年の実績（暫定値）では、輸出によって得られる利益の92％を当該産品が占めており、これは対ＧＤＰ（１５４億８１００万デンマーク・クローネ）比で31％だった。近年、全地球的な気候変動に伴うグリーンランド氷床の急速な融解によって、ニッケルやチタンなどの地下資源開発の実現可能性が高まっており、そこから得られる利益を、独立への足掛かりとする動きが見られている。

もっとも、近時の動きが、必ずしも直截的に独立へと結び付けられているわけではない。選択肢の１つとして注目されているのは、外交・安全保障などに対する最終的な決定をデンマークに委ねつつも、対等な関係を築く「フリー・アソシエーション」という形態である。国家共同体の柔軟性が問われている。

一方のフェーロー諸島（Føroyar, Færøerne）は、ノルウェー・アイスランド・スコットランドのほぼ中間点に位置する群島である。亜寒帯気候が育む荒涼とした風景と、原色の家並みが続く（表紙前袖、中央写真参照）。領土面積は、約１４００平方キロメートルである。

人口は約5万人、うち3割強は中心都市トースハウンに集中する。歴史を振り返れば、7世紀初頭にケルトの僧が入植を開始し、9世紀頃にノルウェー発のヴァイキングによって植民地が築かれた後、14世紀以降はデンマークによる統治が続いている。入り組む集団と文化受容の先に、今日のフェーローがある。

他方で、こうした受容プロセスは、島民としての集団的アイデンティティを生成させ、19世紀後半以降の「フェーロー・ナショナリズム」の台頭につながった。独立か、残留かで揺れた第二次世界大戦後のフェーローでは、その折衷案として自治が提示され、1948年3月23日付の内政自治法によって、デンマークの自治領となった。しかし、グリーンランドと同様に、経済セクターは水産業（特にサケ）を中心に構成され、それを下支えするデンマークからの支援によって成り立っている。

ティーナ・アデル・ホフの調査によれば、島内の高校に通う約4割の学生は、デンマークからの独立を望むと意思表示する。他方で、現状維持もしくは自治権の拡張を望む率も約4割を占める。年金受給者も、5割前後で拮抗する。白か黒かで割り切れない理由の1つは、デンマークとの長い付き合いのなかで醸成された、断とうにも断ち切れない結びつき、すなわち絆（ほだし）のようなものに裏打ちされたフェーローの歴史にあるのかもしれない。言語も、現在ではフェーロー語を公用語とするが、デンマーク語からの借用語も多く、両者を峻別することは現実的ではない。

海保千暁は、独立の着地点として、国家共同体から離脱し、主権国家を建設するといった選択肢の有効性に疑問を呈し、近隣のアイスランドやグリーンランドとの高度な地域連帯の可能性に言及している。1985年に設立され、1997年に西北欧理事会（West Nordic Council）と名称変更された三者の協力フォーラムは、その発展可能性を含め、しばしば議論の俎上に載せられてきた。グリーンランドと同様に、独立の性状が問われている。

デンマーク首相府は、グリーンランドとフェーロー諸島を含む国家全体の呼称として、公式の法律文書では「国家の統一（Unity of the Realm, Kongeriget Danmark）」を使う。つまり、立憲君主制に基づく単一の国家であるという、全体と部分との垂直性を強調する。しかし、政策実装の局面では、両者との生の共同や連帯という、水平的なニュアンスを伴う「共同体（community, fællesskabet）」であろうとしてきた。先行研究でしばしば指摘されてきたのは、グリーンランドやフェーロー諸島との対等性を打ち出すことで、国家運営にかかるコストをできるだけ下げ、国家共同体を安定的かつ継続的に運営していこうとするデンマークの意図だった。両者が有する自治権の存在は、（民族的）マイノリティの権利などと結び付くことで、デンマークが成熟した民主主義国家であることを示す重要な要素になってきたからである。

デンマークは、語義的には相容れない「国家」と「共同体」とを（半）公式的な枠組みとして採用することで、三者の共存を明示的に示そうとする。しかし殊更に指摘するまでもないが、国家共同体のかたちは、それだけでは決まらない。

（高橋美野梨）

5

グリーンランドから見たデンマーク

★結び目のあり方★

ここに一枚のイラストがある。右に90度回転したグリーンランドを、船に見立てたものである。漕ぎ手は中西部グリーンランド周辺（ここでは左）に、水先案内人は北西部（ここでは右）に立ち位置を定めている。アンカーロープは水先案内人の近くで括られ、下ろされた錨の先にはデンマークが描かれている。

鑑賞の在り方は多様だが、本章では、イラストから読み取れる２つの視角に焦点をあてたい。１つは、右手に描かれるデンマークが、グリーンランドをつなぎとめているという見方。もう1つは、グリーンランドがデンマークを方向付けているという見方である。前者は法的な側面、すなわちデンマーク国家共同体（Rigsfaellesskaber、以下、国家共同体）におけるデンマークの

出　典：https://jyllands-posten.dk/debat/kronik/ECE10524044/debatten-om-valget-i-groenland-i-danske-medier-er-uaerlig/

主権を焦点化する。後者は実質的な側面、すなわち主従関係の動態を捉えようとする。どちらもグリーンランドとデンマークの駆け引きの実相に迫るものである。

国家共同体の主権

かつてラント・プリチェットとマイケル・ウールコックは、政治秩序の理想形を説明する際に、「デンマーク」という用語を使った。モデル化された想定上の国家を指すものであり、メタファーの域を出ない。しかし、要因間の結び付きを単純かつ体系化したものがモデルだとすれば、実態としてのデンマークと無関係なはずもない。フランシス・フクヤマは、彼らの議論に触れながら、モデルとしてのデンマークの根幹をなす要素として、社会的合意を挙げた。説明責任（アカウンタビリティ）と、双方向的なコミュニケーション（レスポンシビリティ）との相互作用を指す言葉として、である。

グリーンランドからデンマークを理解する上で、この社会的合意という要素は、しばしば先行研究の俎上（そじょう）に載せられてきた。特に冷戦後のデンマークでは、自己の主権保持を前提に、グリーンランドに対する問いかけと応答をふまえた合意形成を模索してきたからである。ナタリア・ロウカチェヴァは、こうしたデンマークの政策態度を、「押し付けがましくない」という表現で説明した。

視認性に優れた事例の1つとして、今日のグリーンランドの地位を保障する２００９年自治法の第8章21条「独立条項」を挙げることができる。同条2項に明記されているように、グリーンランドはデンマークとの間で独立交渉を行なう権利を有している。その過程では、グリーンランド議会の同意および住民投票による承認に加えて、デンマーク議会の同意が必要になることから（同条3項）、21条の行使が、直截的に独立を意味するわけではない。しかし、本章の趣旨に即して重要なのは、グリーンランドへの主権譲渡（同条4項）に際して、当地の人々の意思を尊重し、対話を経た合意を前提とした制度設計がなされていることである（同条1項）。

グリーンランドの応答性を確保しようとする態度は、デンマーク議会の議事録からも読み取れる。デンマークは、決定（bestemmelse）や参加（inddragelse）といった単方向的なニュアンスを伴う用語ではなく、共同決定（medbestemmelse）や協働（medinddragelse）といった双方向性を包含する用語を好んで使用してきた。

主従関係の動態

もっとも、ウルリク・プラム・ガズは、これを生存戦略と説明した。ガズが焦点化するのは、軍事力などの物理的な強制力とは異なる「善意の力」を発揮する主体というイメージを醸成することによって、発言力や信頼を得ようとするデンマークの企図だった。

スヴェン・クレステンセンとクレスチャン・クレステンセンの議論も、ガズと同一線上にある。彼らは、冷戦後デンマークの対グリーンランド政策の基層に、厄介な過去を清算することで自己イメージを回復させようとする意図があった、と分析した。厄介な過去とは、冷戦期グリーンランドで生起した多種多様な事件・事故を指している。特に、北西部グリーンランドのチューレ米軍基地（2023年4月よりピトゥフィック宇宙軍基地に名称変更）周辺では、強制移住、核兵器の持ち込みと配置、放射性廃棄物などとともに建設途上で放棄された氷床内基地（キャンプ・センチュリー）、水素爆弾搭載の軍用機の墜落とプルトニウム汚染など、基地インシデントが多発した。冷戦後、機密文書の公開などによって、事件・事故の詳細が漸進的に明らかにされた。

実のところ、国家共同体内で、平時に外国軍基地を置けるのは、グリーンランドだけである（1951年防衛協定および2004年イガリク協定）。つまり、グリーンランドとの間で基地が政治化し、基地の安定的かつ継続的な運用が危ぶまれたとしても、デンマークはリスクを分散する選択肢を持たない。戦後デンマークは、グリーンランドをアメリカに差し出すことで、北大西洋条約機構（NATO）の集団安全保障体制に「貢献」してきた。それゆえに、冷戦後のデンマークが意識したのは、グリーンランドから反発を受けないように、基地政治をハンドリングしていくことだった。

「厄介な過去」はこれに留まらない。社会実験と称してグリーンランドの子どもたちを親元から強制的に隔離し良きデンマーク人に育てようとしたことや、人口抑制を目的に子宮内避妊具を強制的に装着したことなどが、2000年代以降、当事者の語りによって明らかにされ始めたのである。

デンマークは、こうした多くの問題を前に、レピュテーションリスク――デンマークに対する評判の悪化――の回避を優先順位の高い目標に設定した。これは、ロウカチェヴァが「ヴォーカル・ポジション」という表現で説明した、グリーンランドの発話位置の変化とも密接に係わっていた。グリーンランドは、2000年代以降、地球温暖化の「グラウンド・ゼロ」として、世界の注目を集めるようになった。特に、中西部のイルリサット氷河がユネスコ世界自然遺産に登録された2004年以降、氷河のすぐれた自然美と、それが急速に溶け海に崩れ落ちる温暖化の負の側面との双方が迫力のある映像として可視化されたことで、グリーンランドのグローバルな認知度を急速に高めていった。

同時に、グリーンランドが先住民族社会であることも重要だった。2007年に採択された「先住民族の権利に関する国際連合宣言」に象徴されるように、国史の力学に埋没してきた先住民族の権利再生が、グローバルな課題として流通していくなかで、ネオ・エスキモーの系譜を継ぐグリーンランドも、こうした動きに合流し、はっきりとものを言う立場＝ヴォーカル・ポジションを獲得していくようになったからである。

デンマークは、国家共同体として何らかの決定を下す際に、代替不可能な基地政治空間であり、温暖化の影響を強く受ける場所であると同時に、先住民族社会でもあるグリーンランドの声を含むこと、少なくとも融通性がないとか、非妥協的だと思われないこと、すなわち、多声性をでき得る限り確保していくことに、軸足を置かざるを得なくなっていった。

2023年4月、グリーンランドの中心都市ヌークにあるグリーンランド大学のエントランスホールには、多くの政治家や一般市民が集っていた。グリーンランド史上初となる計11章49項の憲法試案が、憲法制定委員会から議会に引き渡される日だった。地元メディアは、起草された憲法試案が、グリーンランドの長年の夢である独立を今一歩近付けるものであると報じた。

他方、マーティン・ブレウムは、憲法試案を独立と単線的に結び付けるのではなく、本書第4章で触れたフリー・アソシエーションという盟約を含めて、デンマークとの将来的な「関係」を模索するための場、あるいは継続的な対話（応答）の基盤として理解すべきと提言した。ブレウムが見つめるのは、両者の結び目である。

（高橋美野梨）

Ⅰ デンマークの位置

6

スウェーデンから見たデンマーク

★二律背反の鏡★

「スウェーデンにとってデンマークはあまりにも近しい相手であるがゆえに、これまでのスウェーデンはその相手をよく知ろうとしなかった」。これは、ルンド大学歴史学研究所に属してデンマーク研究センター（現在はウーアソン研究センター）を主宰するハンネ・サンダースの言葉である。デンマーク出身の彼女自身がスウェーデンで得たさまざまな体験に基づく両国の比較論を『デンマークへの好奇心』と題する小著で公にし、スウェーデンから見たデンマークのイメージを舌鋒鋭く批判している。彼女の批判は、長らくデンマークはスウェーデンにとって比較の対象とされなかったという指摘から始まる。彼女によれば、この１００年にわたる北欧における福祉国家の展開のなかで、スウェーデンにとって比較と批判の対象はアメリカ合衆国だった。確かに、グローバルな観点から現代史を俯瞰（ふかん）するならば、20世紀末までにスウェーデンで実現された社会民主主義の発想に基づく個人の幸福保障のあり方は、「アメリカ」という名前に象徴される徹底した自由主義に基づく資本主義文明へのアンチテーゼだったといえる。しかし、実際には「フィーカ」と呼ばれる複数の人々が焙煎コーヒーを飲みながら、対話する文化や「システムボラーゲット」と呼ばれる政府による酒類の専売制度に至る禁酒の文化など、今日のスウェーデンの消費生活を支える文化的な要素の多くは、アメリカ合衆国へ渡った移民たちがスウェーデンへと「再移民」する過程でもたらされたものでもある。「アメリカ」を批判しながらも、自らの血肉として受容する二律背反の姿が、今日に至るスウェーデンのあり方を象徴するかのようだ。

一度でもスウェーデンに滞在したことがある者ならば、スウェーデンから見たデンマークのステレオタイプなイメージが、「北欧」としての歴史の経験と文化の特徴を共有しながらも近親憎悪にも似た観点から、「スウェーデンは〝北欧〟的であるのに対して、デンマークは〝大陸〟的である」といったような形で語られる様子を見聞きしたことがあるだろう。こうした議論の1つとして興味深い例が、両者の間での歴史観の違いに裏付けられた自己理解の差である。ハンネ・サンダースが紹介する議論のなかでも、両国で好まれる映像作品の比較分析は、スウェーデンが抱える二律背反性を考える上で示唆的である。たとえば、デンマーク国営放送が1970年代に制作した『マタドール』や2000年代に制作された『年代記』は、前者が1920年代から40年代を、後者が1940年代から70年代のデンマーク社会を舞台とした（日本風に言えば）歴史大河ドラマであるが、これらの映像作品はスウェーデンでも好評を博した。スウェーデンから見れば、片田舎の社会であっても大陸や海洋で外界と接することで多様な出自の人が往来することで可視化される現代史の姿は、いかにも「デンマーク」的な経験として意識されながら受け入れられた。

これに対して、長年スウェーデン国営放送が作成しスウェーデンで好まれていた映像作品の傾向は、たとえばアストリッド・リンドグレーンの児童文学作品を脚本とする作品だった。そうした作品を自らの経験と重ね合わせながら育ったスウェーデンの人たちの間では「牧歌的で、田園的な」自己理解が育まれる一方、大陸から流れこむ他者との対峙によって自己の存在を揺さぶる局面に迫られる「政治的で、歴史的な」経験こそがまさに「デンマーク」を象徴するものだった。そうした「デンマーク」を表象する作品がスウェーデンでも好評を博した点に鑑みるならば、両者の比較を単純な二項対立として終わらせてはならないだろう。上記の大河ドラマのうち、とりわけ『マタドール』は、スウェーデンが体験できなかった20世紀前半の「歴史」を追体験できる機会をスウェーデンの視聴者に提供した作品でもある。ハンネ・サンダースとも交流が深いルンド大学歴史学研究所のヨーハン・ウストリング教授は、今日に至るスウェーデンが移民受入れに寛容であり続ける背景に、スウェーデンが「世界戦争」の経験を他のヨーロッパ諸国と共有できなかった「後ろめたさ」にも似た感情があることを指摘している。彼の所説を引き受けるならば、スウェーデンが「歴史」を追体験せねばならない感情に迫られた時に、『マタドール』に描かれる「デンマーク」は、「歴史」を求める者にとって最適な教材を提供したということになる。

スウェーデンが抱える二律背反の姿は、「デンマーク」という鏡を得ることで明らかにされる。サンダースは、システムボラーゲットで「統制」される一方で、「奔放」なデンマークの飲酒文化を批判するスウェーデンの姿についても、スウェーデンで多く密造されている酒類のことを思えば、スウェーデンの二律背反を示す例だと指摘する。移民をめぐってスウェーデンが抱える姿も、同じように議論することができるだろう。２０００年代以降のスウェーデンにおけるステレオタイプなデンマークのイメージが、「ヒュゲ」という言葉で語られていたような居心地の良い国から、「ゼノフォビア」という言葉で語られる「外国人嫌い」の国へと変わったことは事実である。しかし、こうした批判的なイメージの裏側には、移民に対してスウェーデンが抱える二律背反の感情が存在していた。2015年の難民危機以前には、スウェーデンのメディア上に、デンマークの移民政策を批判する「人種差別主義者」や「ファシスト」のような言葉が踊っていたが、難民危機以降のスウェーデンでの論調はデンマークの経験に同情的にもなっている事実が、二律背反を示す例と言えよう。サンダースの言葉を借りれば、さまざまな局面で二律背反の感情を抱えるスウェーデンは、ようやく移民問題の経験を持つ「デンマーク」を「自らを知る」ための素材として真摯に理解する地点に立ったと言えるのかも知れない。

（古谷大輔）

7

ノルウェーから見たデンマーク

★「デンマークでノルウェー人でいるって楽しい」★

「ノルウェー人はデンマークの白い砂浜、デンマーク人のおもてなし、そしてヒュッゲ（家族や友人と一緒に楽しむことができる温かく居心地の良い雰囲気）に触れ、『デンマークでノルウェー人でいるって楽しい（Det er deilig å være norsk i Danmark）』と思っている。今日、デンマークはノルウェー人学生にとって最も人気のある留学先の1つである。また、デンマークは、ノルウェーの芸術家がヨーロッパ大陸への道に向け歩みだす最初の国となることが多い」。

これは、2023年6月、ハーラル5世ノルウェー国王がデンマークを公式訪問し、アメーリエンボー宮殿における晩餐会で行なったスピーチの一節である。このなかで用いられている『デンマークでノルウェー人でいるって楽しい』という表現は1989年にデンマークの観光協会がノルウェー人観光客を呼び込むために使い始めたキャッチフレーズであるが、今ではこの謳い文句を知らないノルウェー人はいないのではないかと思われるほどノルウェー社会で定着している。

ある時、前述のキャッチフレーズがノルウェー社会で広く受け入れられている背景を探るべく、筆者がノルウェー人の知り合いにデンマークに滞在するノルウェー人にとって何が楽しいのかと、その理由を聞いたことがある。数年間デンマークに住んだ経験があるその知り合いは、ノルウェー人とデンマーク人には同じ北欧人として共通の点が多々あるとしながらも、概してデンマーク人はノルウェー人よりもオープンな態度で他人に接してくれるし、特にノルウェー人に対しては兄弟民族として親しくしてくれることも手伝って、楽しく過ごしやすいのだと答えてくれたことがある。まさに、これはハーラル５世国王が前述のスピーチで触れたデンマーク人の「おもてなし」や「ヒュッゲ（デンマーク語ではヒュゲと発音）」の例に当てはまるのであろう。

さて、このようにノルウェー人に心地よさを提供するデンマークと隣国ノルウェーの歴史的関係とはどのようなものなのであろうか。ヴァイキング時代を通じて、ノルウェーとデンマークはそれぞれ独立した国家を形成していたが、14世紀後半、ノルウェー国王ホーコン６世がデンマークの王女マルグレーテを妃として迎え、その嫡子であるオーラヴがデンマークの王位を継ぎ、続いて１３８０年にノルウェーの王位を継承したのをきっかけにノルウェーはデンマークと１８１４年まで続くことになる同君連合を形成することになる。その後、ノルウェーでは黒死病（ペスト）の流行により人口が減少するなど、次第に国力が減退し、16世紀前半にノルウェーは王国の地位を失い、デンマークの１つの州となってしまう。クリスチャン３世がノルウェーの宗教改革を強行したのもこの頃であった。一方、１６２４年に大火によりオスロの町が焼失すると、クリスチャン４世の指揮で町が再建され、その際町の名前もクリスチャニア（ノルウェー語音、クリスティアニア）に改められた。オスロを再建するよう大地に指を指すクリスチャン４世の銅像がオスロ中心部の広場に設置されているのもこのためで

オスロ大聖堂前のストールトルヴェ広場に建つクリスチャン４世の像（筆者撮影）

ある。そして、19世紀初頭のナポレオン戦争の最中、フランスに与したデンマークは対仏大同盟に参加したスウェーデンに敗北し、ノルウェーのスウェーデンへの割譲を余儀なくされてしまう。しかし、ノルウェーは間隙を縫ってノルウェー総督を務めていたデンマークの王太子クリスチャン・フレゼリクを担ぎ、１８１４年5月17日に憲法を制定し、独立国家を宣言するが、結局、スウェーデンとの同君連合を形成せざるを得なくなる。１９０５年、ノルウェーはようやくスウェーデンからの独立を達成し、その際、デンマーク王家からカール王子を国王として迎え入れ、新たな王室を創設し、王子はノルウェー国王ホーコン7世として即位する。

このようにノルウェーとデンマークの歴史的関係には、かつてヘンリック・イプセンがデンマークとの連合の時代を否定的に「４００年の夜」と比喩したように、ノルウェーの王国としての地位剥奪や宗教改革の強行といった連合時代のマイナスの側面もあれば、クリスチャン4世によるオスロの再建や、クリスチャン・フレゼリクによる憲法制定や独立国家ノルウェーの樹立への貢献などといったプラスの側面もある。

この点について、２０１３年にオスロで開催された「デンマーク人とノルウェー人のアイデンティティ」に関するセミナーにおいて、当時のアンネシェン・ノルウェー国会議長が講演し、１８００年代のノルウェーのナショナル・ロマンティシズムの時代にはデンマークとの連合に関する否定的な評価もあったとしつつも、「クリスチャン・フレゼリクが総督、また、国民の代表によって選ばれた我々の最初の国王として、1814年のノルウェーの独立運動を主導し、三権分立の原則に基づいた急進的な憲法の制定に向けたイニシアティヴをとった」として積極的評価を与えたのである。そして、2014年のノルウェー憲法制定200年祭の際にクリスチャン・フレゼリクの像を国会議事堂前の広場に建立することを表明、この像は翌2014年5月マルグレーテ2世デンマーク女王の手によって除幕された。そして、2015年からはノルウェーの国会議長が5月17日の憲法記念日にクリスチャン・フレゼリク像に花束を捧げ、その前でスピーチをすることが慣習化している。このようにノルウェーとデンマークの間に負の歴史もあるものの、それを上回る友好と協力の歴史があり、それが「デンマークでノルウェー人でいるって楽しい」というキャッチフレーズが自然に定着するほどの両国の緊密な友好関係の基盤を作り出しているといえるのではないだろうか。

5月17日の憲法記念日にクリスチャン・フレゼリク像のそばでスピーチするガラカーニ・ノルウェー国会議長（筆者撮影）

以前、ノルウェーのネット新聞が「デンマークへ旅行する20の理由」という特集記事を組んだことがある。この記事では「20の理由」として、ルイシアナ現代美術館、レゴランド、フレズレクスボー城などといったいわゆるデンマークの有名な観光地のほかに、「本物のヒュッゲ」、「素晴らしい砂浜」、「快適なサイクリング」、「Jーデイ」、「ハッピーアワー」などが挙げられていた。このなかでJーデイとは11月上旬に訪れるツボルグ（ツボー）社のクリスマスビール発売解禁日のことであり、特定の時間帯にはパブで無料のビールが振舞われることが多い。アルコール飲料の値段がすこぶる高いノルウェーから来る旅行者にとっては、Jーデイは垂涎（すいぜん）の的となるのであろう。また、山国で入り組んだフィヨルド地形の多いノルウェーでは砂浜は少なく、また、自転車専用レーンがデンマークほどよく整備されているわけでもないので、「砂浜」や「快適なサイクリング」の体験はノルウェー人にとって魅力的に映るのかもしれない。つまり、デンマークは、一般のノルウェー人にとって居心地がよく、ノルウェーではなかなかできないことができる楽しい国ということになるのではないだろうか。

なお、ネット新聞は同時にノルウェー人読者に対して以下のような注意を促している。「『デンマークでノルウェー人でいるって楽しい』のはそのとおりである。それはおそらく未だデンマークがノルウェーを弟分のようなものと見なしているからであり、あなたがノルウェー人であると聞くとデンマーク人は満面の笑みを浮かべよう。ただ、スウェーデン人に間違われないよう注意を払うべきである。デンマーク人はスウェーデン人に対してあまり関心を示さないし、ノルウェー語とスウェーデン語の区別もあまりつかないからである」。

（松村 一）

8

フィンランドとデンマークのつながり

★北欧の「親戚」関係★

フィンランドとデンマークは、北欧会議に代表されるような北欧の枠組みやバルト海沿岸諸国評議会（ＣＢＳＳ）などバルト海周辺諸国の地域協力体制機関において行動をともにする関係である。このような北欧、あるいはバルト海沿岸の地域協力といった枠組み内で、フィンランドとデンマークの間には多くのつながりが見出せるが、その一方で、同じ「北欧」の国でありながら、二国間関係に的を絞ると強固なつながりは見られない。

しかし、歴史的に見ると交流はところどころに見出すことができる。たとえば、学術や文化に関するつながりに目を向けると、フィンランド独立以前の話になるが、デンマークの言語学者ラスムス・ラスク（Rasmus Rask、１７８７〜１８３２）は１８１８年に１か月ほどオーボ（トゥルク）に滞在し、フィンランド語を学び、フィン・ウゴル語を研究した。同じ北欧の国といってもデンマーク語とフィンランド語は言語体系が大きく異なっており、ラスクの研究はフィンランドのフィン・ウゴル語研究の発展にも貢献を果たした。

また、デンマーク文化のフィンランドへの影響を挙げるなら、アンデルセン童話が一番に挙げられるだろう。サリ・パイヴァリンネの研究によると、デンマークを代表する童話作家であり詩人であるハンス・クリスチャン・アンデルセン（H・C・アナセン）の作品は当初スウェーデン語に翻訳され、フィンランドで紹介されたが、すぐにフィンランド語にも翻訳された。当時、フィンランドはロシア帝国統治下の大公国であったがロシア語は強制されず、公用語はスウェーデン語であった。

フィンランドの国民的作家であり、多くの童話も出版したザクリス・トペーリウス（Zachris Topelius 1818~98）は、『ヘルシンキ新聞』の編集者をしていた1844年にアンデルセン童話の『いいなずけたち』を出版した。トペーリウスは、1847年に童話作家としてデビューしたが、彼の童話はアンデルセン、そしてグリム兄弟の童話とほぼ同時期にフィンランドで受容されていった。トペーリウス自身、アンデルセン童話に影響を受けたことを認めており、1865年から1896年にかけて出版された8冊にもなる『子どもたちの読み物』でアンデルセンへの謝辞が書かれるほどであった。

アンデルセンの童話は民俗学者であり詩人でもあったユリウス・クローン（Julius Krohn 1835~88）にも大きな影響を及ぼした。彼がペンネームのスオニオ（Suonio）の名で1860年にフィンランド語で執筆した童話『月の物語』は、1839年のアンデルセンの短編集『絵のない絵本』を参照したと言われる。

また、フィンランド語に翻訳されたアンデルセン童話は子どもや若者にとって適切なフィンランド語の読み物として、フィンランド語を推奨する教育者や文学者らに「お墨付き」を得た。1848年に最初のフィンランド語訳が登場、1850年には12冊もの翻訳がなされ、19世紀終わりには主なアンデルセン童話はほぼ全てフィンランド語で翻訳された。

以上のように、アンデルセンの童話はフィンランドの文学界だけではなく、教育の分野においても大きな影響を及ぼしていったのである。その一方で、アンデルセンはあくまで童話作家としてフィンランドで認識されていったとパイヴァリンネは指摘している。つまり、詩人としての側面はほとんど認識されなかったのである。

振り返って独立フィンランドとデンマークの二国間関係に注目すると、その特徴を挙げるのは管見の限り難しい。しかし、いくつかの接点を挙げてみよう。

1917年12月6日にフィンランドが独立を宣言した翌年の1月10日に、デンマークはノルウェーと共に独立を承認し、同年、2月18日にフィンランドとデンマークの国交が樹立した。それ以降、フィンランドとデンマークは大きな問題を抱えることなく外交関係を構築していったが、転機が訪れたのは第二次世界大戦であった。

デンマークは第二次世界大戦勃発後に中立を宣言したため、1939年11月30日に始まったフィンランドとソ連間の戦争、通称「冬戦争」に介入することはなかった。スウェーデンも同様であった。しかし、デンマークとスウェーデンからの義勇兵がフィンランド側で戦った。デンマークから1000人もの義勇兵が参戦した。8000人ものスウェーデン人義勇兵より数は少ないが、二番目に多い人数であった。

また、戦火が激しくなってくると、フィンランドでは1歳から14歳までの子どもたちがスウェーデ

トゥルクで出発を待つ「戦争の子どもたち」

ンとデンマークに疎開した。8万人近い「戦争の子どもたち(sotalapset: Finnebørn)」と呼ばれたフィンランドの子どもたちの主な行き先はスウェーデンだったが、デンマークも約4000人の子どもを受け入れた。

公共放送ユレ（YLE）は2006年にデンマークのドキュメンタリー『忘れられた戦争の子どもたち』を放映した。それによると、デンマークに渡った4000人の子どもたちのうち400人が戦後もフィンランドに戻らず、デンマークに永住した。スウェーデンに渡った戦争の子どもたちについては多くの機会で語られてきたが、デンマークに渡った子どもたちが語られる機会はあまりなかったという。このドキュメンタリーでは、戦火のフィンランドから逃れ、1枚のラベルを首にぶら下げただけの状態で南ユラン（南ユトランド）に到着し、人生が一変した元「戦争の子どもたち」の語りが放映された。デンマークでは実に4万人以上の家族が里親を志願したという。以上のようにデンマークは戦時において「北欧の絆」を示したのである。

話を現在に戻すと、両国の関係は政治、文化、経済とあらゆる面で強固な結びつきは見出せないものの、良好であると言える。

観光面ではコロナ禍以前の2019年の統計(Statistics Finland)によると、フィンランドへの観光客数(宿泊あり)はロシアが1位で81万4600人、ドイツ、イギリス、スウェーデンがそれに続く。デンマークは15位で11万5600人、10位の日本(22万5200人)より少ない。コロナ禍を経た2022年の統計でも13位で、約10万4000人とあまり人数は変化していない。また、デンマークには約4000人のフィンランド人が居住しており、現地コミュニティが存在する。

フィンランドとデンマークは言語的にも文化的にも強い結びつきは見られないものの、「北欧の絆」で結ばれており、その関係は将来も揺らぐことはないだろう。フィンランドにとってスウェーデンは「兄弟」なら、デンマークは「親戚」くらいの関係かもしれない。

(石野裕子)

9

アイスランドから見たデンマーク

★旧都コペンハーゲンとの乖離★

デンマークの首都コペンハーゲンは、現在レイキャヴィークを首都とするアイスランドの旧都でもある。そのはじまりを14世紀末に締結されたカルマル連合とするのでなければ、15世紀半ばからクリスチャン1世がアイスランドに対して打ったさまざまな施策からとすべきだろう。それから400年以上ものあいだ、1918年12月1日にデンマーク国王を元首とする同君連合体制下で独立するまで、コペンハーゲンはアイスランドの首都でありつづけた。海の向こうにあるその都市は、自国についての政治的な決定がされるだけでなく、最新の文化や思想に触れられる場所でもあった。アイスランドの王と言えばデンマーク王を指していたように、とくにコペンハーゲン大学がアイスランドの大学を担っていた時代が長く続いていたのだ。

15世紀後半、コペンハーゲン大学への留学支援が始まった。このおかげでアイスランド人は優先的に学生寮に入れただけでなく、寮費は無料で、さらに食費の補助も受けられた。この支援を受けて留学できたのは一握りの裕福な家の男児ばかりであったが、それまでは主にドイツやイングランド、オランダの大学に留学していた状況が変わり、やがてはコペンハーゲンにばかり留学するようになり、諸外国の思想や文化を取り入れるときは、もっぱらデンマークを介して行なわれるようになっていく。たとえば、19世紀におけるアイスランドの独立運動下で発行された年刊誌『フィヨルニル（Fjölnir）』の通底には、ドイツの哲学者フリードリヒ・シェリングの思想があるが、それはコペンハーゲンで行なわれた哲学者ヘンリク・ステフェンスの講演による部分が大きい。また、世界情勢にいち早く反応するアイスランド人は、やはり当時コペンハーゲンに暮らす人々であった。

１８３０年のフランス七月革命の後、アイスランド人は民族としての自立を意識しはじめる。コペンハーゲン大学で学んだのちにヨーロッパ諸国を巡ったトウマス・サイムンドソンは、ヨハン・ゴットフリート・ヘルダーの「民族精神」に注目し、さらに郷土愛を重視した。彼をはじめとするコペンハーゲンで学ぶアイスランド人によって１８３５年に刊行された『フィヨルニル』では、独自の国語を持つことや、自国の歴史や口頭で伝えられてきた伝承を蒐集し世に出すことの重要性にくわえ、母国の自然の美しさと崇高さが訴えられている。創刊号の巻頭言のあとには、今では「国民詩人」と呼ばれるヨウナス・ハトルグリムソンの詩「アイスランド（Ísland）」によって、前時代では開墾のような実用性と結びつけられがちだったアイスランドの自然に、中世来不変の美しさが見出される。さらにこの詩では、栄えある過去にも思いが馳せられ、最後は「先祖の名声は忘却と昏睡の淵に落ちたのだ！」と現状を嘆いて締めくくられる。

９３０年頃から13世紀半ばまでの自由共和国時代と呼ばれる時期を理想化した『フィヨルニル』の同人たちは、レイキャヴィークで発行されていた月刊誌『南方便（Sunnanpósturinn）』では、時代錯誤の中世主義だと批判されていた。諸外国の動向や流行をより身近に感じるコペンハーゲンに住むアイスランド人と、海を隔てた孤島に住むアイスランド人は、すくなくとも独立運動下の文化活動において、常に一致団結していたわけではない。コペンハーゲンで発行した雑誌がアイスランド各地の教会に送られることについて、「ありがた迷惑だ」と手紙に書く牧師さえいたのだ。

たしかに、同人たちが主張するようにアイスランドの諮問議会を自由共和国時代とシングヴェトリルに再設立するのは、実利にかなうとは言い難い。わざわざ人の住んでいない土地に議会を復活させることは、象徴として意義深くとも、それ以上ではないだろう。ただ、「実利」「美」「真実」を標語として掲げる彼らにとって、文化と政治は強く結びついていた。ちなみに、『フィヨルニル』の創刊者の1人である言語学者コンラウズ・ギスラソンは、民族性の主要な特徴である言語が衰退することは民族自体の衰退に直結していると主張したが、政治と文化の連動を意識していたのは、コペンハーゲンで活動していたような一部のエリートにかぎる。同人たちが留学前に在籍したアイスランドのラテン語学校ベッサスタージル学校の教師陣や、古語としてのアイスランド語を重視したデンマークの言語学者ラスムス・ラスクらの主張は、アイスランドにおける言語純化運動や現代アイスランド語を形作るのに大きな影響を与えたが、それはあくまでも言語に対して向けられたものであった。

海外の思想や文化に触れた人々が活字でもって自説を語り、詩や散文が熱心にコペンハーゲンで発表された一方、アイスランドでは手稿や口承文化が依然として盛んだった。印刷文化がないわけではなかったが、中世からの物語詩や散文群、印刷された本までも精力的に書き起こされていた。夕べに人が集まれば、韻文として伝わっていたものが散文説話として語りなおされ、その逆もあった。その場で朗々と語った人々は、個人として独自性の求められる作家や詩人と言うよりも、ある物語の伝承

手稿本 ÍBR 69 4to より、「８本足の化け物」など
出典：handrit.is

者か、それを基に即興で話を得る芸人か吟遊詩人に近い。その様子は、コペンハーゲンで暮らす人々の目には、時代遅れや無教養と映ることもあっただろう。19世紀アイスランドで書き残した多岐にわたる手稿にも同様のことが言える。たとえば、ある農夫は、コペンハーゲンで出版された図鑑の（粗い）模写を添えてアイスランドに生息しないカンガルーやカバといった動物だけでなく、空想上の「８本足の化け物」などについても解説する全9冊の手稿本を書き上げた。このように自由闊達に書かれたものと、とくにコペンハーゲンで活動するアイスランド人が発行したものとを比べると、言葉遣いが大きく異なることに気がつく。

19世紀に収集・出版されたアイスランドの民話は、その場で語られたり、遠方から送られた書き起こしがそのまま掲載されているのでなく、外来語は取り除かれ、簡潔で明快で「アイスランドらしい」文体――エリートが望む文体――に書き直されている。ヨウン・アウルトナソンによる2巻本『アイスランドの民話と御伽噺』は、当時求められたとおりに、アイスランド人がアイスランドである証を示し、それを保持するものであったろうが、多分に編者の手が入っている。未だ印刷されたことのない手稿にも、かたちを変えながらも中世から伝承される騎士物語などにも「アイスランドらしさ」を見出すことはできたはずだが、当時コペンハーゲンで活動するエリートからすると、耐え難いものもあったようだ。とくに今日「アイスランドらしい」とされることのあるものでも、ばかばかしい迷信でしかないと、切り捨てることもあったのだ。

（朱位昌併）

10

和解の象徴 Istedløven 像

★「恩讐の彼方に」★

2011年9月10日、コペンハーゲン大学の歴史研究所に客員研究員として滞在していた筆者は、デンマークの南国境に近いスナボー城博物館の歴史家インゲ・アドリアンセン、王宮のアメーリエンボー城のデンマーク王室コレクションの筆頭学芸員ビアギト・イェンヴォル両人の仲介で、ドイツ最北の都市フレンスブルク（フレンスボー）市の旧墓地で行なわれた「イステズのライオン像（Istedløven）」の除幕式に夫婦で招待を受け、参列した。温かい正午近くの日差しのなかで、デンマーク女王の次男ヨアキム王子によってライオン像の台座の銘板に掛けられた覆いが引き落とされ、「イステズ　1850年7月25日」と刻まれた銘が現れた。台座の上に鎮座した3メートルあまりのライオンの銅像は、約1世紀半の数奇な運命を経て、最初に建立された場所に帰還したのである。

デンマーク王国軍と蜂起軍である「スリースヴィ公爵領とホルスティーン公爵領の兵」との「内戦」、「第一次スリースヴィ戦争」（1848～51）の、最大で最後の会戦であったイステズの戦いが行なわれた。スリースヴィ（シュレースヴィヒ）市の北、イステズ荒野（ヒース）で、王国軍3万7000人、蜂起軍２万７０００人の壮絶な戦いが２日間に及んで、１８５０年７月25日、王国軍の方が死傷者を多く出したものの、王国軍の決定的な勝利に終わった。「シュレースヴィヒ＝ホルシュタイン」の臨時政府もその軍隊も、51年初頭に解体された。この会戦の王国側の死者を悼（いた）んで、スリースヴィ公爵領のほぼ中央に位置するフレンスボー市の丘の上の墓地に、彫刻家ヴィルヘルム・ビセン（１７９８〜１８６８）が作製したライオン像が、１８６２年に会戦後12年にして、デンマーク兵の集団墓の目の前に建立された。

１８６４年２月１日、「第二次スリースヴィ戦争」が、プロイセン・オーストリア連合軍がアイダ川を越えてスリースヴィ公爵領に侵攻することで始まり、４月18日のデュブル要塞への総攻撃で事実上デンマーク軍は決定的に敗れ、10月31日のウィーン講和をもってデンマークはスリースヴィ、ホルスティーン、ラウエンブルクの３公爵領をデンマーク国家から切り離してプロイセン・オーストリアに割譲した。この戦争が始まって間もなく、ライオン像はドイツからの遠征軍を歓呼して迎え入れたドイツ語住民によって台座から引き落とされ、首が胴体から落ちたものの、それ以上の損傷を嫌って占領軍はしばらく移転させていたのち、戦勝記念品としてプロイセンの首都ベルリンに１８６６年に運び去った。ベルリンでは軍事史博物館に陳列され、その後、士官学校の庭に置かれた。そして、第二次世界大戦がドイツの敗北に終わって、ベルリン西地区を占領したアメリカ軍が士官学校内で見つけたライオン像を、１９４５年10月、デンマーク王クリスチャン10世に贈呈した。王は、自らがライオン像の「本来の持ち主」とは考えず、ライオン像のあるべき場所は、１９２０年の住民投票後もドイツ領に残留しているフレンスボーだと認識していた。それゆえ、デンマークでは、クリスチャンスボー宮殿に付随した武器庫博物館の脇に半世紀ほど置かれていたが、デンマーク王室および政府は、そのライオン像が本来あった場所に安置されるべきだと考えていたため、2001年に王立図書館前に移転後も、フレンスボー旧墓地への「帰還」の機会を模索していた。その機会を得るためには、長い年月が必要だった。

第二次スリースヴィ戦争の敗戦後の首都の雰囲気が、1873（明治6）年に米欧回覧を目指した特命全権大使岩倉具視率いる使節団の記録文書に残されている。デンマーク人は「独逸人ヲ恨ミ、九世必報ノ志概ヲ存シ、人々ミナイフ、我子孫ノ末ニ至ルトモ、敢エテ独逸語ヲ操ラシメズト、其ノ自主ノ気概ハ各如シ」と、ドイツに対する復讐心と嫌悪感に満ちていたことを記している。そして、第一次世界大戦では、ドイツ帝国内のスリースヴィ北部では、デンマーク系スリースヴィ人が不本意にも従軍し、多くの死傷者を出している。第一次世界大戦後、1920年に住民投票でデンマークに復帰した「南ユトランド地方」を訪れると、戦死者を悼む墓碑や記念碑の存在の多さに驚かされる（表紙前袖最上段写真、参照）。一方、フレンスボー市は、住民投票第二投票区に割り当てられ、デンマーク票は総得票の25％という結果で、デンマークへの帰属変更を果たさなかった。住民投票では、第一投票区と第二投票区全体のデンマーク票が明らかに過半数を超えることは想像していたものの、デンマーク政府はフレンスボーをデンマークに「復帰させること」を、その結果生じるであろうドイツ少数民族問題の出現を危惧して、あらかじめ拒否していたのであった（第2章参照）。

市内の「北通り（Nordstraße）」は、デンマーク系少数民族の人々がデンマーク語で「北通り（Nørregade）」と呼び、そこにはデンマーク系の人々のための中央図書館、少数民族組織の事務所、デンマーク語新聞『フレンスボー・アヴィース（Flensborg Avis）』の本社があり、丘の上にはデンマーク系のギュムナジウム「ドゥボースコーレン（Duborgskolen）」が存在している。1980年に初めて同市を訪れた筆者と、通りに面した喫茶店で『フレンスボー・アヴィース』紙の記者とがデンマーク語で会話をしていた際、記者は小声で、こうしたデンマーク語での会話を快く思わない人もこの街にはいますよ、と告げていた。

ところが1995年7月11日、古戦場デュブルの「王の堡塁」で開かれた国境成立後75周年の祭典が催されたとき、デンマーク女王や首相らも含め1万5000人の人々が参集し、その祭典には75年目にして初めてデンマーク内のドイツ少数民族代表が招待された。また、ドイツ内のデンマーク少数民族代表の挨拶で、皮肉を込めて「デンマーク人とドイツ人の差異は相変わらずのものだが、相互に尊重しあう心はより深まっている」と述べた際の聴衆の歓声とどよめきは、いまも筆者の耳に残っている。まさにその当時は、旧ユーゴ問題に欧州が揺れているときであり、デンマークの二大新聞の1つ『ポリティケン』は、祭典の前日の紙面に、「デンマーク人・ドイツ人共存のモデルは、ヨーロッパにおける国境紛争地域へ〝輸出〟できよう」と記している。

除幕式当日のイステズのライオン像（筆者撮影）

このような人々の作り出す雰囲気の変化から、2009年、画期的な決定がなされた。フレンスブルク市議会で、同市にイステズのライオン像が「帰還」することに絶対多数の賛成を得て決議し、同市はデンマーク政府にその返還を要請したのである。2010年2月18日、市議会はフレンスブルクの旧墓地に、ライオン像の設置を決めた。

除幕式の後、英国のテレビ局がアドリアンセン博士にインタヴューを行ない、さらに筆者にもインタヴューを行なってきたが、東アジアの人間として「かつての敵」による戦争モニュメントを受け入れるという事態に、さすがに残念ながら東アジアの問題として敷衍(ふえん)できず、筆者は類似の事例を提示することはできなかった。まさに「恩讐の彼方に」といった状況は、まだ私たちの下では、起きていないようだ。

（村井誠人）

II

デンマーク語とは

11

デンマーク語の発音

★16個の母音のある言語★

デンマーク語の母音と子音

デンマーク語のアルファベットは英語で用いる26文字にÆæ, Øø, Åå の3文字を加えた29文字であるが、デンマーク語の標準語（rigsdansk）に現れる音は、16個の母音（図1参照）と21個の子音 [p, t, k, b, d, g, f, s, ʃ, h, v, m, n, ŋ, l, ð, j, i̯, w, r, ɹ] である。このうち、[ʃ] は「シャ、シュ、ショ」の子音に似た音である。[ŋ] は英語の king の -ng の部分が表す音に似た音で、強いてカタカナ書きすると「ング」となる。[i̯] は二重母音 [ɑi̯]「アイ」や [ɔi̯]「オイ」の「イ」の部分に相当する音である。[ɹ] はたとえば firma「会社」[fiɹma]「フィアマ」のように短い「ア」のように聞こえる音である。なお、[p, t, k, b, d, g] や [ð] や [r] については後述する。

図1や図2は母音図表と呼ばれており、母音を発音する際の口の形状と舌の位置を表している。縦軸は口の開きおよび舌の高さを表している。つまり図1では、口の開きが一番狭く、舌が一番高くなっているのが [i] や [u] であり、口の開きが一番広く、舌が一番低くなっているのが [ɑ] である。したがって、[i] や [u] を狭口母音と言い、[ɑ] を超広口母音

図1　デンマーク語母音

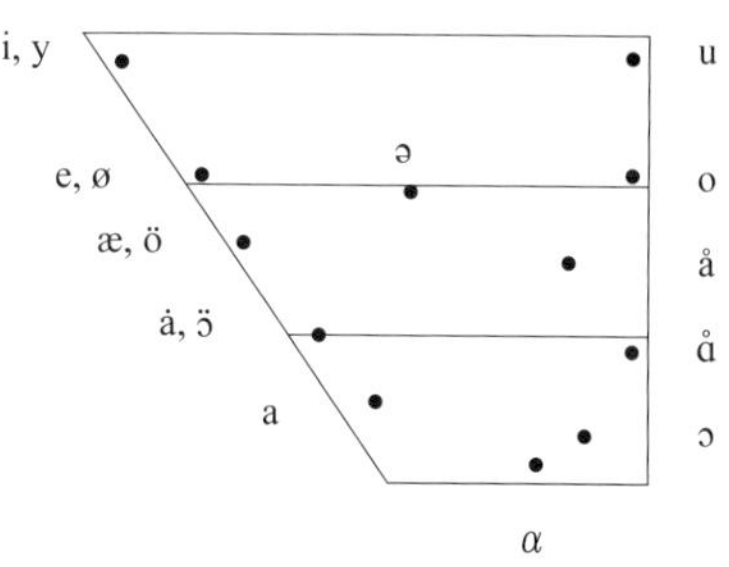

出典：間瀬英夫・新谷俊裕『デンマーク語音のカナ転記方法の研究――デンマーク語の固有名詞のカナ表記方法を視野に入れて』大阪外国語大学学術研究双書34、大阪外国語大学、2006年、p.3。

図2　日本語と英語の母音

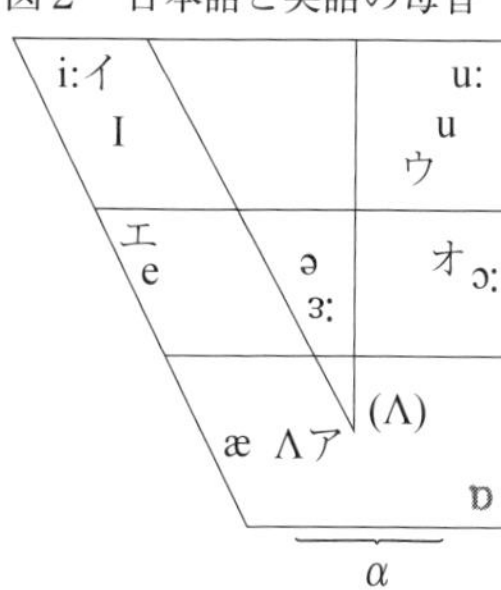

出典：國廣哲彌編『音声と形態』（日英語比較講座第1巻）大修館書店、1980年、p.23。

と言う。横軸は、口のなかで上あごと舌とで狭めを作り空気の流れを調整して母音を発音する際に舌の盛り上がりが上あごの前寄りに来るか、後ろ寄りに来るかを示しており、横軸の左側に行くほど前寄りで発音し、右側に行くほど後ろ寄りで発音していることになる。したがって、[i, e, æ, ȧ, a, y, ø, ö, ö̈] を前舌母音と言い、[u, o, å, ɑ̊, ɔ, ɑ] を後舌母音と言う。図2のように、前舌母音はふつう唇を平たくして発音する平唇母音であり、一方、後舌母音は唇を丸くして発音する円唇母音であるが、デンマーク語では、前舌の平唇母音 [i, e, æ, ȧ, a] に加え、図1の [y, ø, ö, ö̈] のように口の前寄りで唇を丸くして発音する前舌の円唇母音がある。たとえば、[y] は、言ってみれば、[i] を発音するときの舌の形を保ったまま、[u] を発音するときのように唇を丸くして発音する音である。

　母音が16個というのは母音が5個しかない日本語を話す私たち日本人には絶望的な数字と思えるであろう。中学・高校で英語を学んできているにしても母音が16個というのは未知の数である。

すでに述べたように、デンマーク語には日本語や英語にはない4個の前舌円唇母音［y, ø, ö, ɔ］があるが、これらの母音は日本語と英語しか知らない場合には習得するのにかなりの努力が必要であろう。しかしデンマーク語同様、前舌円唇母音のあるフランス語やドイツ語の既習者ならばとくに難しい音ではない。

他方、前舌平唇母音を見ると［i, e, æ, ȧ, a］と5つの母音が並んでいる。このうちの［ȧ］の口の開きは日本語の「エ」の口の開きにほぼ相当する。つまり日本語では「イ、エ」と2段階の口の開きで2個の母音を区別しているところにデンマーク語では［i, e, æ, ȧ］と4段階の口の開きで4個の母音を区別しなければならないことになる。また同様にデンマーク語の［æ］の口の開きは英語の［e］の口の開きにほぼ相当する。つまり英語では［i, e］と2段階の口の開きで2個の母音を区別しているところにデンマーク語では［i, e, æ］と3段階の口の開きで3個の母音を区別しなければならない。つまり、非常に微妙な口の開きを調節しなければならないわけで、これは非常に難しく、不可能に近い。このことはフランス語やドイツ語を学んでいてもそれほど役には立たないのである。

レズグレズ・メズ・フルーゼ（rødgrød med fløde）

一方、21個の子音というのは、やはり20個前後の子音のある日本語話者である私たちにとってなんら驚くべき数字ではない。ただ、多くの言語とは異なりデンマーク語の閉鎖音の［p, t, k］対［b, d, g］は有声音対無声音の対立ではなく、前者が強い気息（[h]）を伴うのに対し、後者はそれを伴わないということだけであり、両者ともに無声音なのである。もっとも［b, d, g］は母音間では弱い有声となる。この［b, d, g］は「バ、ダ、ガ」あるいは「パ、タ、カ」の子音をなるべく弱く発音するとよいわけであるが、やはり正確に発音するのはなかなか難しい。

そして、［r］は舌先を下の歯茎に押し当てた状態で喉の奥の方、つまり口蓋垂のところで発音するパリのフランス語や高地ドイツ語の［r］に似た音である（国際音声記号で表記すると［ʁ］口蓋垂摩擦音）。これは大方の日本人には相当に難しい音のようである。また難しい子音に［ð̞］がある。これは英語の the, that の th の子音に似てはいるが、舌先を下の歯茎に軽く触れさせるような感じで発音する音である。強いてカタカナ表記をするとザ行で表す。この音は非常に弱く発音されることが多いので、デンマーク語を知らない日本人やデンマーク語の訓練が足らない日本人には聴き取れないことが多いようである。コペンハーゲンの中心にある歩行者天国のショッピングストリートのStrøgetの発音は［ð̞］の音で終わっているが、日本で発行されている旅行ガイドブックなどではたいていの場合「ストロイエ」として紹介されているのは［ð̞］の音が非常に弱いからであろう（しかしちゃんと発音はされているのである）。

デンマークを旅行したり、あるいは住んでいたりして、自分はデンマーク語を勉強していると告げると、デンマーク人は必ずといっていいほど、では rødgrød med fløde と言ってみろと言う。［ˈröð̞ˀˌgröð̞ˀ mæð̞ ˈfløːðə］という発音であるが、［r］が2回、前舌円唇母音が3回［ö, ö, ø］、［ð̞］が4回と続いており、これが言えるようになるまでにはかなりの努力が必要であろう。ちなみに rødgrød med fløde とは、クロフサスグリ（カシス）(solbær)、アカフサスグリ (ribs)、ラズベリー（hindbær）などのベリーを煮てどろどろにし砂糖を加えて冷やしたもの（rødgrød）に生クリーム（fløde）をかけて楽しむデザートである。

声門せばめ音（stød）

デンマーク語には子音の一種とも考えられる声門せばめ音がある。これは声門をせばめ、息を出すのを一瞬おくらせるようにした結果できる音である。これはデンマーク語ではstød「突き音」と呼ばれ、長母音の後か、短母音後の［m, n, ŋ, l, ð, i̯, w, ɹ］の後にしか現れない。このstødの有無で意味が変わってくるので、重要な要素と言える。たとえば、

Hvem har set hans bog?「誰が彼の本を見たか」［hansにはstødはない］
Hvem har set Hans' bog?「誰がハンスの本を見たか」［Hans'にstødあり］

右の二文は、Hans'とhansにstødの有無の違いがある点を除けば、発音はまったく同じである。stødはこのように確かに重要な要素ではあるが、stødの有無に関する複雑な規則を、外国人は音声学者でもないかぎり、マスターすることは不可能である。いや、外国人だけではない、デンマーク人自身も出身地によってはstødのない方言を話す者もいるし、標準語とは違ったところにstødが現われる方言を話す者もいるので、そういったデンマーク人にとっても標準語のstødをマスターすることは困難なことである。ちなみに、ロラン島（Lolland）などデンマーク南部の出身者にはHans'にstødを付けて発音することができないので、右の二文を区別して発音することはできない。

したがって、外国人である私たちはstødというものが存在することは十分認識しておく必要はあ

るものの、それほどこれにこだわる必要はないであろう。こだわっていてはデンマーク語が上達できないであろうから。日本語でもstødとは異なる現象ではあるが、高低アクセントによって単語の意味を区別する。たとえば、「箸」は東京周辺では（高い・低い）のアクセントであるのに対し、「橋」は（低い・高い）のアクセントであるが、大阪周辺ではその逆で、「箸」（低い・高い）、「橋」（高い・低い）である。大阪大学外国語学部の学生食堂で東京出身の学生が「箸」を取ってくれるように頼むときに、「は」を高く、「し」を低くして言ったとすると関西出身の学生には「橋」を取ってくれと言われたと聞こえるのであるが、その関西出身の学生はちゃんと「箸」を取ってくれるはずである。同様に、デンマーク語で「それらの町にはたくさんの……がある」というつもりで「それらの町」を［ˈbyːɔnə］とstødなしで言ったとしても、誰も「にわか雨」bygerneの話をしているとは思わないで、byerne［ˈbyːˀɔnə］［「町」の複数形］のことを言っているだろうと理解してくれるにちがいないのである。

（新谷俊裕）

12

デンマーク語の歴史

★現在のデンマーク語ができるまで★

デンマーク語は、インド・ヨーロッパ語族ゲルマン語派北ゲルマン諸語のなかの東ノルド諸語に属する。同じ東ノルド諸語に属する言語にはほかに、スウェーデン語そしてノルウェー語のブークモールがある。

デンマーク語の歴史は、紀元200年頃まで遡ることができるとされる。当時の言語は、北欧（現在のスウェーデン、デンマークそしてノルウェー）に共通の言語とされるもので、共通ノルド語あるいはノルド祖語と呼ばれる。200〜800年頃にかけて存在したこの共通ノルド語では、古いルーン文字（24文字）［最初の6文字をとって、futhark フサルクとも呼ばれる］が使われていた。

800〜1100年頃の間のいわゆるヴァイキング時代の言語では、以前とは違い、新しいルーン文字（16文字）が使われていた。世界遺産にもなっているイェリング（Jelling）にある2つのルーン碑文はこの当時の言語の姿を残すものである。この当時の言語は、古デンマーク語と呼ばれるが、これは言語的な特徴を反映してというよりは、政治的・歴史的な要因によるものと思われる。言語的には、当時もまだ北欧では、共通の言語が使われていたと考えられる。しかしながら、このヴァイキング時代を通して、北欧全体に共通であった言語から、次第に東ノルド諸語そして西ノルド諸語が生じたと考えられる。

また900年代後半にキリスト教がデンマークに導入されたことで、ラテン文字が普及し始める。1300年代頃まではラテン文字とルーン文字が共存する状態が続いたが、その後次第にルーン文字は使用されなくなっていった。

中世デンマーク語は、言語的には1100〜1525年頃と規定される。そしてさらに1100〜1350年頃にかけての前期中世デンマーク語と1350年頃から1525年頃の後期中世デンマーク語とに分けられる。前期中世デンマーク語では、キリスト教とともに導入されたラテン語が、宗教・行政・学問などの分野で主言語として使われていたが、後期中世デンマーク語の時期には、行政の分野で次第にデンマーク語が使われ始め、デンマーク語による文学作品も登場する。

この中世デンマーク語の時期に、デンマーク語は名詞の屈折変化そして動詞の活用などの点で大きな簡略化を遂げる。たとえば、3種類あった名詞の性が2種類になる（男性／女性／中性→共性／中性）、あるいは4種類あった名詞の格変化が2種類になる（主格／属格／与格／対格→主格／属格）、また動詞の活用では、人称による変化がなくなり、次に話し言葉で数による変化がなくなり（書き言葉ではこの数による変化は20世紀初頭まで残っている）、時制による変化のみが残ることとなった。

またこの中世デンマーク語の時期は、デンマーク語がとくに低地ドイツ語からの借用語を非常に多く受け入れた時期でもある。

前期・新デンマーク語の時期には、ラテン語やドイツ語で書かれた書物が徐々にデンマーク語に翻

デンマーク語の時代区分

時代区分	名称
200～800年頃	ノルド祖語／共通ノルド語（urnordisk / fællesnordisk）
800～1100年頃	古デンマーク語（olddansk）
1100～1350年頃	前期中世デンマーク語（ældre gammeldansk / ældre middelalderdansk）
1350～1500年頃	後期中世デンマーク語（yngre gammeldansk / yngre middelalderdansk）
1500～1700年頃	前期・新デンマーク語（ældre nydansk）
1700年以降	新デンマーク語（nydansk）

訳され始め、行政文書でもデンマーク語が使われ始める。また宗教改革以降は、教会でも主言語がデンマーク語となる。しかし、当時はまだ高等教育ではラテン語が使われていた。またこの前期・新デンマーク語の時期には、とくに高地ドイツ語やフランス語からの借用語を多く受け入れた。

新デンマーク語以降（前期・新デンマーク語の時期も含めて）、デンマーク語は現代デンマーク語に至るまで、とくに激しい変化は遂げていないと言われるが、それまで比較的自由であった語順が、この新デンマーク語以降、現代デンマーク語に見られるような規則を伴う語順に固定した。また18世紀初頭までデンマークでは、ドイツ語が非常に影響力を持っていたが、18世紀そして19世紀を通して、高等教育もデンマーク語で行なわれるなど、デンマーク語の地位が確立されていくこととなる。デンマーク語の地位が確立されるに伴って、19世紀後半からデンマーク語の正書法に関する議論も活発となる。20世紀に入り、1948年の正書法改正の際には、「名詞の頭文字を大文字で書く」という規則が廃止され、デンマーク語のアルファベットに新たに「å」が加わった。

また19世紀後半からは、英語からの借用語が増え始める。現在、

第12章
デンマーク語の歴史

現代デンマーク語に関してさかんに議論に上がるテーマとして、たとえば一部の大学の授業がすべて英語で行なわれる、あるいは広告などでの英語の多用などに見られるように、英語の使用範囲が増え、デンマーク語の使用範囲が減少していると危惧する動きが挙げられる。しかしその一方では、デンマーク語はこれまで1000年以上にわたって外国語の影響を受けてきたにもかかわらず、デンマーク語が消滅することはなかったことを考えれば、現在の英語の使用範囲の増加に伴って、デンマーク語の使用範囲が消滅するなどという状況を危惧する必要はないと訴える専門家もいる。（大辺理恵）

13

デンマーク語のイディオム

★日本語と共通する表現と独自の表現★

どの言語、どの地域にも存在する固有な言い回しがある。ことわざから格言、イディオムやスラングと、さまざまな形態のそれが存在している。デンマーク語においては、言語上の関連性や文化を共通とするヨーロッパの諸言語、主にドイツ語や英語、ほかの北欧語に共通する表現も多くみられる。ここでは、日本人の視点から、いくつかデンマーク語のイディオムを紹介したい。

日本語では「狸寝入り」。狐と狸の化かしあいと言われるように、デンマーク語ではもう一方の動物、狐が用いられ、sove rævesovn〝狐寝で眠る〟と表現される。同様に狐を用いた合成語には、策略を意味するrævekage〝狐ケーキ〟や、怪しげな人物を称するrævepels〝狐毛皮〟があり、have en ræv bag øret〝耳の後ろに狐を持っている〟というと、何か悪巧みをしている、という意味となる。狐のずるがしこさは多くの国に共通するイメージでもあろう。

また、身体の部位を用いた表現としては、次の例文を見てほしい。

Hans havde været min højre hånd, og vi stak ofte hovederne sammen da vi havde hænderne fulde. Men nu er han blevet headhuntet til vores konkurrent. Jeg gjorde store øjne da det kom mig for øre, og blev helt rød i hovedet.

「ハンスは私の右腕であった。そして私たちは（多忙で）手がいっぱいのとき、よく額をつきあわせて（相談して）いた。しかし、彼はいま競争相手のところへヘッドハントされた。そのことが私の耳に入ってきたとき、私は目を丸くし、そして顔を（怒りで）真っ赤にした」。

身体の部位を用いた表現は、その身体的機能から比喩的な意味に類似性が見られる。例文を見ると、手、目、耳と同じ部位が用いられており、デンマーク語と日本語で異なるものの、手と腕、頭と額、頭と顔と、関連のある部位で対応していると言えるだろう。また、新しい言葉と言えるヘッドハントが、両言語ともに外来語として用いられていることもおもしろい。ちなみに、「顔を真っ赤にする」のは怒りによるものだけではなく、恥ずかしさによることもある。これは人間の体の仕組みによる現象と考えられ、意味するところは言語によって大差はないようである。

ここで、色に関する表現をいくつか見てみよう。清潔さや潔白を示す白に対して、黒には良くないイメージがある。日本語で「白か黒か」と善悪を問う言い方があるように、デンマーク語でも sort eller hvidt〝黒か白か〟と、順番は異なるが同じように表現される。また「黒を白と言う／言いくるめる」といった表現も、デンマーク語で同様に gøre sort til hvidt〝黒いものを白くする〟と言われる。さらに、sort arbejde/penge〝黒い仕事／金〟は違法な仕事や金を意味しており、法に触れる事柄に

雪景色（筆者撮影）

関して黒が用いられている。この場合、日本語で対応するところは闇であろう。

さて、白はさらに雪をイメージしており、日本語では英語から借用してホワイトクリスマスと言う。デンマーク語でも雪の降るクリスマスは hvid jul 〝白いクリスマス〟である。では、hvid januar 〝白い1月〟はどういう意味だろうか。実は「休肝月」、アルコールを摂取しない1月を意味する。クリスマス前から年末にかけて12月はお酒を飲む機会が多く、体のためにはお酒を控えるべき、というのがここ最近の考え方である。さらには、hvid måned 〝白い月〟と呼び、1月に限らず断酒する月を表現することができる。また、お天気ことわざと呼べるかもしれないが、En hvid jul giver en grøn påske. 〝白いクリスマスは緑のイースターをもたらす〟や、En grøn jul giver en hvid påske. 〝緑のクリスマスは白いイースターをもたらす〟と言われている。クリスマスに雪が降るとイースターは暖かく、逆に温暖なクリスマスの場合には寒いイースターになる、という意味である。

それでは、次に grøn 〝緑〟についての例文を見てみよう。

Selvom Kim er ny i jobbet og endnu temmelig grøn, har han fået et grønt lys for sit projekt om de nye grønne afgifter, og det får kollegerne til at blive grønne af misundelse.

「キムはその仕事で新米であり、まだかなり青二才だが、新たな環境税に関するプロジェクトに対してゴーサイン（青信号）が出され、そのことは同僚を羨ましがらせました」。

デンマーク語の緑は自然や環境、青信号を示すほか、未熟や羨望といったイメージを含んでいる。羨望については日本語では色を伴う表現が思い浮かばないが、信号の色を青と呼んだり、青二才や青臭いと表現したり、そして自然についても青葉と言ったり、日本語では青に通じるところがあるだろう。環境、特に環境への配慮に関連する表現は、比較的最近になって使用されている。たとえば、grønne afgifter〝環境税〟だけではなく、grøn bølge は文字どおりは〝緑の波〟であるが、環境保護に焦点を当てた社会の流れを意味している。先述の grøn jul〝（雪の降らない）緑のクリスマス〟についても、単純に天気を表すだけではなく、プレゼントやご馳走などで物入りとなるクリスマス時期に、どのように「環境にやさしい」クリスマスを過ごせるか、といった意味でも用いられる。この種の緑を使った表現は、日本語では環境という言葉でない場合、青でも緑でもなく、グリーンとカタカナ語で表現されることが多いのではないだろうか。

最後に、デンマーク独特のアイロニーを示していると思える表現を1つ紹介したい。Hold kæft! という口語表現である。英語にすると Shut up! であり、「黙れ、うるさい」といった意味である。しかし、同じ表現がデンマーク語ではこの「黙れ」という意味以外での用法も存在している。何かに驚いたとき、その感情を表現する感嘆詞のような役目を Hold kæft! は併せ持っている。たとえば、テレビで大地震のニュースを見たとき、宝くじに当たったときなど、悲しい驚き、嬉しい驚きの両方に対して、この表現は日常的に用いられている。

（鈴木雅子）

14

デンマーク語のhyggeが表すものとは?

★デンマーク人言語学者による説明を参考に★

世界が新型コロナウイルス流行に見舞われることとなった2020年から遡ること4年前、2016年のイギリスで流行語大賞の有力候補となったデンマーク語がある。hygge(ヒュゲ)である。2016年にはデンマーク人作家のマイク・ヴィキングが『The Little Book of Hygge ―― The Danish Way to Live Well』を出版し、翌2017年には日本語にも翻訳された。この頃から、hyggeはデンマークを飛び出し、世界的に注目されるワードそしてコンセプトとなったと言えるであろう。とはいえ、hyggeという語自体は、デンマーク語が19世紀にノルウェー語から借用したものである。

ただこのhyggeという語、説明しようとすると先述のように本が1冊かけてしまうほどで、なかなか一言では言い表せない。日本語に訳そうにも、なかなかに訳しづらい。筆者自身、初学者向けのデンマーク語教科書『世界の言語シリーズ10 デンマーク語』のなかで、hyggeについて「『楽しむ』と『くつろぐ』を足したような状態のこと」や「暖かい屋内でロウソクの灯りや間接照明の暖かい光のもとで、心許せる友人や恋人、家族とゆったりとした時間を過ごす」と説明してみたものの、果たしてこれでhyggeを問題なく描写できているのか、いまだに不安に思っている。実際、hyggeが表すものを説明する困難さについては、デンマーク人言語学者カーステン・レヴィセンも２０１２年に出版された『Cultural Semantics and Social Cognition A Case Study on The Danish Universe of Meaning』のなかで認めている。この章では、レヴィセンによる説明を参考にしながら、hyggeと関連して用いられるデンマーク語の表現や、hyggeという語に見られるデンマークに特有な文化的・社会的背景を読み取り、hyggeの理解を深めてみたいと思う。

レヴィセンはhyggeについて、デンマーク語ではhjemlig hygge（我が家にいるようなヒュゲ）という表現が高頻度で用いられることに着目し、hyggeは「ある空間に集う人々」と結びついている概念だと説明している。しかしながら、hyggeは1人では体験できないかというとそうでもないという。彼は再帰動詞のhygge sig〈楽しく、心地良い気分になる、くつろぐ〉が、ヒュゲを、必ずしも他者と時間・空間を共有する必要のない個人的な体験として表す場合にも使われるとして、Hun havde hygget sig ved at være alene.〈彼女は1人でいることでくつろいだ〉やHan hyggede sig med en varm kop kaffe.〈彼は1杯のホットコーヒーを飲みながらくつろいだ〉などの例を挙げている。

またレヴィセンは、再帰動詞hygge sigには、「（必ずしも他者を必要としない）居心地の良い個人的な時間を過ごす」という意味を表すという側面があるため、hygge sigとは別に新たに自動詞のhyggeが登場したと説明する。この自動詞hyggeを使用するにあたっては、主語は必ず複数でなければならないという。つまり、Vi hygger.〈私たちは楽しんでいる・くつろいでいる〉とは言えても、*Jeg hygger.〈私は楽しんでいる・くつろいでいる〉とは言えないのである。そして、レヴィセンによれば、名詞のhygge（ヒュゲ）が表す本質的な概念には、この自動詞のhyggeに関連する「自分と他者を含む複数の人々」が含まれるという。

このようにhyggeは原則として、「なんらかの空間や場所」に「自分と他者を含む複数の人々」が集い「何か楽しくて良いこと」を共有している状態と考えられるが、レヴィセンはhyggeとされる状態では、人々は「それほど多くのことは行なわない」とし、「あまりに多くのことをやらないといけない状態になってしまうと、hyggeは消えてしまう」と述べている。さらにhyggeがある状態とは、「その場にいる人々が1人として排除されておらず、1つのグループになっている」状態だとし、それゆえhyggeを実現するには大規模な集まりはあまり向かないとしている。またレヴィセンは、デンマーク人にとっては、同僚は同僚、隣人は隣人、家族は家族、または自分の友人であっても高校時代の友人、大学時代の友人、趣味を通じた友人といったように、「自身の交友関係をグループごとに区切って集う」ことが、hyggeを実現するという点に限って言えば重要だと説明する。自分自身の同僚と自分の高校時代の友人を混ぜ合わせたような集まりの場合、お互いをよく知らないために想定していない不和や衝突が起こってしまう可能性も高くなり、お互いをよく知っている同僚のみの集まりに比べると、hyggeに到達することが難しく感じられるという。どうやら、hyggeを実現しようとする場合には、その場に集まっている人々が、居心地の悪さを感じることがない、ということが重要なようだ。実際レヴィセンは、hyggeが実現されている状態とは、誰か1人がその場を独占することもなければ、その場で終始黙っている人がいるわけでもない状態であり、また死や災難のような辛い話題は避けられるとも述べている。筆者もデンマーク留学中には、いろいろな集まりに参加する機会に恵まれ、その集まりを後にする際によくDet var hyggeligt.〈楽しかった〉と口にしたものだが、たまに友人から「リエは結構黙ってたから、楽しくないのかと思ってた」と言われたことがあった。当時はデンマーク語があまりできず、会話の内容にもついていけないため、話に入れなかったというのが正直なところなのだが、今思い返せば私の友人たちは、デンマーク語のhyggeについて重要なヒントをくれていたのだと思う。

またレヴィセンによれば、hyggeは人々が意図的に作り出せる状態ではなく、その実現は必ずしも常に可能なものではないという。つまり、hyggeは先に述べたような条件を揃えれば出会えるかもしれない状態だということであろう。それと同時にせっかく生まれたhyggeもちょっとした何かで消滅してしまう場合もある。デンマーク人がhyggeを大切にする理由には、hyggeの持つこの偶然性や儚さのような一面も関係しているのかもしれない。

さらにレヴィセンは、hyggeがキャンドルや暖炉そしてホットチョコレートなどの「暖かさ」を彷彿とさせるアイテムと共に描写される理由として、天候が悪く暗い冬が1年の長い時期を占めるデンマークとしては、「暖かさ」が概念的に「居心地が良い状態」と結びつきやすいと指摘している。

このようにhyggeという語が表す概念は、デンマーク人そしてデンマークの文化を理解する上で非常に重要な要素である。しかしながら、デンマークそしてデンマーク語と20年以上にわたって関わりを持つ筆者にとっても、この語を言語のみで説明するのは非常に難しく思われる。この本を手にとっている皆さんには、ぜひデンマークという場所で、デンマーク人たちとともに、このhyggeを体験して、この語の表すものをそれぞれに感じ取ってみてほしいと思う。

（大辺理恵）

15

デンマーク人はエリート嫌い？

★『現代デンマーク語辞典』に読み取れるデンマーク人の考え方★

この章では、『現代デンマーク語辞典（Den Danske Ordbog）』について紹介する（以下略してＤＤＯと記す）。筆者は普段大阪大学外国語学部のデンマーク語専攻でデンマーク語を教えているのだが、授業や卒業論文の指導に関連してまた筆者自身がデンマーク語を研究していくなかで欠かせない存在となっているのが、ＤＤＯである。

ＤＤＯは元々、「デンマーク語・デンマーク文学協会（Det Danske Sprog- og Litteraturselskab）」によって２００３年から２００５年にかけて紙媒体の辞書（全６巻）として刊行されたのだが、２００９年からはインターネット上で無料公開されており（www.ordnet.dk/ddo）、現在では誰でもどこからでも使用することができる。ネット辞書の利点を活かし、２００９年以降、今現在もアップデートされ続け、不定期ではあるが新語や新たに使われるようになった意味・用法などが随時付け加えられている。ＤＤＯには１９５５年ごろから現在までのデンマーク語の単語が含まれており、２０２３年6月の時点で、およそ10万５０００語が登録されている。またそれぞれの語の意味・用法が例文とともに示されているだけでなく、場合によってはその語の使用における文法上の注意事項などの記述もされており、デンマーク語を学ぶ者にとっては非常に有益な情報を数多く含んでいる。ただ、全ての説明がデンマーク語でなされていることや、例文が実際に使用された文を用いているため、デンマーク語の初学者には使いこなすことが難しい。

とはいえ、筆者は本学デンマーク語専攻1年生にもDDOの使用を推奨している。その理由は、DDOではほとんどの見出し語において、その語の発音が聞けるようになっているためである。デンマーク語は綴りからその発音を推測することが難しい言語として知られる。たとえば副詞である「もちろん」という意味のデンマーク語はselvfølgeligと綴るが、便宜上発音をカナ表記すると［セフーリ］となる。発音されていない文字が多くあることが分かるだろう。デンマーク語はまた強弱アクセントを持つ言語でもあるため、その語が持つ強勢の位置を間違えてしまうと相手に伝わらないもしくは違う語として認識されてしまう場合がある。たとえばデンマーク語にはbedrag（詐欺）とbidrag（寄付、貢献）という語があるが、bedragは第2音節（-drag）に強勢を、そしてbidragは第1音節（bi-）に強勢を置かなくてはならない。間違えたとしても、相手は文脈から判断をしてくれるであろうが、それでも相手を惑わせることにはなるだろう。このように綴りから推測しづらい発音、また重要となる強勢の位置などを知るためには、実際の発音を確認できることが大きな助けとなる。またDDOでは、不規則な変化をする語において、それらの発音も場合によっては確認ができるようになっている。ただ筆者の立場としては、将来的に、全ての見出し語において、変化形も含めて発音の確認ができるようになってほしいと望んでいる。

またDDOが無料アプリとして使用できる点も非常にありがたい。アプリ上では、ブラウザ上で

ＤＤＯを使用した場合とは、確認できる情報量は多少違っているものの、発音の確認もでき、また意味・用法などの確認も可能である。

さて、ここまで紹介してきたＤＤＯだが、２０２1年7月26日付のポリティケン紙（デンマークを代表する朝刊紙の1つ）で、このＤＤＯについての興味深い記事が掲載されていた。この記事によれば、「デンマーク語・デンマーク文学協会」のサニ・ニンプ上席編集員はＤＤＯの編纂に携わるなかで、近年デンマーク語には「エリート」を蔑むための語が増加していることに気がついたという。ただニンプによれば、デンマーク語には「エリート」を蔑むための語は以前から存在しており、たとえば１９７２年からその使用が知られている語として kystbanesocialist【直訳：海岸線路沿いの社会主義者】（↑経済的にも社会的にも恵まれている状況にありながら、社会主義的な考え方を礼賛する人のこと）などを挙げている。ＤＤＯによれば、kystbane というのはコペンハーゲンとヘルシングウーアの間を走る路線のことで、この路線沿いには社会的・経済的に恵まれた人々が暮らしていることが知られているという。しかしながらニンプは、２０００年以降もＤＤＯには「エリート」を蔑む語として新たに加わるものが後を絶たず、たとえば speltsegment【直訳：スペルト小麦グループ】（↑高学歴・高収入で都会に暮らし、生活に余裕があり、地球規模で思考し、政治的に正しい意見を持つとされる人々のこと）を挙げている。ＤＤＯによれば、スペルト小麦を表す spelt という単語は、健康とリッチなライフスタイルを彷彿とさせるらしい。彼女はＤＤＯのなかでこのようないわゆる「エリート」を蔑むための語を目にするにあたり、「何かに秀でていること」や「何か特別な能力を有すること」を貶すための語のグループがデンマーク語に存在することを確信するようになったという。

ニンプ同様ＤＤＯの編集に携わるヤアク・アスムセン上級編集員によれば、２００２年にアナス・フォウ・ラスムセン元首相が新年の挨拶で、「私たちには自分たちの代わりに決定を下す専門家は必要ない。専門家による独裁は、民衆による自由な議論を弾圧するものだ」という主旨の発言をし、この発言がターニングポイントとなり、２０００年以降ＤＤＯに登録される「エリート」を蔑む語が増加していったのではないかと分析されている。

またニンプはelitær（エリートの、エリート的な）という形容詞の使用頻度や意味の変化にも着目し、この形容詞が１９９０年代には「エリート」を蔑むような意味で使われることはなかったにもかかわらず、ここ数年はデンマークのマスコミで使われる頻度が増えると同時に、その意味のなかに「エリート」への否定的な評価を含むようになってきたことを指摘している。

筆者自身デンマーク人と接していると、彼らがいわゆる権威や権力を有する側に対して、自分自身の意見を率直に述べる場面や、権力者たちをデンマーク人が揶揄（からか）う場面に遭遇することがある。ニンプやアスムセンは「エリート」を蔑む語という形での指摘を行なっているが、筆者にはどことなくこれらの「エリート」を蔑む語の存在は、デンマーク人が持つユーモアと関係しているようにも思われる。

このようにＤＤＯをめぐっては、この辞典が随時アップデートされているおかげで、デンマーク語に現在進行形で起こっている変化を読み取ることができる。またその変化はデンマーク人の考え方やデンマーク社会のあり方を反映している可能性が十分にあり、その意味ではＤＤＯはデンマーク語に興味を持つ人々だけではなく、デンマークという国に興味を持つ人々にとって有益な情報を含んでいると言えるであろう。

（大辺理恵）

16

魚のいる風景

★魚・釣り・漁などを背景にデンマーク語を考える★

9月は「魚月」あるいは「漁月」

現在でも季節・生活・生業に密着した月名称を用いているリトアニアやポーランドなどの少数の国を除き、デンマークもほとんどのヨーロッパ諸国同様に現在ではラテン語に由来する月名称を用いている。デンマーク語最大の国語辞典Ordbog over det danske sprogや語源辞典Politikens etymologisk ordbogによると、たとえば「1月（januar）」などは「前期新デンマーク語（ældre nydansk）」（1500～1700年頃）時代にデンマークに導入されたようで、それまではデンマークでも現在のリトアニアやポーランド同様に季節・生活・生業に密着した月名称が用いられていた。その月名称では9月はfiske-måned といわれ、意味は「魚月」あるいは「漁月」であった（月とfisk「魚」との合成語か、fiske「魚を捕える」との合成語か不明なので）。9月がなぜ「魚月／漁月」なのか、わかるだろうか？ひょっとしたらデンマーク人でもわからないかも？　しかし私はピンとくる。なにしろデンマークにいたとき、8年間くらい魚釣りをしていて、『私は釣り師（ヤ エアリュストフィスカJeg er lystfisker）』というデンマークにおける魚釣りの入門書を読み込んでいたので、デンマークの魚に関しては普通のデンマーク人よりは知っている。北シェランのヘルシングウーアやロングステズの港などから午前の部、午後の部と1日2回釣り船のツアーが出ており、ウーアソン海峡で普段はルアー（疑似餌）で主にタラ（torsk）釣りをするが、9月頃にはサビキ釣りでニシン（シル sild）を狙う。産卵のために北海からバルト海に大量のニシンが押し寄せてくるのだ。この時期のニシンは「秋ニシン（høstsild）」といって、「春ニシン（vårsild）」と比べると大型で、油が乗っていてたいそう美味である。昔からデンマークの人々はそのニシンを大量に捕り、樽に塩漬けにして保存し、その後、塩を落として酢漬けにして1年間の食料にしてきたのだ。デンマークと言えば酢漬けの生のニシンが有名である。色々な味付けの酢漬けニシンがあり、なかにはカレー味のものや、赤カブ（正確にはテーブルビート）ベースの「ロシア風酢漬けニシン」というものもある。日本で「花」と言えば「桜」だが、もしかしたらデンマークでは、「魚」と言えば「ニシン」なのかもしれない。ちなみに、私は1997年に家族とデンマークに滞在した折、ロングステズから出た午後の釣り船ツアーでニシンを80匹強釣り上げた。家に戻り、うろこと内臓を取り、ひれをカットし処理して、冷凍保存するまでに5時間かかった思い出がある。ニシンはその後、「しめ鯖」ならぬ「しめニシン」にして美味しくいただいた。

16世紀のニシン漁の様子

5月はダツの季節

デンマークにいたとき、私より2歳年上の日本人のTIさん家によく遊びによらせてもらっていた。彼はヘルシングウーアに住んでいたので、一緒によく魚釣りをした。ある時、偶然、体長1メートル近くある、サヨリを巨大にしたような魚が釣れた。TIさんのデンマーク人の奥さんの実家に持っていって、煮魚にしてもらって食した。味は覚えてないが、白身の魚で小骨がたくさんあった。ただ、小骨が日本の信号機の青色に似たプラスチックのような透明な色なので、小骨を取り分けやすかった記憶がある。TIさんと私は「青い骨（ブロー ビーン blå ben）」と言ったが、デンマーク人たちは声をそろえて「グリーンの骨（グラネ ビーン grønne ben）」と言った。言語によって色に対する認識の違いを教える良い言語学の材料になりそうな話である。この魚はデンマーク語で「ホアンフィスク hornfisk」といい、学名をBelone belone、和名を「ヨーロッパダツ」という。サヨリやサンマと同じダツ目の魚である。そういえば、サンマのなかには青っぽい骨をした種類もいる。日本のダツは、たとえば、夜の潜水漁をする沖縄では、サメと同じくらい恐れられているそうである。明かりをつけて潜水漁をするので、その明かりをめがけて鋭いくちばしを持ったダツが突進してきて、漁をしている人の胸を貫くという痛ましい事故が起きているからである。ヨーロッパダツは5月頃に産卵のために北海からバルト海に大量に押し寄せてくる。ヘルシングウーアにあるシェークスピアの戯曲『ハムレット』の舞台として有名な「クロンボー城（Kronborg Slot）」の下の石の海岸で、そのダツを狙う釣り人たちが釣り竿を持って2メートル間隔で立ち並ぶ様子は一種の風物詩となっている。ある時、クロンボー城下の海岸のこの風物詩が新聞記事になったそうだ。おそらく、「今年もまた、千のグリーンの小骨を持ったダツ（ホアンフィスク・メ・トゥーシン・スモー・グラネ・ビーン hornfisk med tusind små grønne ben）がやってくる」というように書いていたのだと思われる。この新聞記事を読んだある日本人女性は、デンマーク語では ben は「骨」という意味と「脚」という意味があるため、「あら大変、千の脚を持った魚」とはどういう魚だろう、ムカデのようなものかしら、と考えつつ、近所の魚屋に急いだけれども、hornfisk の姿は見ることができなかったそうだ。前述のように、hornfisk は小骨が多くて、hornfiskejern という特殊な道具を使わないと、素人には処理するのが難しいので、たとえ魚屋で売っていたとしても、すでに三枚におろした状態で売っていて、hornfisk の元の姿は見ることはできないのだ。

また、トゥーシンビーン（tusindben）は〝千の脚〟を意味する虫で、ヤスデを指しているのだが、デンマーク語を学んでいる日本人のけっこう多くの人が、それをムカデ（百足）だと勘違いしていることで、この記事では相当に混乱したはずだ。

首都コペンハーゲンの中心にある湖で魚釣り？

コペンハーゲン旧市街の北端とコペンハーゲン北地区の南端を分けるところに位置する細長い長方形をした一連の人口湖（スーアネ・イ・クーベンハウン Søerne i København）は冬に十分な厚さの氷が張るとスケートができることで知られているが、魚釣りは禁止されている。普段、魚釣りが禁止されている分、ローチ（skalle）、ブリーム（brasen）、ヨーロッパブナ（karusse）などフナに似た魚やコイのほか、ヨーロピアンパーチ（aborre）やカワカマス（gedde）などの肉食魚もたくさんいるらしい。体長

1メートルくらいの巨大なカワカマスがアヒルの子を飲み込む姿が目撃されたりするという。この普段は釣りが禁止の湖であっても年に1回だけ、たしか5月の第2日曜日だけは釣り大会が開催される。ただし普通はルアーで釣るヨーロピアンパーチやカワカマスがいても、ルアー釣りは禁止されていて、浮きを使った餌釣りで、釣った魚は水中に用意した網に入れ、後でリリースをする。かつては釣り人の参加人数に制限はなかったが、最近では60人程度に制限されているようである。

（新谷俊裕）

ホアンフィスク
撮影：クラウス・ヴィクマン

友人であり、デンマークにおける釣りの師匠であるクラウス・ヴィクマンと タイセイヨウサケ
提供：クラウス・ヴィクマン

コラム3

植民地産品とコショウ職人

新谷俊裕

コペンハーゲン市南部のアマー島（Amager）北部にある学生寮に筆者は8年半のあいだ住んでいたが、近所にあるショッピングセンターによく行った。ある時、「植民地産品（コロニエールヴァーア kolonialvarer）」という看板が目に入った。デンマークも１６００年代初頭から他のヨーロッパ列強のように植民地を求めて海外に進出し始めた。その主な目的が、香辛料、紅茶、コーヒー、砂糖、タバコなどを確保することであった。それまでは他のヨーロッパ列強が自分たちの植民地から調達した南の国の品物をデンマークは買っていたのであろう。「植民地産品」ということばは１６００年代以前からあったが、デンマーク以外の国の植民地からの品物を指していたのであろう。どの辞書にも載っていないが、もしかしたらこれはドイツ語の Kolonialwaren に対応する低地ドイツ語の単語を借用したものかもしれない。ただドイツもその時代には植民地を持っていなかったので、低地ドイツ語も当時から植民地を持っていたオランダから借用した可能性がある。あるドイツ語の辞書には Kolonialwaren という表現は「古い」とあるが、デンマークでは今でも使われている。現代でも「植民地」ということばが入ったネーミングのものを平気で使っていることに愕然とした記憶がある。２０１５年のある新聞記事によると、かつて植民地を持っていた多くの国では今では植民地をイメージする画像を使うことを避けるようになっているなか、デンマークでは現在もコーヒー豆のパックやポスターに黒人少女の絵を使ったり、頭にターバンを巻き大きなイヤリングをしたインド人風のバニラマンなどが多数あったりすることに対して

コーヒーのポスター

反対する声が内外からあるらしい。しかしコペンハーゲン大学のある研究者によると、ほとんどのデンマーク人はこのことに後ろめたさを感じていない。むしろそういった昔の植民地をイメージさせる商品のパックをコレクションする人さえいるという。その研究者によると、デンマーク人は１６００年代以降の植民地時代をノスタルジーと誇りをもって思い出し、デンマークが大国であった過去に思いをはせるようである。ただこれは、植民地時代にデンマークが奴隷売買の中心的な存在であったことを知らない歴史認識に起因していることを、その研究者は指摘している。なお、２０２１年の発表によると、バニラマンの画像は今後使われなくなるという。それは前年にアメリカから始まった「ブラック・ライヴズ・マター（Black Lives Matter）」の動きが波及した結果であろう。

植民地産品と関連して、「コショウ職人（ペウアスヴェン pebersvend）」ということばが頭に浮かんでくる。スヴェン（svend）とは職人の徒弟制度で修行をして一人前の職人になった人を言った。筆者はデンマークで30歳の誕生日を迎えたとき、友人や学生寮の仲間からコショウ挽き器や卓上のコショウ入れ容器をたくさんプレゼントされて、「コショウ職人」と呼ばれた。友人や知人の話では、昔、コショウに代表される植民地産品を売っていた男性店員は忙しさのあまり歳を取っても結婚できなかったので、歳を取っても未婚の男性を「コショウ職人」と呼ぶようになったのだと。ただ、これは事実ではないようで、アンデルセンが童話『コショウ職人のナイトキャップ（Pebersvendens nathue）』のなかで説明しているように、昔、ハンザ都市ブレーメンやリューベックからデンマークに派遣されてドイツビールや香辛料を売っていたドイツ人職人たちはデンマーク人から「コショウ職人」と呼ばれていたが、彼らは派遣元から結婚してはいけないと命令されていたそうである。現在、デンマークでは30歳を超える未婚の男性のことを「コショウ職人」と呼ぶ。ただ、「コショウ職人」という名称自体は１５００年代から歳を取った未婚の男性のことを指すことばとして用いられていた。また、１７００年代には女性バージョンの「コショウ娘（ペウアムー pebermø）」ということばが使われるようになった。

III

デンマークの歴史から

17

デンマークの誕生とクヌートの海上王国

★グローバルな中世のヴァイキング★

デンマーク、という国はいつ生まれたのだろうか。

ブリテン諸島やヨーロッパ大陸への北欧人の進出は8世紀末以降年代記などに記録されているが、そこに現在のデンマークを出自とする「デーン人」や「デーン人の王」という表現はあっても、それは必ずしも「デンマーク」という国家を証明しているわけではない。デーン人自身が「デンマーク」という表現を用いるのは、ユラン（ユトランド）半島中央部の小村イェリングに、10世紀半ばに建立されたルーン石碑が最初である。デンマークという国家の起源はここに求められる。

そのイェリングには2つのルーン石碑がある。1つはゴーム老王が妻テューラのために建立した直方体の小石碑、もう1つは彼らの息子ハーラル青歯王（在位960～987）が両親のために建てた、三角錐の各面にルーン文字に加えて美麗な図像が彫り込まれた大石碑である。小石碑には、妻を称えて「デンマークの誉れ」、大石碑には、ハーラルが自分の功績を誇り「デンマークを統一」という表現が刻まれている。元々は、「デーン人が住む辺境（マルク）」という、他者がこの地域を指すときに用いていた表現が語源との可能性が指摘されているが、それを自らの帰属すべき国名としたのが「デンマーク（tanmaurk）」である、と考えられている。いずれにせよ、現在のデンマーク史学もデンマーク王室も、ゴーム老王をデンマーク王権（王室）の祖と捉えている、というのが現状である。

イェリングの2つのルーン石碑（筆者撮影）

ここでイェリング王権の実情に目を向けよう。イェリングは、2つのルーン石碑、教会遺構、2つの墳丘を合わせて1994年に世界遺産に認定されていた。実際に立ち寄ってみれば、これが王権の所在地かと思うほどこぢんまりとした空間であった。しかし、2000年代以降の発掘調査により、従来とは異なるイェリング王権像が浮かびつつある。世界遺産対象部分を中心に、全長170メートルに及ぶ船形列石（北欧の鉄器時代にしばしば確認される、石を船の形に並べるモニュメント）と、それを取り囲むように四方に建造されていた防壁跡、さらにはその防壁内での居住用建築物の痕跡が確認された。「デンマークを統一し、ノルウェーを支配し、デーン人をキリスト教徒とした」と石碑で誇らしげに自賛していたハーラル青歯王の権力拠点の1つイェリングは、同時代のヨーロッパの諸王権の拠点に比肩しうる規模であることが明らかになりつつある。

北大西洋からカスピ海に至るまでヴァイキングの略奪・交易・植民活動が隆盛を極めた10世紀半ば以降、デンマークのみならず、ノルウェーやスウェーデンでも、在地有力者の一部が交易や略奪を通じて富を蓄積し、キリスト教を社会支配のイデオロギーとして地域の統合を果たしつつあった。それぞれが北欧三国の王権の基礎となるが、デンマーク王権の権力基盤は他の2つと比べても抜きん出ていた。その理由はさまざまに考えられるが、イスラーム諸国やビザンツ帝国を含む東側からも、北大西洋世界やブリテン諸島、フランク王国といった西側からも、ヒト・モノ・カネ・情報が容易に集積しやすい、北海とバルト海を繋ぐ地域を支配したという政治地理学上の特異点は指摘しておきたい。

こうしてイェリングを拠点とした王権は、ハーラル青歯王の時代にキリスト教を導入し、デンマーク全体の統合を果たした。ハーラルの息子スヴェン双髭王（そうし）（在位987～1014）は、クーデターで父をデンマークから追放したのちイングランドへの侵攻を開始し、20年以上の戦闘の末、1013年にイングランド王となった。ここに、デンマークとイングランドという北海を挟んだ2つの王国を同時に支配するヴァイキングの海上支配体制が現出した。しかしスヴェンは急死し、一旦はイングランド側が盛り返した。その後デンマーク・ヴァイキングを統括したのは、スヴェンの次子クヌート（クヌーズ）である。幸村誠の人気漫画『ヴィンランド・サガ』でも、争いのない国造りを目指す主人公のアイスランド人トルフィンの理想とは真逆の、力による「王道楽土」の建設を目指すライヴァルとして描かれる人物である。

クヌートは再度イングランド軍と交戦し、エドマンド鉄腕王を屈服させ、1016年にイングランド王位を獲得した。クヌートはヨーク大司教ウルフスタンをアドヴァイザーに迎え、キリスト教君主としてイングランド支配を進めた。クヌートの宮廷にはイングランド人と北欧人双方が共存し、１０１８年にはデンマーク王を、１０２８年にはノルウェー王を兼ねることで北海全域を支配下に置いた。ヴァイキング船の機動性により水系で繋がれた支配領域内の安定を図るにあたってクヌートが重視したのは、略奪を生活の一部としていたヴァイキングの活動を抑制するための、交易の活性化であった。

イェリング王権の拡大は、北海やバルト海沿岸部の諸国家の活性化にも寄与していた。10世紀後半以降スウェーデンのビルカやデンマークのヒーゼビューといった従来のヴァイキング交易地の役割が下火になる一方で、ブリテン諸島のロンドン、ヨーク、ダブリン、デンマークのロスキレ、ノルウェーのオスロ、スウェーデンのシグテューナなどの新旧の交易地が活力を得た。さらにはそうした交易地を結節点としてヴァイキングと現地商人や西欧、ユダヤ、イスラーム、地中海の商人との取引も盛んになった。10世紀の段階では奴隷、毛皮、琥珀(こはく)などが北欧側の主要輸出品でありイスラームの銀やビザンツ帝国の奢侈(しゃし)品の輸入が交易の中心であったが、とりわけクヌート支配下でのキリスト教生活の拡大や軍事組

11世紀の写本に描かれたクヌートと妻エンマ

織の強大化にしたがって、ヴァイキングは、フランスの塩やワイン、ドイツの武器、アイルランドやロシアの木材など、各地の特産品も入手した。11世紀にはイスラーム銀の流入はほぼ途絶えていたが、ドイツなどの西欧の銀鉱山開発を受けて、クヌートの治世下では、独自の貨幣の生産と流通が活性化した。その結果として、クヌートの海上王国支配は、彼が直接支配する領域だけではなく、ビザンツ帝国やイスラームも含むユーラシア西部の経済ネットワークにさらに刺激を与えた。ヴァイキングによる支配は、ヨーロッパを荒廃させるどころか、従来以上の経済繁栄と文化的革新をもたらした。

1027年、クヌートは、ラテン・キリスト教世界の宗教的中心であるローマに向かった。史料上は巡礼とされているが、彼は現地で神聖ローマ皇帝コンラート2世の戴冠に立ち会い、その後彼の息子と自分の娘を結婚させる約束を取り付けた。それに加えて、イングランド商人の移動の安全を神聖ローマ皇帝と教皇に確認すらさせた。クヌートは皇帝と教皇という二大権威との関係を深めることで、キリスト教圏における政治ネットワークのなかに自らを位置付けようとしていた。長年「異教徒」や「蛮人」と忌避(きひ)されてきたヴァイキングは、11世紀前半、ヨーロッパの政治世界にとっても不可欠の存在となっていた。

1035年、クヌートはこの世を去った。しかし彼の残した政治的・経済的・文化的遺産は新しい世界を生みだすための起爆剤となった。

（小澤実）

18

海上王国としての中世デンマーク

★コペンハーゲンと連合体制★

クヌート（クヌーズ）の北海支配体制が瓦解（がかい）したのちデンマークは、他のヨーロッパ諸国と同様に、教皇を頂点とするラテン・キリスト教圏を構成するキリスト教王国として機能することになった。クヌートの甥スヴェン・エストリズセン（在位1047〜74）を祖とする王統は、ヴァルデマ1世（在位1146〜82）、ヴァルデマ2世（在位1202〜41）、イーレク・メンヴィズ（在位1286〜1319）、ヴァルデマ4世（在位1340〜75）らを経て実質的な君主として振る舞ったマルグレーテまでつづき、その後、ドイツ出身のポンメルン朝そしてオレンボー朝へと移行した。彼らが統治した中世デンマークの領土は、ユラン（ユトランド）半島、島嶼部、そしてスコーネを中心とするスカンディナヴィア半島南部である。この北海とバルト海の結節点に支配領域が位置するという政治地理学的特徴は、ヴァイキング時代と同様に、中世においてもデンマークの展開に大きな影響を与えた。ここでは国王それぞれの事績を辿（たど）ることはせず、海外領土の変遷とそれに対応する統治システムの整備という観点から、中世デンマーク王国の特徴を抽出し、カルマル連合体制への変化を後付けたい。

ヴァルデマ４世によるヴィースビ劫掠図（カール・ヘルクヴィスト、1882）

デンマーク王権は、１６５８年のロスキレ条約まで保持した領土に加えて、海外領土の獲得と消失を幾度も経験した。西欧諸国が聖地十字軍に参加するなか、ヴァルデマ1世は、ロスキレ司教であったアブサロンの提案と教皇の認可を得て、聖地回復ではなくバルト海沿岸の異教徒の改宗事業を進めた。これはキリスト教王として異教徒を改宗させる義務があるからというだけではなく、バルト海周辺部に都市や教会などの拠点をつくり、デンマークの権益を拡大させることも目的としていた。最初に手をつけたのはバルト海南岸のポンメルンである。王は１１６８年にリューゲン島のヴェンド人の神殿を破壊し彼らをキリスト教に改宗させることで平定した。さらにデンマークは、バルト海の向こう岸へも関心を向けた。１２１９年にエストニアはヴァルデマ2世によって征服されてからヴァルデマ4世によってドイツ騎士修道会に売却される１３４６年まで、デンマーク領であった。バルト海の異教徒がほぼキリスト教に改宗したのち、デンマークの懸念材料となったのは、バルト海の商業権益を争うハンザの伸長であった。１３６１年、ヴァルデマ4世は、ゴットランドにあるハンザの拠点都市ヴィースビに兵を送りデンマーク領とした。その後ヴィタリエンブリューダーと呼ばれる海賊集団にゴットランドは占拠された。

第18章
海上王国としての中世デンマーク

以上のように収縮を繰り返す領土を統治するため、デンマーク王権は統治システムの整備も進めた。中世デンマークは、王家内の兄弟間の諍（いさか）いやドイツやハンザのように競合する政治体との間での武力闘争が定期的に繰り返されていたため、安定を図る必要があった。効率的な税収入を確保するための行財政システムに加えて重視したのは、平和創出のために強制力を持つ法の整備であった。西欧と比べ自由農民の割合が高い北欧は元々地域ごとの自立傾向が強かった。アブサロンのあとを継いでルンド（ロン）大司教となったアナス・スーネセンは、13世紀初頭、スコーネ周辺の慣習法を収集し、『スコーネ法』を編纂（へんさん）した。これにより島嶼（とうしょ）部の『シェラン法』ならびにユラン半島の『ユラン法』と合わせて、デンマーク全体の法慣習が可視化された。『スコーネ法』の冒頭にあるように、当時の王権は「法によって国は建つ」という基本原則を共有していたが、海外進出を積極的に進める王権は、武力による安定を推し進めた。他方で、諸制度の中央集権化を進めたとはいえ、貴族層の合意がなければ国家運営は成り立たないため、王権は即位に際して両者の間での取り決めを可視化する「憲章」(håndfæstning) も取り交わした。一方的に意思を通すことのできない王権は、貴族・都市・農民などとの利害を調整し、王国会議で彼らの合意を取り付けながら、柔軟に国家を統治した。

『辺境のダイナミズム』（２００９）でも指摘したように、以上の海外への拡大と中央集権化という動きは、デンマークに限られたわけではなく、ノルウェーとスウェーデンでも相前後して進行していた。ノルウェーはグリーンランドに至るまでの北大西洋の島嶼を、スウェーデンはフィンランドを実質的に植民地化した。それに加えて、両国においても全国を統治する法が整備された。北欧三国が共有するリズムが、王家の間での婚姻と司教間のネットワーク化とともに中世北欧の一体化と緊密化を

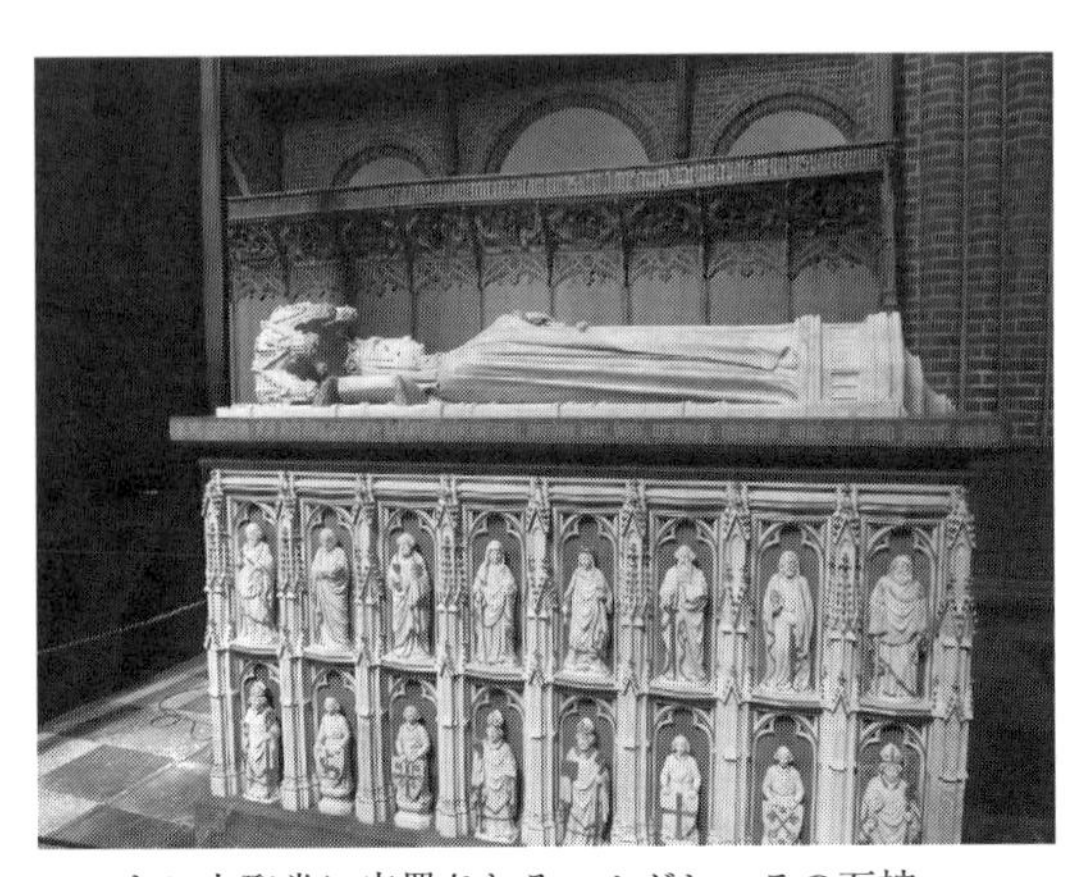
ロスキレ大聖堂に安置されるマルグレーテの石棺

担保していた。そうした前提が、直接的には各国における継承者の不在を原因とするカルマル連合体制を可能にしたことは忘れてはならない。

デンマーク王国にとって、１３９７年のカルマル連合体制の成立は大きな転機である。ノルウェー＝デンマーク王の摂政の地位にあったマルグレーテは旺盛な政治権力への志向を十二分に発揮し、連合王国体制の基礎を築いた。１５２１年にスウェーデンのグスタヴ・ヴァーサが連合体制から脱するまで１２０年以上継続した連合体制において、コペンハーゲンが北欧全体の政治経済文化の中心地となったことは、デンマークの歴史にとって大きな意味があった。アブサロンが要塞を設置することで始まった「商人の港」を意味するこの都市は、12世紀以来北海とバルト海を繋ぐかすがいとして機能した。１４２９年にはイーレク・ア・ポメルンにより、商品を積んだ船舶に課税するために「ウーアソン海峡通行税」が導入された。さらに、１４７７年のスウェーデンのウップサーラ大学に次いで、１４７９年にコペンハーゲン大学も創設された。グリーンランドからフィンランドにいたる北欧全体のヒト・モノ・カネ・情報をコペンハーゲンを中心に回そうとしていた。19世紀に南ユランを失った後にコペンハーゲンの工業化を促した「外に失しものを内で取り戻さん」という言葉があるが、カルマル連合体制下のデンマークは、ヴァルデマ4世時代に失った国内外の権益を取り戻そうとするかの如く、あらゆる権力構造をコペンハーゲンに集中させたという見方もできる。

カルマル連合体制は、必ずしも北欧内の事情だけででき上がったものではない。独自の政治的動きを示すハンザ、ポーランド＝リトアニア連合、ドイツ騎士修道会、モスクワ大公国などの隣接する政治体の動向、14世紀半ばの黒死病の影響による人口動態と社会経済構造の変化、さらには気候変動と連動するユーラシアの政治経済構造の変化といったさまざまなファクターが組み合わさることにより、14世紀末に成立し継続した。そして連合体制の解体も、ドイツで始まった宗教改革の動きを受けて、スウェーデンが連合を脱したことに起因する。スウェーデンが抜けた後のノルウェー＝デンマーク連合体制は、1537年に成立した教会法によるプロテスタント国家として、その後の新大陸やアジアへの進出と植民地化による植民地国家としてヨーロッパ政治に参画することになる。（小澤実）

19

北海・バルト海商業のかなめ ウーアソン海峡

★類いまれな海峡通行税の歴史★

カルマル連合成立期のデンマークは、ユラン（ユトランド）半島南部スリースヴィ公爵領を占領した北ドイツのホルスティーン伯と、バルト海域の最大勢力であった都市連合ハンザという、2つのドイツ勢力と対立した（第18章参照）。初代カルマル連合王エーリク（デンマーク語音、イーレク）7世（在位1396〜1439）は、北欧統治者の威信をかけて、スリースヴィの奪還とハンザによる経済支配からの脱却を求め、バルト海域の支配権拡大を目論んだ。対立は1426年から9年間におよぶハンザ・デンマーク戦争となり、敗れたエーリクは、ハンザに対してはノルウェー商業の独占など旧来の諸特権を、ホルスティーン伯に対してはスリースヴィ支配（1459年まで）を認めることになった（「ホルスティーン」とは、デンマーク語による呼称で、「ホルシュタイン」との違いについては第24章を参照のこと）。

歴史的に振り返って、その戦争以降に重要な意味を持つことになったのが、ウーアソン海峡（現デンマークとスウェーデン間の海峡）の支配をめぐる攻防である。対ハンザ戦争前にはデンマーク側が、戦争中にはハンザ側が、海峡封鎖によって互いに相手の海上交易を妨害したが、その封鎖で損害を受けたのは戦争当事者だけではなかった。同海峡を通過してバルト海を出入りする西欧からの商船が、古くはスカンディナヴィア半島西南端での「スコーネの大市」を目指し、15世紀にはバルト海東部の交易地を目指して、増加を続けていたからである。

海峡が交易の要衝となり始めた情勢をとらえたエーリクは、対ハンザ戦争の要因でもあった海峡通行税の徴収を、1429年から本格的に開始した。そして、戦争での敗北にもかかわらず、デンマークによるウーアソン海峡通行税は撤廃を免れ、それ以降1857年まで存続したことで、世界的にも類いまれな通行税として知られることとなった。

ウーアソン海峡が北海とバルト海の結節点として重要性を持った要因は、航海技術を高めたオランダやイギリスの西欧商人が、西欧圏で不足、あるいは十分に調達できない必需品をバルト海沿岸各地に求め、自らの商船で大量に輸送したことにある。デンマーク領海には、より幅の広いストーアベルト海峡があるが、島嶼が散在するうえにデンマークが航路管理を行なったため、西欧からの大型船はおもにウーアソン海峡を利用した。

中世までは西欧側の需要にハンザ商人が応え、毛皮や蜜蠟（みつろう）など高価なロシア産品、スウェーデン産の銅・鉄、プロイセン地方（ポーランドを含む）の穀物・木材、スコーネ地方（スカンディナヴィア半島最南の地方で、1658年までデンマーク領であった）の塩漬けニシンなどを、フランドルのブルージュやロンドンへ輸送した。反対のバルト海方面へは、西・南欧産の塩・ワイン・果物・油・毛織物など繊維製品・アジア産品その他を届けて、ハンザの繁栄が築かれた。それら輸送の中心を担ったリューベック市の場合は、ウーアソン海峡を通過せずとも、河川を利用し、ユラン半島付け根のホルスティーン地峡を経由して、北海への出口となるエルベ川の港市ハンブルクへと至ることができた。旧来、安全な地峡ルートが北海とバルト海を結ぶ主要ルートであったため、経由地リューベックは商業利益を高めていった。しかし、ウーアソン海峡を利用した海路での大量輸送が主流になるのは時代の趨勢（すうせい）であり、リューベック市中心のハンザ商業は西欧商人の進出とともに勢いを失っていき、北欧諸国はハンザの経済支配から徐々に脱却をはじめた。

とはいえ、17世紀半ばまで存続するハンザの盟主リューベック市は、デンマークの経済や外交だけでなく、時には王位継承や内政にまで長らく関与していた。とくに、宗教改革が広まった16世紀前半、カルマル連合の崩壊とスウェーデン独立を招いたクリスチャン2世（在位1513〜23）が王位を追われ、復権を目指してカトリック陣営を束ねる存在となったとき、リューベック市の関与は最大となった。多方面で複雑な外交関係を組みつつ、リューベック市はハンザを率いてデンマークの王位継承をめぐる内戦（伯爵戦争1534〜36年）に参戦した。内戦においては宗教対立が最大の争点であったが、リューベック市はプロテスタント側であったにもかかわらず、カトリックのクリスチャン2世陣営についてウーアソン海峡を占拠し、一時的に通行税徴収権を奪うにいたった。

しかし、リューベック市がプロテスタントのスウェーデン王を敵にまわしたことで、スウェーデンの加勢を得たプロテスタントのクリスチャン3世（在位1534〜59）が勝利し、デンマーク王位についた。敗れたハンザは影響力を失っていき、王権強化を図る北欧諸国において、ハンザ勢力を排除する動向はますます強まった。それと同時に、スペインからの独立をはかるオランダが、北欧諸国とバルト海地方の経済に圧倒的な影響力を持つようになる。

脱ハンザのためにオランダの経済力を歓迎したデンマークであるが、オランダのバルト海貿易が急成長するなか、海峡通行税をめぐって今度はオランダとの間で対立が激化した。オランダがスペインとの戦争に備えていた1567年、デンマークは海峡通行税を船舶ごとから積載品ごとに課税する従価税へと転換させた。それにより、税収は3倍以上に増加したが、そのことは最も輸送量が多いオランダに多大な負担を強いることとなった。

1590年頃に描かれたウーアソン海峡と海峡通行税の徴収地ヘルシングウーア。中央は航行する船舶ににらみをきかせるクローンボー城
出典：Ole Degn(red.), *Tolden i Sundet*, Told- og Skattehistorisk Selskab: København, 2010, s.62.

17世紀にはいると、オランダは急激な経済成長をみせるが、デンマーク王クリスチャン4世（在位1588〜1648）の税政が、オランダのバルト海貿易にとっての大きな障害となった。バルト海の覇権に強い野心を持ちながら、三十年戦争で敗退するという失策を演じたクリスチャン4世は、財源を得るために1629年以降の10年間で急激な増税を繰り返し、海峡通行税収入を約3倍にまで増加させた。安定した税政の重要性を認識する王国国務院は極端な増税に強く反対したが、見境を失ったクリスチャン4世は聞き入れなかった。

増税に加え、商業活動をさまざまに妨害するデンマークに対し、オランダやスウェーデンは敵意を高めた。オランダは、対デンマークのトシュテンソン戦争（1643～45年）でスウェーデン軍に加勢してデンマークを屈服させ、海峡通行税減額などの要求を実力行使でのませた。その結果、通行税の収入は1630年代末の4分の1にまで激減し、さらに、海峡支配は恣意的な変更などを認めない一貫した税政の範囲内に限定された。一方で、経済的にはオランダに従属していたスウェーデンは、通行税の完全免除を認められ、バルト海の覇権をねらう地位についたのである。

オランダは、デンマークの極端な海峡支配を崩したが、デンマーク領を奪って勢力拡大をはかるスウェーデンの海峡支配は許さなかった。1657年から再びデンマークとスウェーデンが戦火を交えた際、オランダはデンマークの国家存亡の危機を救い、ウーアソン海峡の両岸がスウェーデン領になることを妨げた。結果的には、海峡通行税が1世紀前の水準に縮小したことにより、デンマークによる通行税徴収に対する国際的圧力も収まり、デンマークのウーアソン海峡通行税は存続しえたのである。それによって、18世紀後半に航行する船舶数や積載規模が大幅に増加するにつれ、海峡通行税の税収は重要な国家歳入としてデンマークの財政を潤すこととなった。

（井上光子）

20

7つの海をむすぶデンマークの国際商業

★重商主義時代の繁栄★

重商主義時代といえば、イギリス・オランダ・フランスを語るのが一般だが、独自の商業網を持つデンマークもまた、大規模な戦争が頻発する18世紀に、国際商業を補完する重要な役割を担った。ノルウェーをはじめ北大西洋の領土を支配し東西インドに植民地活動を展開したデンマークは、世界各地へと躍進する、知られざる重商主義国家であった。

18世紀後半、中国の広州港で狭い特定居留区に商館を建てたヨーロッパの国はわずか数ヵ国であったが、そのなかにデンマークとスウェーデンがふくまれていた。中国は、ヨーロッパ人との取引を厳格に管理する広州体制（カントン・システム）を導入しており、外国商人は居留地以外に移動の自由もなく、特定の中国商人とだけ取引する規制にも耐え、茶・絹製品・陶磁器といった高価な商品を本国へ輸送し利益を上げた。中国貿易では大国小国の区別はなかったため、北欧2ヵ国にも大国と同等の貿易が成立したのである。

デンマークとスウェーデンには、中国貿易を独占する特権貿易会社（一般には東インド会社）があり、巨額の商品が再輸出を目的に輸入された。とくに、茶の大量消費国イギリスへは、北欧商人が率先して関税逃れの密輸を行ない、1784年にイギリスの減税法が通って密輸の利益が縮小するまで、かなりの流通分を担ったといわれる。

スウェーデン東インド会社は1731年の創立であったが、デンマークでは1616年に初代の東インド会社が結成された。当時、急成長中のオランダに触発されたデンマーク王クリスチャン4世（在位1588～1648）は、国内産業の成長と国際商業の拡大に力を入れた。彼はハンザの商人を排除するため、1619年にアイスランドの独占貿易を行なう特権会社を設立し、港の整備や造船業の振興をはかった。また、他国が北大西洋からアジアへ向かう北西航路の開発を試みると、同じ目的で北極海へと探検隊を派遣した。

しかし、初期の重商主義政策は、度重なる戦争での消耗もあり、見るべき利益をもたらさなかった。唯一、1620年にインド南西岸に獲得した貿易拠点のトランクェバルが、その後も細々と存続したことは大きな成果であり、18世紀にはアジア貿易に欠かせない植民地に成長した。1731年に中国から物産を持ち帰った商船が成功をおさめると、1732年には新規の特権会社となるアジア会社が設立され、再び重商主義政策が強化された。アジア会社は、インドとは1772年まで、中国とは1843年の解散時まで貿易の独占権を持っていた。独占の解除で自由化されたインド貿易では、国内から私的な商人の参入が増え、東南アジア方面にまで貿易は拡大した。

一方、アジア方面と違って本国から往復しやすいことにより、西インド貿易には早くから私的な商人が進出していたが、デンマーク政府は、1659年にアフリカのギニア湾沿岸で奴隷貿易拠点を確保し、1671年に西インド・ギニア会社という特権会社を設立した。名称のとおり、本国とアフリカ・ギニア湾およびアメリカ・カリブ海をつなぐ三角貿易を中心に、奴隷貿易や植民地経営が展開された。しかし、アフリカ・ギニア湾の要塞維持や植民地経営に関わる負担が大きくなり、1754年に特権会社は解散され、貿易は私的商人の事業に移った。

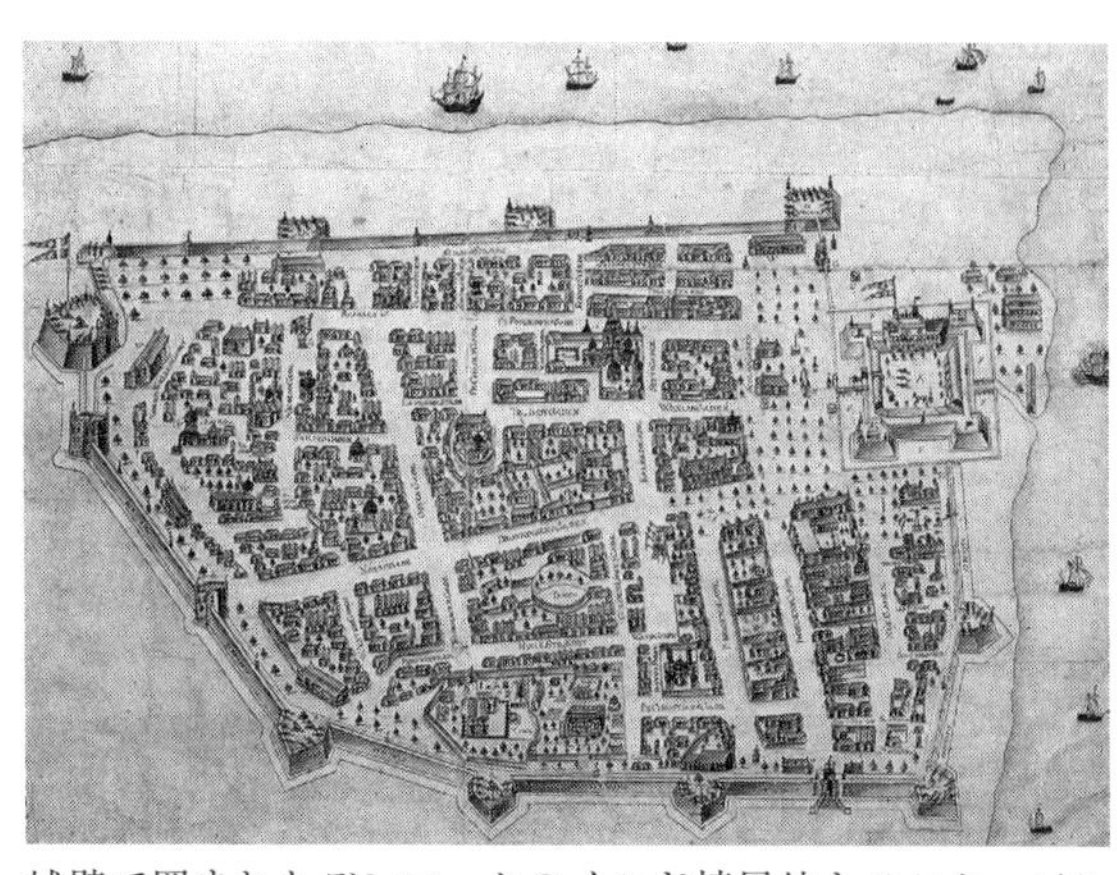

城壁で囲まれたデンマークのインド植民地トランクェバル（図の上が東）
出典：Ole Feldbæk, Dansk søfarts historie 3, Gyldendal: København, 1997, s.50.

デンマークは西インド諸島に、3つの小さな植民地（現アメリカ領ヴァージン諸島）を獲得した。1666年のセント・トーマス、1718年のセント・ジョンにくわえ、1733年にはサトウキビ栽培に適したセント・クロイ（以上の島名は英語表記）を得て、デンマークは自国の植民地で砂糖の生産が可能になった。自国の植民地だけでなく、他国の植民地に向けた奴隷取引も盛んになり、1733年から1802年までにデンマーク船がギニアから輸送した黒人奴隷は5万人、西インドの自国領からの移送は7万人とも数えられている。デンマークは、他国に先駆けて1792年に奴隷貿易を禁止したことで知られるが、10年間の猶予期間に奴隷輸送が増加した経緯もある。海外植民地をほとんど持たなかったスウェーデンとは対照的に、デンマークは植民地国家としての歴史を刻んでいた。

18世紀には、遠隔地だけでなくヨーロッパから近い海域でも、デンマーク船が多数訪れる商業圏があった。第1に、古くからノルウェーが主導した北大西洋の伝統的な商業圏である。その交易先は、支配領であるアイスランド、フェーロー諸島、および当時は船でしか到達できなかったノルウェー最北部のフィンマルク地方である。北大西洋圏には、中世よりハンザのドイツ商人が干しダラなどを求めて進出し、17世紀以降は捕鯨を中心とする漁業のためにイギリスやオランダの船が多数到来した。クリスチャン4世治世以降、支配権を強めたいデンマークは、特権会社による独占貿易を整備し、外国商人を規制する排他的な商業に力を入れた。さらに1721年からは、新たな植民地となるグリーンランド南西沿岸が交易先に加わった。伝道とあわせて開始されたグリーンランド独占貿易事業が、イヌイットの人々の協働も得ることで存続し、利益の上がる鯨油産業をもたらした。

第2に、同じく伝統的な商業圏であったバルト海圏である。中世にはハンザ商業、近世にはオランダのバルト海貿易が繁栄するなかで、バルト海と北海を結ぶ東西流通の結節点に位置するデンマークは、地理的に有利な条件に恵まれていた。バルト海貿易では、植民地物産や西欧産品がロシア方面にまで運ばれ、バルト海沿岸各地からは穀物や鉱産物のほか、需要が高かった木材・亜麻・麻のほか各種船舶資材が西欧方面へ向かった。そうした商品の集散地として、首都コペンハーゲンを国際商業の主要な中継貿易拠点に成長させることは、デンマークにとって重商主義時代究極の目標であった。

第3に、デンマークにとっては新しい商業圏となる地中海があった。地中海や西アフリカ沖では、キリスト教国と敵対した北アフリカ沿岸部のイスラーム諸国が脅威となっていたために、商業の安全を求めるヨーロッパ諸国は沿岸諸国と友好条約を結ぶ必要があった。デンマークは、1746年以降それら諸国と順次条約を結び、地中海貿易のための特権会社を設立した。

以上のように、デンマークは中国からアメリカまで世界の7つの海へ商船を送り出し、商業大国と同様の商業網を築いて貿易・海運業を展開させていた。1730年代以降に経済の保護主義体制が進み、本格的な重商主義政策が講じられていく過程で、デンマークの支配下にあるユラン半島南部のスリースヴィとホルスティーンの両公爵領と、同じく支配下にあるノルウェーの海運業が担った役割も大きかった。両者とも、海洋進出が可能な船舶の保有数が多く、狭義のデンマーク王国とは異なる産業構造のもとでデンマークの経済を支え、デンマークの多角的な国際商業を可能にしていた。

貿易と海運業を拡大させたデンマークは、アメリカ独立戦争を契機として、1770年代後半からの約30年間、商業における繁栄期を迎えた。経済先進諸国が相次いで戦争に参加するなか、デンマークは中立国として戦争当事国の国際商業を代行・補塡（ほてん）し、急激な好景気を享受したのである。平時に戻った後でも、経済成長はある程度高い水準が保たれ、その状況は1807年にデンマークがナポレオン戦争に参戦するまで続いた。デンマークは大北方戦争（1700〜21年）終結以降、長期にわたって中立政策を堅持することで国際商業を発展させ、18世紀後期にはコペンハーゲンの中継貿易を大きく成長させたのであった。

（井上光子）

21

啓蒙の世紀をむかえたデンマーク

★社会の変容とコスモポリタンな知の交流★

旧来の政治規範・社会生活・文化・価値観が大きく変容しだしたヨーロッパの18世紀は、「啓蒙の世紀」と呼ばれる。啓蒙期のヨーロッパは、非ヨーロッパ世界との連関を深め、世界から集めた情報を共有しつつ知的交流を営む空間であり、北欧諸国もそのなかにあって活力に満ちた貢献を果たしていた。

デンマークの場合、啓蒙思想を反映する新しい社会への転換がフレゼリク5世の治世（在位1746〜66）とともに始まったことは、同時代の人々にも共感されており、18世紀後半がとくに啓蒙の盛期とされる。デンマーク絶対王政の安定期にあったフレゼリクも息子のクリスチャン7世（在位1766〜1808）も、王たちが啓蒙的だったわけではなかったが、開明的な上層階級や市民らの間で新たな知識や情報が普及し、社会の変容が進んでいった。大学教授・作家・歴史家のルズヴィ・ホルベア（1684〜1754）は、啓蒙期以前に禁じられていた演劇活動を再興させ、信仰における寛容、教育における女性の権利、実学分野の学問推進など、啓蒙の社会課題を世に示した。

フレゼリク5世の治世期には、1749年創刊の『ベアリンスケ・ティーゼネ』（現代まで存続）をはじめ、さまざまな新聞や定期刊行物の発行が増え、ジャーナリズムと世論の形成が始まった。また、王立科学アカデミーが1742年に創設され、1754年には王立芸術アカデミーが加わり、知的活動の中枢が築かれていった。ホルベアの寄付により1747年に再建されたソーレーの貴族アカデミーもその1つであり、コペンハーゲン大学（1479年創立）にはない実学分野の学科が設置された。そこで教授職についた著名な政治学者J・S・スニードーフ（1724〜64）は、雑誌『愛国のスペクテーター』（1761〜63年）を発行し、新機軸を示す新しい論壇を築いて時代を先導した。

1536年の宗教改革以来、デンマークは教会における信仰の規律を厳重に監視しており、大学が出版物の検閲を徹底できるよう、ほとんどの出版社を首都に集めていた。ホルベアの社会風刺に富んだ作品も、当初は海外で出版しなければならなかったが、18世紀後半に社会経済分野の出版規制が緩和されると、1780年代の諸改革につながるような論調が高まっていく。

ヨーロッパの文壇で有名になったノルウェー出身のホルベア
出典：Ole Feldbæk, *Gyldendal og Politikens Danmarkshistorie* Bd.9, Gyldendals & Politikens Forlag: København, 1990, s.194.

そうした時代のなかでクリスチャン7世が王位についたが、精神の病により政務は側近に託され、実権をめぐる政争が政情不安を生じさせた。とくに、1770年秋から72年初めに宮廷において独裁政治をしいたドイツ人侍医のJ・F・ストルーエンセ（1737〜72）は、検閲制度の撤廃と出版の完全自由化、爵位叙任の削減、司法改革や行政機構の合理化など、啓蒙の諸改革によって他国からも注目を集めた。しかし、彼はクーデタで失脚し、1683年の「デンマーク法」にもとづく絶対王政への大逆罪として、啓蒙の精神に反するような八つ裂きの刑に処せられた。

クーデタの後、急進的な啓蒙の改革などはすべて撤回され、既得権を持つ貴族や地主らの不満を解消させるための保守反動政治が進められたが、1784年に再びクーデタによって王太子フレゼリク（6世、在位1808～39）と開明的な貴族官僚が政権を握り、保守勢力を後退させた。新政府は幅広い世論を味方にして、「農民改革」や「学校改革」といった啓蒙の時代の典型的な政策を実施し、「上からの」改革を通じて、中央集権的な行政機能を高め、地主層の政治力を封じ込めることに成功した。

以上のような啓蒙の時代は、国を越えた知識人の交流と知的な共同作業が盛況で、学術探検や調査は君主の栄誉を示す大規模な国家事業として企画され、その成果はヨーロッパの財産となった。1725～43年の間に2度のカムチャツカ探険を率いたヴィトゥス・ベーリング（1681～1741）も、その2度目の探険に加わって北日本沖を探査したM・スパングベア（1696～1761）も、ロシア海軍に属したデンマーク人であった。彼らは、外国人会員が多くを占めるロシア科学アカデミー（1725年創設）の学術課題に応え、ベーリング海峡の発見やアラスカに関する貴重な情報をヨーロッパ学界にもたらした。

そうした国際的な学術団の探険や調査は、デンマーク王の名によっても実施された。なかでも1760～67年の「アラビア学術探険」が最も有名で、考古学資料や地図のほか多種多様な文物・情報がもたらされ、波瀾万丈の遠征談とともに評判になった。ゲッティンゲン大学の東洋学者による調査課題と企画の提示を受け、デンマークの外務大臣J・H・E・ベアンストーフ（1712〜72）が支援した探険団は、リーダーの東洋文献学者F・V・ハーヴェン（1727〜63）と医師がデンマーク人、天文学者・測量士のカーステン・ニーブール（1733〜1815）と画家はドイツ人、博物学者のP・フォススコール（ヘルシンキ生まれ、1732〜63）と使用人はスウェーデン人という顔ぶれであった。過酷な自然環境とマラリアに苦しめられ、目的地のイエメンまで到達したものの、さらに数年かけてデンマークへ生還できたのはニーブールのみであった。

しかし、出発時とは異なって政府の関心は低く、ニーブールは帰国後の収集物整理や探検報告書の作成に苦労した。長年かけて大著を刊行し、彼の作成した地図はその後1世紀ほど最も正確なものとされた。また、スウェーデン人博物学者C・V・リネー（リンネ1707〜78）の優秀な弟子であった故フォススコールの功績や遺稿も、ニーブールが義理堅く出版物にまとめた。

リネーの弟子たちは世界各地で博物学の多大な功績を残したが、当時のポーランド領出身でコペンハーゲンの病院に勤めた植物学者J・G・ケーニヒ（1728〜85）もその1人であった。彼は、1761年に刊行が始まる植物図録集『フローラ・デーニカ』への植物収集に貢献した後、デンマークのインド植民拠点トランクェバルに伝道局医師として赴任し、国際的なプロテスタント活動団体との交流をもとに、当地で学術拠点を形成した。デンマーク政府は天文学にも力を注いでいたことから、トランクェバルに天文観測所を設置した（1785年）。また、イギリス人ジェイムズ・クックの参加で知られる金星の太陽面通過の国際観測事業にも参画しており、1766年、ノルウェー最北端に建てた観測所にウィーンの天文学者を派遣して、観測データを提供したのであった。

（井上光子）

22

出生地法に見る礫岩のような君主政

★パトリオティズムに基礎づけられたデンマーク君主政の紐帯★

1776年1月15日、クリスチャン7世治世下において発布された出生地法は、王国の官吏になれる者を君主政下で生まれた者のみに限定した。以下は前文の冒頭部分である。

神の恩寵によりデンマークとノルウェーの王にしてヴェンデルとゴートの王、スリースヴィ、ホルスティーン、ストールマルン、ディートマルシェンの公爵、オルデンブルクとデルメンホルストの伯爵等である朕クリスチャン7世は、（……）朕の決定を皆に知らしめる。朕（ちん）の国家（……）に仕えるあらゆる役職は、その能力の優劣にかかわらず、この国で生まれた者、またはそれと同等とみなされる者にしか与えられず、また与えられるべきではない。

この国王の表記は、クリスチャン7世が決して均質な「デンマーク国民」からなる国家の君主ではなく、さまざまな地域によって構成された複合的な国家の君主であったことを示している。このような1人のデンマーク君主によって包摂された複合的な国家は「ヒールステーズ（Helstat）」と呼ばれている。当時のヒールステーズは、大きく分けて2つの国家合同から成り立っていた。1つは、フェーロー諸島やアイスランドを含むノルウェー王国とデンマーク王国との合同、もう1つは、スリースヴィ・ホルスティーン両公爵領とデンマーク王国との合同である。16世紀前半にはノルウェーとデンマークの参事会（国務院）が統合され、17世紀後半には両公爵領の合同会議の招集が停止された。そして、コペンハーゲンに置かれたデンマーク官房がデンマーク＝ノルウェー、ドイツ官房が両公爵領の政治を担った。しかし、このような政治的統合は緩やかなものであり、ヒールステーズを構成する各地域はそれぞれ異なる法や行政システムを維持し、地域によってさまざまな言語が話されていた。

このようなデンマーク君主政において1776年に発布された出生地法は、従来の歴史学界では「国民意識」に基づいて「デンマーク国民」以外の者を国政から排除しようとする国民主義の歴史的萌芽と見なされてきた。そのような主張は、18世紀にかけてデンマークの言語や歴史、文化に対する関心を高めたデンマーク系の教養市民層が成長し始め、政界の中枢を担ったドイツ系エリートへの反発が高まったことに由来していたとされる。しかし、「国のかたち」に注目してみれば、1721年にはスリースヴィが、1773年にはホルスティーンがデンマーク君主の支配下となるなど、実際には18世紀を通じてヒールステーズの複合的な性格が強化されたと言える。たとえば、両公爵領の政治を担ったドイツ官房から外交部門が切り離され、1770年に外務省が置かれたことは、両公爵領をヒールステーズの内部として捉えようとしたことを意味する。また、出生地法制定後もドイツ系官僚たちは政治において重要な地位を保持し、1780年代には王太子フレゼリク（のちのフレゼリク6世）のもとで農業改革をはじめとする啓蒙主義的諸改革をリードした。以上のことを考慮すると、出

出生地法の制定を記念して作成されたメダル。母（ヒールステーズ）とその３人の子ども（デンマーク、ノルウェー、ホルスティーン）が描かれている。
出典：Dansk identitetshistorie, Bind 1, Ole Feldbæk, red., København, C. A. Reitzel, 1991, s.290.

生地法は19世紀的な国民主義のイメージから語られてきたように、デンマーク語を話し「デンマーク的な文化」を共有する人々以外を締め出そうとしたものではない。ヒールステーズ内で生まれた者、つまりノルウェーやスリースヴィ・ホルスティーンなど異なる言語や文化を持つ諸地域を出自とする人々を、優先的に官吏に登用しようとしたものである。この法において重要であったのはヒールステーズの君主と臣民、そして臣民同士の身分や出自を超えた紐帯（ちゅうたい）の強化であった。

近世デンマークの複合的な君主政における君主と臣民の関係を議論する際、重要となった概念がパトリオティズムである。この思想は古代からの言説に立脚しながら啓蒙期ヨーロッパにおいて広く議論されていたが、「愛国主義」という日本語訳から連想されるような国民主義に結びつく思想ではなかった。パトリオティズムは、「パトリア」(patria) への忠誠と義務を根幹とする思想であり、この「パトリア」は必ずしも生まれ育った祖国を意味せず、市民として共に生きる共同体であることが最も重要であった。たとえば、同時期のアメリカなどでは「横暴」な君主に抵抗する人々によって主張されたが、彼らにとってパトリアは共和政体や自由が保障される未だ存在しない理想郷であり特定の国家とは結びつかなかった。デンマークにはそうしたパトリオティズムは官僚絶対主義を支える知識人らによって「輸入」され、君主政の正当性を支える理論的支柱となった。そして、その議論は汎ヨーロッパ的な知的基盤に立脚していることによって正当性を認められた。ヒールステーズのイデオローグたちは、君主政は正義と安全の保障を通じて公共善を実現するものであり、その原動力となる名誉と市民の徳はパトリオティズムによって強化されると考えた。

出生地法制定の背景にあった思想は特にヒールステーズ・パトリオティズムと呼ばれ、それは臣民にヒールステーズとその君主への忠誠と義務を求めただけでなく、構成地域間の調和を目指した点に特異性がある。出生地法の制定に影響を与えたとされる思想家スーム（Peter Frederik Suhm、1728～98）が1776年に作成した歴史教科書は、以下のような一文で締めくくられている。

何よりもあなたたちの祖国を愛しなさい。あなたたちの祖国とは何か？ それは国王の全ての国、デンマーク、ノルウェー、ホルスティーンとアイスランドであり、そのうちのどれも例外ではない。デンマーク、ノルウェー、ホルスティーンの間の悪しき区別を止めなさい。確かにあなたたちの言語には違いがある。しかし神はあなたたち皆の言葉をお分かりになる。国王はあなたたち皆を統治する。神を畏（おそ）れ、国王を敬え。

デンマーク・ヒールステーズは19世紀半ばに崩壊したが、かつて礫岩のような君主政において人々は諸地域の個性を維持しつつ、1つの国家としての一体性を保とうとした。それに注目することで現代デンマークにおいて過小評価されている複雑性や多様性に光を当てられるだろう。

（亀井瞳）

23

「大工騒擾事件」を伝えたデンマーク・メディア

★メディア発達の諸相と公論形成の萌芽★

1780年代の農業改革以降、デンマークではそれまで主流だったブロードサイド（西洋の瓦版のようなもの）やアルマナック（暦の一種）の出版社が姿を消し、新たなメディアが出版世界における覇権を握るようになった。1つは新聞だ。デンマークでは、最初の新聞勅令が1634年に発布され、デンマーク語で書かれた新聞は1666年に初めて発行された。そして現在まで続く新聞が18世紀後半に発行されるようになった。たとえば『コペンハーゲン・ポスト』や『ベアリングスケ・コペンハーゲン』である。

もう1つの新たなメディアが雑誌である。1770年から1800年の間に116以上の雑誌が現れ、特に1780年代に爆発的に増えた。これらには当時起こった事件が取り上げられ、それに関する論評も載った。雑誌には記者の一方的な情報発信だけでなく、読者の論評も掲載されたため、雑誌上で公論が形成されるようになったといえる。この頃出版された有名な雑誌として『ミネアヴァ』や『コペンハーゲン学報』、『イーリス』、『政治自然学雑誌』などがある。

これらのメディアは当時起こった事件をどのように報じてい

たのだろうか？　また、新たなメディアはどのように公論形成に関与していったのだろう？　本章では1794年に起こったコペンハーゲンの大工騒擾を取り上げたメディアの役割に注目してみたい。

1794年夏、デンマーク史上初の労働争議とされるコペンハーゲンの大工騒擾が発生した。当時コペンハーゲンでは建築のための労働力が必要だったが、大工徒弟がストライキを行なった。ストライキの原因は大工親方の下で働く徒弟たちが辞職を拒否され、逮捕されたことだった。当局はストライキに参加した徒弟たちに仕事に戻るよう指示したが状況は改善せず、202人が逮捕される。しかし親方にとっても徒弟たちの逮捕は労働力を失うことから問題と見なされたため、徒弟たちに有利な状況が生まれ、1800年のギルド令が発布された。この法令ではストライキは禁止されたままだったが、徒弟は仕事を誰から引き受けるか選べるようになり、後に労働契約の締結に向けた規則の導入にもつながった。大工騒擾は親方を中心とした身分支配の象徴であるギルドの解体が進む1つの契機となり、農民の移動を制限する土地緊縛制廃止などの改革の時代にあって、労使関係の観点から近代社会への転換を用意した出来事の1つとされている。

コペンハーゲンのニコライ教会の牧師が大工宿泊所でストライキ中の大工たちを訪れ、仕事を再開するように説得している様子。
出典：Bregnsbo, Michael: Tømrerstrejken 1794 i Den Store Danske på lex.dk. Hentet 31. maj 2023 fra https://denstoredanske.lex.dk/T%C3%B8mrerstrejken_1794.

コペンハーゲンの新聞には大工騒擾に関連して発行されたさまざまな公式発表や、広告が掲載されているが、事件の詳細については分からない。事件が起こった1か月後に『イーリス』

は新聞には噂が作られることを防ぐために社説や投書欄を作るべきではないと主張した。地方の新聞を確認してみても、そこで読める記事は政府の公式発表のみである。

以上のように１７９４年の時点ではいくつかの種類の新聞が存在し、事件を伝える役目を果たしていたが、単にその顚末（てんまつ）のみを伝えるものが多かった。また、間違った情報や噂をむやみに広げないようにするために新聞には投書欄を設けるべきではないという意見があった。新聞は公論形成の場としての役割を果たしていたとは言いがたいが、情報伝達の役割は果たしていた。

これに対して雑誌は１７９０年代に単なる情報伝達だけでなく新たな性格を得るようになった。１７９０年代のフランスにおける革命の推移をデンマークの人々も注目していた。この時期の雑誌が取り上げた論評にはフランス革命へのデンマークの人々の態度が反映されることが多く、それが雑誌の政治的志向の１つの基準となっていた。たとえば『政治自然学雑誌』や『収集家』はフランス革命に肯定的であり、『国民の友』やハンブルクの『政治ジャーナル』は革命に否定的であった。また、『ミネアヴァ』は中立の立場をとり、『イーリス』は穏健派であった。これら雑誌は大工騒擾も報じた。そのなかで、政府の対応への評価や、事件を「暴動」とみなすのか、フランスで起きているような「反乱」とみなすのかなどについてさまざまな主張が論じられた。

フランス革命に肯定的だった人々は大工騒擾をどう評価したのだろう。１７９０年代に有名な論客の１人であったマルデ・コンラズ・ブルーンは雑誌『目覚めた者』を大工たちの支援のために出版した。雑誌は当局による事件の扱い方に注目し、大工騒擾は「暴動」であり、フランス革命のような「反乱」ではないため、当局が介入しすぎていると批判した。彼はデンマークで出版に関する規制が厳しくなるなかで国外追放の刑に処され、後にフランスで創作活動をつづけた。

フランス革命に中立の立場をとっていた雑誌は、大工騒擾をどう評価しただろうか。月刊誌『ミネアヴァ』では大工騒擾に対する評論を提供し、「これは不満を持った大工たちよる暴動であり、政府が賢明で慎重で断固とした態度をとった状況である」としている。『ミネアヴァ』は政府の対応について一定の評価を示し、特に政府による委員会設立を評価した。『イーリス』は「暴動は特別なものではなく、蜂起は反乱を目的としたものではなかった」としている。そして『イーリス』の著者は「フランス革命がデンマークに悪い雰囲気を波及させているため、事件の噂をこれ以上広めたくない」という見解を示した。

フランス革命に対して反対の立場をとっていた雑誌はどうだろうか。『政治ジャーナル』では政府の対応は賢明で穏やかであるという見解を示し、『国民の友』は事件に直接的に言及していないが、啓蒙期以前には「暴徒」とされていた人々に対して「市民」という言葉が使われている現状を非難する記事を載せた。

このように1つの事件であっても、雑誌や論者の政治信条の違いに従ってさまざまな意見が伝えられていたことが分かる。新聞や雑誌は事件の顚末を伝えたが、雑誌はさらに政治信条の違いに基づいた論評を伝えた。こうしたメディアは市民に政治判断の素材を与えることで公論を鍛える場を形作った。政府もこうしたメディアで陶冶された公共善やパトリオティズムをめぐる公論を無視できなくなり、市民による公論が政治に反映されるようになる。今日のデンマーク社会を基礎づける公論形成の萌芽は、新たなメディアを得たこの時期にみられたといえるだろう。

（杉尾京香）

24

デンマーク史内のホルスティーン

★地名呼称と人々の先入観の関係を考える★

デンマークという国家は、歴史的には、スウェーデンのルンド大学の歴史学教授ハラルド・グスタフソン（在籍1999〜2020、現名誉教授）の近世国家構成の概念でいう「礫岩国家（konglomeratstat）」であった。礫岩（konglomerat）とは、長い時間をかけて土砂が堆積して、2ミリメートル以上の小石（すなわち「礫」）によって構成された堆積岩である。その礫岩の構成として1つの岩が個別に存在する小石の集まりからなっていることから、近世国家の在り方のなかに、人格的に同一の人物が同時期に王や公爵などとしてそれぞれの領域の宗主権を有し、一塊の岩のように一国家がその内側において「同君連合」を形成していたものを礫岩国家と呼んだ。この命名は、デンマークの歴史研究者たちも、自らの過去の国家の形状の解説に用いており、1864年までの、現在とはまったく異なる国家システムの解説に使っていたりする。

デンマーク礫岩国家の始まりは以下のようであった。ヴァイキング時代以来の「王国」が、クリストファ王（1440〜48）が嫡子のないままに他界し、名目的にも繋がってきたデンマーク王家の血統が途絶えた。北ドイツのヴェーザー川河口近くのオルデンブルク伯爵家のクリスチャン（1426～81）が母ヘルヴィーク（?～1436）を介して6代前のデンマーク王イーレク（エーリクのデンマーク語音）5世（1259～86）王に繋がることからデンマーク王国国務院によってデンマーク王に選ばれた。デンマーク王家オレンボー（オルデンブルクのデンマーク語読み）朝の始まりである。ヘルヴィークはホルスティーン伯ゲアハルト6世の娘であり、スリースヴィ（ドイツ語ではシュレースヴィヒ）公アードルフ8世の妹でもあり、1459年にスリースヴィ公でもありホルスティーン伯でもあったアードルフ8世が急死し、それによってホルスティーンのシャウエンブルク伯家の男系が途絶えると、デンマーク王になっていたクリスチャン1世が、スリースヴィ公爵、ホルスティーン伯爵として領地を継承した。すなわち、北ドイツ貴族たちの濃厚な人脈のなかに、「デンマーク王」が存在していたのだった。ホルスティーンの貴族たちは、アイダ川を北側に越えても所領をすでに獲得していたことにより、スリースヴィとホルスティーンが、同一の「相続人」デンマーク王クリスチャンによる「同一の統治者」として領有されることを望んだ。翌年、スリースヴィ内の王国飛び地のリーベで、クリスチャンが騎士団（Riderskabet/Ritterschaft）としてまとまっていた貴族たちと、リーベ文書（Ribe-brevet）を交わした。その文書は、低地ドイツ語で書かれており、両地が「永遠に不分離である（Up evig ungedelt）」ことを約束していた。問題は、スリースヴィは本来デンマーク王国のなかのヤール（辺境伯）の地であったこととホルスティーンはドイツ（神聖ローマ帝国）に属していた地であったことである。

この章で筆者は、意図的に聞き慣れない「ホルスティーン」という呼称を使っている。「ホルシュタイン」なら、一般の方々には明瞭で、「シュレースヴィヒ＝ホルシュタイン」という現ドイツ内の州名などがただちに思い当たるであろうが、そのことが歴史イメージの誤解を生む理由であり、19世紀にドイツ国民主義が台頭する時代が訪れるまで、その表記の使用を「歴史状況の誤解」を避けるために、あえてその慣用表現を排除すべきだと考えている。

ホルスティーン（Holsten）とは、エルベ川の河口近くの北岸、スリースヴィとの境をなすアイダ川までの地にザクセン人の一部、北エルベ人（Nordalbinge）が森に棲み――ホルスティーンの語源は森に棲む人の意といわれる――、その地は低地ドイツ語地域であり、デンマーク語でも同じ「ホルスティーン」と呼んでいた。たとえば、その使用例として、ハンザ都市リューベック市旧市街の西門は「ホルスティーン門（Holstentor）」であり、決して高地ドイツ語の「ホルシュタイン門」ではない。問題は、我が国では高地ドイツ語のホルシュタインが歴史叙述において常に用いられてきたことである――それもセットの「シュレースヴィヒ＝ホルシュタイン」として。19世紀のドイツの「国民主義の時代」以前にあっては、公爵領ホルスティーンの住民はデンマーク王が兼ねていた公爵の下、デンマーク国家への帰属意識が非常に高かったと、デンマーク史家は述べている。神聖ローマ皇帝は旧教徒であり、新教徒の彼らは新教国家デンマークに違和感はなく、18世紀のデンマーク国家のために外交を担ったホルスティーンを含む北ドイツ出身のベアンストーフ・マフィア（悪い意味ではない）の存在も注目に値する。彼らはドイツ国家の「神聖ローマ帝国」のためではなく、大北方戦争（1700～21）後にデンマーク国家の利益のためその中立の維持に外交の主眼を置いていた。そして実際、1776年施行のデンマーク国家の官吏となる条件は、礫岩国家（当時は、ノルウェー王国も含む）内で生を受けたものに限るとしていたことから（Indfødsret）、ホルスティーンの人々がコペンハーゲンを彼らが属する国家の事実上の「首都」と感じていたといわれる。

1864年のデンマーク史上の「第二次スリースヴィ戦争（Anden slesvigske krig）」は、我が国における西洋史的常識としてドイツの「デンマーク戦争」あるいは「シュレースヴィヒ＝ホルシュタイン戦争」と表記されるのがふつうである。当然ドイツ語のDeutsch-Dänischer Krieg, Schleswig-Holsteinischer Kriegからの訳語であろうが、それはデンマークでは1848〜51年の〝内戦〟である「三年戦争」、別名の「第一次スリースヴィ戦争」を受けての戦争であり、ドイツ史的観点の「シュレースヴィヒ＝ホルシュタイン問題」を受けての「シュレースヴィヒ＝ホルシュタイン戦争」の用語法は、「北欧史」叙述に主眼を置く場合には、実態の把握に混乱を招くことが常である。デンマーク史では、19世紀に国民主義を掲げる市民階級が台頭した影響下で、彼らが当時の「デンマーク礫岩国家」の構成要素の再編を試み、民族ロマン主義の観点からデンマークの歴史的領土を前提にして自由主義憲法のもとでデンマーク人の「国民国家」を作り出して、ドイツ人のみが居住し、デンマーク王が同時に公爵を兼ねることでドイツ連邦に属していたホルスティーンとラウエンブルク（1815年よりデンマーク礫岩国家に組み入れられていた）の2つの公爵領の切り離しを図ったことに問題の本質が存在していた。それはオーラ・リーマン（1810〜70）の「デンマークはアイダ川まで」の演説（1842）に代表される。

1815年、ナポレオン戦争の後始末としてホルスティーン・ラウエンブルクの公爵としてデンマーク王フレゼリク6世は新たに発足した「ドイツ連邦」に参加し、連邦規約第13条の「国民代表的制度」の設置が義務付けられた。また、ドイツ各地のブルシェンシャフト運動の影響を受けた公爵領の若い自由主義者たちがドイツ統一運動へと動き出していた。その流れのなかで、1830年に『キール・コレスポンデンツ新聞』の発行者オルスハウゼン（1802〜69）が、ドイツ語で「ドイツ（統一）が第一に、そして、それからシュレースヴィヒ＝ホルシュタイン」という「新ホルスティーン主義」を語りだし、同年、スリースヴィのローンセン（1793〜1838）は「ドイツ連邦の地ホルシュタインに与えられるべき自由主義憲法を、シュレースヴィヒにも」と要求しだして、「シュレースヴィヒ＝ホルシュタイン」というまとまりの概念が、ドイツにおける自由主義的発想の上に登場した。そして、デンマーク王室の男系継承者が確実に断絶するという見通しが立ってくると、オレンボー王家の傍系であるアウグステンボー公爵家が、自由主義的「シュレースヴィヒ＝ホルシュタイン主義」を、保守派のそれへと作り替えていった。こうして1848年以降の歴史叙述として、「デンマーク礫岩国家内のホルスティーン」という表現は、もはや「シュレースヴィヒ＝ホルシュタイン」という表現に凌駕（りょうが）され、ドイツ史的観点から——またそれが我が国の西洋史的観点から——、ドイツの統一運動の一連の動きに巻き込まれていくことによって、消滅していくのであった。そして、我が国の西洋史の出発点に、ドイツからのお雇い外国人として東京帝国大学史学科講師にはランケの下で学んだルートヴィヒ・リース（1861〜1928）が1887年に来日し、ドイツ的史観による当該史が我が国で語られていく下地を作ることになる。

（村井誠人）

25

キルケゴールと国教会

★神に呪われた家★

セーレン・オービエ・キルケゴール（Søren Aabye Kierkegaard デンマーク語発音カナ表記はセーアン・オービュー・キアケゴー）は、1813年5月5日に生まれ、1855年11月11日に没した。当時デンマークの思想界は、とりわけドイツからの影響を濃厚に受けていた。国境を直に接するドイツから、当時隆盛していた理性主義・ロマン派・敬虔主義などが、19世紀前半のデンマーク思想界を席巻していた。キルケゴール思想も例外ではなく、そうしたドイツ思潮から大きな影響を受けていた。ただしキルケゴールの場合、幼少期から父ミケール・ピーダセン・キアケゴー（1756～1838）に対する深い思慕や尊敬心があった分、後に最晩年の父みずから神に対して許されがたい罪を犯していたことを告白されたことが癒（い）やしがたい心の傷となって、キルケゴール思想に大きな影を落とした。

キルケゴールの家は代々、ユラン（ユトランド）地方の小村セディングで教会から土地を借りて農業を営んでいた。そもそもキアケゴーという姓は、教会の庭地（墓地）という意味である。その生活は、農地がヒースの生い茂った荒れ地であったため、極貧に喘（あえ）いでいたのであった。少年であった父ミケールは、父

セディング教会全景　南から撮影する（筆者撮影）

母そして9人の兄弟姉妹のなかで、野で草を食む羊の群れの番をするのが仕事であったが、12歳のとき、貧苦に耐えかねて、神を幾度となく呪ったのであった。ミケールの家は、セディング教会のすぐ近くにあり、ミケールの家は代々、教会の鍵をあずかっており、教会守を兼ねていた。ミケールは、生まれた頃から教会の説教を聞いて育ったが、説教をとおして聞かされる神への服従と実際の生活の貧しさとの間には、信じがたい矛盾があって、その矛盾に少年ミケールは、到底耐えられなかったのであった。神を呪ってまもなくミケールの人生に大きな転機が訪れて、叔父ニルス・アナセン・セディング（1720～96）の経営する毛織物商会に招かれて、コペンハーゲンに移住して、世間的には裕福になっていった。しかしミケールは、神を呪った直後から社会的な安寧を得始めたことを密かに疑い、そうした社会的安寧は神罰であり、自分の人生は悪魔に委ねられたのだとの思いや負い目を、終生持ち続けていった。少年ミケールが神を呪ったのは、ホイエストホイ（一番高い丘の意）という前期鉄器時代の塚のうえであり、当時セディングには、石器時代以降の多くの遺物や遺構があり、むしろ北欧神話の世界を彷彿させるような雰囲気に満ちていた。ミケールは、神からの呪詛返しを恐れており、子どもができないまま初婚の妻クリスティーネ・ニルスダター・ロイエン（1758～96）は早死し、その喪の明けない内に遠縁であったアネ・セーアンスダター・ロン（1768～1834）が、ミケールの子を身ごもった。1797年にミケールはアネと再婚し、7人の子どもを授かったが、子どもたちはさまざまな原因で死んでいき、生き残ったのは、長兄ピータ・クリスチャン（１８０５〜８８）と末弟セーアンだけであった。キルケゴールの家は、親戚の間ではひそかに呪われた家と語られていた。

キルケゴールは、父ミケールの呪詛的－神話的な信仰心に呪縛されて育った。ミケールは、自分の贖罪と家族の受けた呪詛を浄化するため、キルケゴールを世俗に染まらぬように神への犠牲として育て、彼が牧師になることを願った。父ミケールは、キルケゴールがコペンハーゲン大学神学部在学中に亡くなった。キルケゴールは、コペンハーゲン大学神学部を卒業後、牧師養成所を修了し、ルター派国教会牧師資格を得はしたが、死に際のミケールから聞いた呪詛の話が、その人生を大きく変えていった。キルケゴールは終生、聖職者となることはなく、著作家として執筆と著作刊行に専念した。キルケゴールから見れば、ルター派国教会は一種の巨大な、教義や制度などを擁護する利益組織集団に過ぎず、キルケゴール家の負う罪や呪詛を到底拭えるようなものではないように思われた。国教会とは、教会省が統括する行政組織であり、教会監督を頂点とする牧師はすべて官僚であり、被雇用者には国家から給与が支給される。組織全体の頂点に立つのが当時は国王であり、現在では国王（女王）と議会である。教会の建物や敷地は国有財産であり、教義はルター神学に基づいている。キルケゴールから見れば、国教会の権威は、自由な信仰によるものではなくて、社会的権威によるものであった。

父ミケールは生前、シェラン地方の教会総監督になるヤコブ・ピータ・ミュンスタ（１７７５〜１８５４）をコペンハーゲンの自宅に招き、家庭集会を持った。ミケールは、コペンハーゲン聖母教会でのミュンスタの説教に感銘を受け、すでに名士として知られていたミケールの要望にミュンスタが、応じたのであった。ミケールは、ミュンスタが教会総監督であり道徳的にも高潔に思えたので、キルケゴール家の呪詛の浄化を心密かにミュンスタから期待していたのであろう。ミュンスタの信仰は、19世紀隆盛していた合理主義的なものであり、もはやキリスト教は宗教というよりも道徳に過ぎず、十全な知性や教養を身につけることが最大の眼目であった。こうした著しい合理主義は、たとえば、当時のドイツの神学者であり、敬虔主義者であったシュライエルマッハーにおいても顕著であり、シュライエルマッハーは明確に、天国や地獄の存在を否定している。デンマークではこうした傾向が国教会をほとんど合理主義一色に、染め上げつつあった。父ミケールが敬愛していたミュンスタの死後、教会総監督の地位に就いたのは、ハンス・ラセン・マーテンセン（1808～84）であった。マーテンセンはかつて、キルケゴールの家庭教師をしたことがあり、2人は互いにその性情を知っていた。キルケゴールにとってマーテンセンはヘーゲルに気触（かぶ）れて信仰心からは遠い神学者に過ぎず、マーテンセンにとってキルケゴールは、もっぱら個人的な家族のトラウマから抜け出せずにいる奇人であった。

キルケゴールは、聖職に就く代わりに、独自の著作活動をとおして仮名著作や実名著作を次々に出版して、本来のキリスト教信仰を語ることにつとめ、こうした著作活動をとおして、自分なりの仕方で、キルケゴール家の負う罪や呪詛をぬぐい払おうとした。キルケゴールの思索は著作活動とともに深まっていく。キルケゴール家の呪詛や罪を浄化することから始まり、しだいに、ルター派デンマーク国教会そのものが気づかないまま神に背を向けていることに着目して、マーテンセン就任直後からキルケゴールの死に至るまで、雑誌を刊行して徹底した教会批判を行なった。キルケゴールにとって

第25章
キルケゴールと国教会

教会組織や神学は、信仰の代わりになるものではなかった。信仰とは、ただひたすら、一人ひとりが膝を折り、身を屈して、罪のゆるしを請い、神を敬慕していくことであった。彼にとってはそれが神への真正な愛であり、教会はそうした一人ひとりの心情のうえにのみ、成り立つものであった。

キルケゴールは、マルティン・ルターの信仰については疑っていなかった。ただし、ルターの諸著作のうち、神学や教義学には関心をもたなかった。彼が関心を持って熟読していたのは、ルターが著した祈禱書や説教書などの霊想書の類であった。キルケゴールにとって霊性を抜きにした信仰はなく、霊性の伴う信仰とは、トマス・アケンピスの著作『キリストに倣いて』にあるように、イエス＝キリストの生涯から自分の生き方を学んで実践することであった。そうした生き方は、ちょうどイエス＝キリストがかつて群衆によって十字架に付けられたように、社会一般とはそぐわない要素があるはずであった。国教会という組織が、信徒一人ひとりの宗教的心情よりも、国家的権威を優先して成立するかぎり、キルケゴールにとって、国教会の営みはイエス＝キリストの生涯に倣うものでもなく、霊性を帯びたものでもなかった。

キルケゴールは、その著作『不安の概念』や『死に至る病』などで、人間の本質を理解するうえで、キリスト教の「罪」抜きにしてはあり得ないことを繰り返し述べているのであるが、キルケゴールにおける「罪」のイメージは、キルケゴール家の呪詛を媒介にして、父ミケールの生家の土地を呪縛していた神話的－土俗的伝承や、土地それ自体が帯びている独特のドロドロとした雰囲気によって醸成されていたのである。

（中里巧）

26

キルケゴールの思想

★グロントヴィとの対比を含めて★

キルケゴールが生きて著作活動に専心していた時代は、デンマーク黄金時代と呼ばれてきた。この時代は、芸術・文芸・哲学・神学思想など、広範な人文分野における人間精神の営みが一気に隆盛した時代であった。コペンハーゲン大学神学部から現在では博士の称号に相当する学位を得るとともに、ルター派国教会牧師資格を得ていたキルケゴールの思想には、デンマーク黄金時代の理性主義的要素やロマン派的要素を帯びたキリスト教理解がみられることは間違いない。キルケゴールは、当時デンマークにも多大な影響を与えたヘーゲル哲学の弁証法の論理形式を自分なりに用いたし、コペンハーゲン聖母教会の祭壇を飾る大理石のキリスト像に感銘を受けていたが、この石像は、デンマーク黄金時代を主導する者の1人であったトーヴァルセンによるものである。また、当時の演劇界を代表する女優ヨハネ・ルイーセ・ハイベアをとおして、キルケゴールはメタモルフォーゼ論を展開している。しかしながら、精神史的にさまざまな観点からキルケゴール思想に光を当ててみると、キルケゴール自身が必ずしも自覚していたとは言い難いような思想的特徴があらわれてくる。こうした思想的特徴の出処は、デンマーク黄金時代よりもはるかに古いものであり、キルケゴール思想には、神話的―土俗的伝承や初期キリスト教伝承といった精神史的古層との繋がりがあると、筆者は考える。

キルケゴールは、父ミケールが発端となったキルケゴール家を覆う神からの呪詛返しを信じていた。キルケゴール家の呪詛については、キルケゴール家の遠縁の間でも知られていた。このことについては、キルケゴール家の遠縁であり、『北欧の日常生活』を著したトローオルス・ロンが述懐している。ミケールが12歳の少年の時に神を呪詛（じゅそ）した場所は、ミケールの生家から北東に向かって約1キロメートル先にあるホイエストホイと呼ばれる鉄器前期の現存する塚であり、また、北に向かうと、ダイベアという地域があり、そこからは鉄器時代の祭儀に用いられた牛車（デンマーク国立博物館所蔵）が出土している。現在なお、ミケールの生家を起点とした周囲には、石器時代から鉄器後期時代にいたるさまざまな遺構が現存している。ミケールの生家の土地を呪縛していた神話的―土俗的伝承や、土地それ自体が帯びている独特の雰囲気が、キルケゴールにおける「罪」のイメージを構成していた。

キルケゴールによるキリスト教の罪理解には、彼自身が神学部や牧師養成所をへて、ルター派プロテスタント国教会牧師の資格を得ており、マルティン・ルターに深い敬意を抱いていたにもかかわらず、ルター派プロテスタントの神学教義から大きく逸脱するような特色がある。ルターの著作『奴隷意志論』に明らかなように、プロテスタント教義において人間は生まれながら罪の奴隷であり、悪に埋没するのみであって、神や善へと復帰したり、神や善を自ら選択したりする自由意志はもたない。けれどもキルケゴールは『不安の概念』において、善悪を選択する自由意志を人間は持っているという。キルケゴールは、自分から自発的に悪を選び取ることをもって、「罪」と呼び、先行世代から負わされた罪の穢れを「負い目」と呼んで、明瞭に分けている。キルケゴールによるこうした罪理解は、1054年東西キリスト教会が分裂する以前のキリスト教正教の理解に近く、キルケゴールのキリスト教理解には、罪理解以外にも、キリスト教正教に近いものが多い。

キルケゴールは、イエス＝キリストを信じ倣う者を、「単独者」と呼ぶ。「単独者」は「神の御前に立つ者」であると、キルケゴールは定義しているが、「単独者」というのは、たんなる神学的－抽象的概念ではない。キルケゴールの語る「単独者」は、キリスト教正教初期から現在にいたるまで伝承されてきた世捨て人や聖愚者（佯狂者）と関わりが深い。正教会の伝承によれば、「修道士」は本来、神を希求するために世俗を捨てる者であり、その生き方は、世俗の常識によれば、愚かで狂っているとしか思えないものなのである。キルケゴールは、こうした特質を持つものとして「単独者」を理解して、信仰の不条理性や逆説性を語り、人間誰もが志向すべき神へ復帰する道の複雑さや困難さを、実存という言葉で表現するのである。「単独者」という言葉は、古代スカンディナヴィア地域の慣習法にまで遡ることができるアウトローとも繋がりがある。アウトローについてはアイスランド語の古法『グラウガス』に記述がある。人々は、死刑宣告したにもかかわらず、死刑執行することによる呪詛をおそれて、死刑宣告された者を人里から荒野へ放した。そのうえで人々は誰もが、死刑宣告された者に出会ったとき、その者を殺すことが許された。このような掟によって処罰される者がアウトローと呼ばれた。それはある知人がデンマーク語の初級を学んでいた当時、ヴァイキング時代の殺人者に対しアウトロー状態を作り出す「平和に故郷で暮らすことを奪う掟（fredsløshedsdom）」があった、と習ったと告げていたことに符合する。

キルケゴールの語る「単独者」の実存性には、アウトローを彷彿（ほうふつ）させる苛酷（かこく）さや厳しさが伴っている。

デンマーク黄金時代に、キルケゴール以上に北欧地域の神話性や土俗性ないしは民族性を意識していた敬虔な牧師がいた。1783年9月8日に生まれ、1872年9月2日に没したニコライ・フレズレク・シヴェリーン・グロントヴィである。グロントヴィは、若い頃からスカンディナヴィア地域の神話や民俗について研究を進めて、『北欧神話』などの著作を刊行した。牧師資格を取得して牧師職を得た後も、『世界年代記』などの著作を刊行して、神がいかに実際に歴史に介入してきたかを語った。グロントヴィは青年期にドイツロマン派などからも大きな刺激を受けており、多くの詩を書き残していて、デンマーク国教会で使用されている賛美歌集にはグロントヴィ作詞の賛美歌が驚くほど多い。グロントヴィは近代デンマークの父と呼ばれるほど、その功績はキリスト教・政治・教育・農業・文芸・音楽など、多岐にわたっている。19世紀後半から20世紀前半に活躍したデンマーク人宗教思想家ヴィルヘルム・グランベクは、「キルケゴールとグロントヴィ」という論文（『人間をめぐる戦い』1930年刊行に所収）のなかで、グロント

キルケゴールの胸像（フレーゼンスボー宮殿で、筆者撮影）

ヴィと比較するとキルケゴールはまるで、ヨーロッパ中世の修道院の修道士か神学者のようだと評している。グロントヴィは、デンマークの自然やそこに生きる農民を愛し、神の慈愛がデンマークのなかで豊かに稔（みの）ることを願い、実践していった。キルケゴールとグロントヴィは共に、情感豊かであり非凡な才を持ち、熱心で敬虔なキリスト教徒であった。この2人の違いを鮮明にしているのは、キルケゴールの信仰がひたすら天に向かって神の真実を思慕しているのに対して、グロントヴィの信仰は地上に向かっており、地上において神の恩寵（おんちょう）が結実することに努力したことである。ただし2人とも、もっぱら抽象的で無意味で空虚な神学教義の言葉を嫌って、真実の言葉とは、グロントヴィによれば人々を鼓舞し励ます「生きた言葉」であり、キルケゴールによれば祈りと「対話（弁証法）」に他ならない。

（中里巧）

27

グロントヴィ

★その複合系★

近代デンマークの社会や政治、文化に関わって、同国のアイコンといわれるニコライ・フレズレク・シヴェリーン・グロントヴィ（Nicolaj Frederik Severin Grundtvig）を抜きに何がしかを語ることは難しい。彼は1783年に南シェラン島のウズビューの牧師館に生まれ、ユラン半島のテューアゴーズの牧師館やオーフースのギムナジウムでの非人間的な教育を経験しながら、コペンハーゲン大学神学部に入学し卒業。その後の長い期間をコペンハーゲンのヴァートウ教会で聖職者として働き、1872年に没した。彼は多産な讃美歌詩人として親しまれ、神学、歴史、教育などの分野でも重要な功績を残し、60歳を過ぎて政治家としても活動した。作家としても学術文化、宗教、社会、政治に関わり、総数百数十巻ともいわれる膨大な著述を残している。これまでグロントヴィの業績は国民国家形成、フォルケホイスコーレ、酪農協同組合、コンセンサス型民主主義、生涯学習などへの多大な思想的影響として評価されてきたが、近年では情報社会化やヒューマン・キャピタルの形成、競争力をもたらす社会経済の思想的源流としてさえ言及される。ちなみに他国でいえばディケンズやガンディー、ダコール、フレイレ、（今では悪趣味だが）毛沢東らと対比される。日本では大正期を前後して農村文化の思想家として紹介され、今日ではフォルケホイスコーレの構想者として知られる。とはいえ私の記憶でいえば、ピート・シーガーの「勝利を我等に」も彼の伝統につながるハイランダー・スクールのなかから生まれ、オバマ元大統領もこの伝統での自己形成に言及した。さらに、ジョン・レノンもグロントヴィ的雰囲気のなかで「イマジン」の着想を得たという人さえいる。このように、グロントヴィは18世紀末から19世紀を生きた人物にもかかわらず、依然としてデンマーク内外で多数の紹介や解説、言及がなされている。だがそれらのほとんどが彼の散文テクストを読んでいないともされる。その意味で彼は伝説（サガ）の人である。私はここで「まずは人間、しかしてキリスト者」として知られるフレーズを手掛かりにこの人物を複合系思想家として紹介したい。

さて、世俗作家でありかつ聖職者であること、この複合性が彼の思想を特徴づけ、歴史家としての野心とキリスト者としての良心との統一が問われた。この点で彼は近代人としては世俗的生を優先し、フランス革命以降の歴史の激変のなかで、キリスト教や北欧神話などの伝統を勘案しながらデンマークの近代化を構想し、真理の実践的探究者として民衆の自由と平等、独立に向け「デンマークらしさ」や「フォルケリヘズ（Folkelighed）」といわれる国民性を育てる仕事に生涯を賭けた。キリスト教は人間的成熟の賜物（たまもの）と考えられたのであるが、この意味でのグロントヴィはヒューマニストであり、それを象徴することばは「学校」である。

ここで特筆すべきは、１８３０年を前後する時期にイギリスに渡航し、同国の近代化の激動と矛盾、リベラルで伸びやかな知的慣習、艶やかな現世的価値を知ったこととの関連である。彼は一方で言論・出版の自由や宗教の自由のためにたたかい、他方で、シェラン島中央部のソールーに大規模なホイスコーレを国立学校として構想した。それは教師と学生の寄宿生活のなかで、母語に基づき伸びやかで詰め込みや強制のないスタイルによって教育し、人口の大多数を占めた小農民とエリート層とを、自由で平等な「国民」、良識（コモン・センス）ある市民として育成しようとした。この学校構想は政権中枢の教養市民層の抵抗にあって挫折するものの、その理想は彼の同調者や後継者によって比較的小規模の学校に独自の仕方で受け継がれて今日に至ることになる。

なお、政治家としてのグロントヴィには民主主義者という自覚はなく、むしろ国王と民衆の連携による「世論統治型」絶対王政の支持者として、1849年の憲法制定にも態度を留保している。だが他方で彼は「デンマーク協会」やフォルケホイスコーレなどの団体型啓蒙活動によって一般人に知的・政治的成長を促し、女性の権利拡大や植民地の奴隷解放などにも協力して活動し、1864年の対プロイセン・オーストリア敗戦後の政治反動期には自由憲法を擁護して頑強に抵抗した。社会福祉に関わっていえば、彼は当時の福祉の国家管理に反対したが、人間の尊厳、自由と平等、「心の温かさ」、全人発達などのエートスは熱烈に語り、ヒューマン・キャピタルの形成を強調する現代福祉国家の思想源流としては評価できる。これらがグロントヴィの「まずは人間」、つまり「学校」や人間形成に強調点を置く世俗的活動である。

とはいえ、グロントヴィには教会人としての強固な信念があった。彼の生涯を見ると、壮年期以後の半生は信仰自由を支持するリベラル派であるが、1810年からの20年ほどの期間は強く宗教復興を志向し、当時流行の合理主義やロマン主義思潮を人間理性の「己惚れ（うぬぼれ）」の極致として攻撃して著名な学者たちと衝突していた。とくに「教会の応酬（おうしゅう）」としての合理主義神学への論難は名誉棄損訴訟となり敗訴するが、そこには聖書信仰に先行する「生けることば」に基づく会衆（教会）思想があり、この「ことば」の思想が後に世俗的団体生活、政治生活にも拡張されることになる。とはいえ、この時期のグロントヴィには「まずはキリスト者」といわんばかりの強面（こわもて）が否めない。だが、彼にとって「キリスト者」は、一方で愛や心の温かさと密接につながり、それはまた特定民族を超えた人類的価値に立脚し、「神の似姿」としての個人の尊厳や各民族の独自権利の承認、対等平等な交流の主張の根拠であった。この点から彼の「デンマークらしさ」が領土拡張や対外侵略の拒否、奴隷制廃止、植民地放棄などと合致する小国主義であったこともけっして忘れられてはならない。

とはいえ「まずは人間、しかしてキリスト者」として、世俗的生活とキリスト者の良心との統合には多くの困難が伴い、彼自身を幾度か深刻な精神疾患に投げ入れもした。結局、それらは排他的ではなく、異質でありつつ相互作用する二元性と理解されて、今日に受け継がれるが、この展開こそが「精神のない専門家、心のない享楽家」（ヴェーバー）を圧倒的な仕方で輩出する通例近代化と異なる軌道をデンマークに敷いたように私には思える。

（小池直人）

28

フォルケホイスコーレ

★「国民高等学校」の過去と現在★

近年多くの日本人がデンマークのフォルケホイスコーレに留学している。フォルケホイスコーレとは、成人教育を行なう公立ではない学校であり、全国に79校存在している（2007年現在）。主に寄宿制で、2か月以上の長期コースと数週間の短期コースとに分けられる。デンマーク語で授業が行なわれるが、外国人を対象とした英語の授業が行なわれるところもある。年齢制限以外はとくに資格は必要なく、試験や成績の点数評価なども基本的にはない。各学校にはそれぞれ異なる特色があり、芸術、宗教、政治、社会、文化、スポーツ、国際理解など、多岐にわたるコースが用意されている。またシニア向けのコースが設けられているところもある。日本人の間ではとくにデンマーク語などの語学や、障害者支援や老人介護の福祉活動を学ぶコースがこれまでは人気だったが、最近ではとくにデザインを学ぶ若者も多くなったように思われる。

このように学歴も経歴も問われないフォルケホイスコーレは、新たな可能性を求める多くの人びとに大きな影響を与えうるものであるが、また同時に、この学校はデンマークの近代化の歴史においても大きな役割を果たしてきた。

「アスコウの集会」Erik Ludvig Henningsen画（1902年）（Det Nationalhistoriske Museum所蔵）

フォルケホイスコーレの構想の起源は、19世紀の牧師グロントヴィにある。グロントヴィはロマン主義的な歴史観と民族観から、デンマークの「生きた」民族意識もしくは市民意識を形成すべく、都市の上流階級から下層の農民たちまですべてを対象とした王立のアカデミーを建設し、そこで外国文化の影響を受けていない「純粋な」デンマーク語や神話、歴史を通じた国民教育を行なおうとしたのである。だがこの構想に賛同し推進していた国王クリスチャン8世が1848年に急逝したことをうけ、その結果、グロントヴィの構想したオリジナルのプランは白紙となる。

しかし、一方、彼の構想はすでに多くの知識人により熱狂的に受け入れられていた。結果的にこうした構想は、当時ナショナルな問題が生起して政治的に最も緊迫したスリースヴィ公爵領において、形を変えて実現することとなる。その人口の過半数を占める農民がデンマーク語を日常語としていたこの地方において、彼らをいかに「デンマーク人」として民族的に覚醒させるかは、国民国家デンマークを形成するうえでの重要な政治的な問題であった。それゆえキール大学でデンマーク語教授を務め、グロントヴィのフォルケホイスコーレ構想に共鳴していたクレスチャン・フローア（Christian Flor）が中心となり、グロントヴィの構想挫折に4年先立つ1844年、スリースヴィのレズィング（Rødding）にデンマーク最初のフォルケホイスコーレを設立していたのである。このフォルケホイスコーレはグロントヴィの本来の構想とは異なり、規模は小さく主に農民を対象としたプライベートな学校であった。しかしこれにより生徒たちに対して神話や歴史、そして母語に基づいた民族意識形成のための授業が行なわれ、グロントヴィのアイデアは実現されたのである。こうして、最初期のフォルケホイスコーレは、政治的背景から教育を行なうための学校という性格が全面に出た。

だがその20年後の1864年にはデンマークは対プロイセン・オーストリアの戦争に敗北し、スリースヴィはデンマークの国土から切り離されることになった。そのためレズィングのフォルケホイスコーレの教師たちは新しく移動した国境線のすぐ北に位置するアスコウに新たなフォルケホイスコーレを設立し、以降このアスコウ・フォルケホイスコーレが、デンマークのフォルケホイスコーレの中枢的役割を果たすこととなった。

この敗戦を境に、グロントヴィの構想に準じたフォルケホイスコーレの数がデンマーク王国内では飛躍的に増加し、生徒数も同様に上昇の一途をたどる。この背景には農民の社会経済的発展がある。農業生産高は1850年代から1870年代までで急激な上昇を見せ約2倍となり、とくにそのうちの畜産品の割合はこの間に57%から75%へと上昇し、生産高も80%の上昇を示している。さらに鉄道や蒸気船などの輸送手段が発達し、チーズやベーコンの英国への輸出量が飛躍的に上昇した。こうして中産農民の経済的ポテンシャルが高まることで彼らの発言力も上昇し、また農村社会の独自の社会規範なども彼らが率先して議論しあうようになっていった。フォルケホイスコーレは、中産農民が学ぶべき国民（民族）意識や教養、社会規範を提供する役割を果たしたのであり、また農民たちもそうした施設を望んだのである。したがって、19世紀後半におけるこうしたフォルケホイスコーレは生徒たちが農村の若者たちだったとはいえ、彼らにデンマーク人としての意識や規範を「生きた」かたちで体験させ習得させる役割を担ったといえるのである。

フォルケホイスコーレの社会規範教育を通じて、デンマーク全土にわたって農民たちは共通した連帯意識を持つと同時に、協同組合に見られるような「一人一票の原則」という民主的意識や、都市部に依存しないことを旨とする農村の自立意識が育ったと言われている。

このような農村の特色とフォルケホイスコーレの存在は日本でも紹介され、戦前の農村教育に大きな影響を与えた例が存在した。とくに日本ではフォルケホイスコーレの道徳教育や民族精神の涵養（かんよう）という点が注目され、教育により農民の自治意識が育てられ、その結果、農村が発展し、最終的に日本の農村が繁栄すると信じられたのであった。大和魂の涵養・植民の奨励。日本における「国民高等学校」はそういった時代の流れのなかに築かれたのであった。

一方、デンマークでも民族教育が時代の流れのなかで強調された時期も存在した。最も分かりやすい例は、身体的に「健全な民族性」を規律化させるためにフォルケホイスコーレに導入された体操である。それを「デンマーク体操」として確立し、日本にも紹介したオレロプ・体育ホイスコーレの校長ニルス・ブク（Niels Bukh）はその中心的存在であった。彼はナチズムにも肯定的な姿勢をとっていた。だが他方でナチス・ドイツに占領された状況において、反ナチズムを掲げ自由や民主主義を主張したのも同時にフォルケホイスコーレ関係者だった点は強調されなくてはならない。そして第二次世界大戦後においては、民主主義や平和、自立といったスローガンがフォルケホイスコーレで共有されるようになる。

現在のレズィング・フォルケホイスコーレ（デンマーク最初のフォルケホイスコーレと建物は異なる）（筆者撮影）

さて、都市に依存しない自立性といったフォルケホイスコーレの理念は、１９６８年の若者の蜂起や新左翼運動などと強く結びついた。毛沢東主義のフォルケホイスコーレなども設立され、また自給自足の生活を試みる学校もあった。これらがデンマークにおける再生可能エネルギーに関する世論や、草の根運動的な活動を積極的に後押ししたことも忘れてはならないだろう。フォルケホイスコーレは伝統と対抗文化の入り混じった、非常に特徴的な性格を持っていたのである。

こうした歴史を持つフォルケホイスコーレではあるが、現状に多くの問題を抱えていることもまた事実である。最初に述べたように、フォルケホイスコーレは各学校が独自の特色を持っているのであるが、その特色をいかに出すのかに関して、各ホイスコーレは苦悩しているといえる。またそれと連動して経済的な資金繰りの問題もある。その結果、従来のようなさまざまな特徴的分野を前面に出せなくなり、閉鎖を余儀なくされたフォルケホイスコーレも多い。最近では収入の見込める分野（コンピュータなど）に特化した専門学校化が進んでいると言える。各時代においてデンマーク人の社会意識の形成に寄与してきたフォルケホイスコーレは、はたして今後どのような役割を果たしてゆくのだろうか。

（田渕宗孝）

29

ハル・コク

★「現実」正視の民主主義★

ハル・コク（Hans Harald Koch）は、日本ではほとんど知られていないが、デンマークでは民主主義の代表的思想家の1人としてその名が語られている。コクは１９０４年に教区牧師の子としてコペンハーゲン北のヘレロプに生まれ、比較的に若く１９６３年に59歳で没した。彼はコペンハーゲン大学神学教授を務め、また第二次世界大戦期のデンマーク青年協会、および戦後のクローウロプ・ホイスコーレの代表として現代デンマークに大きな足跡を残した。戦後日本でいえば「丸山真男」のような存在であった。ちなみにデンマークのフェミニストの草分けであり、社会民主党の議員でもあったボーディル・コク（Bodil Koch：１９０３～７２）は彼の生涯の伴侶である。

さて、コクは学者として教会史研究をリードし多くの著書を残したが、ここではむしろ彼の社会・政治活動に焦点を当て、戦時期の仕事、グロントヴィ観、民主主義思想の3点を紹介したい。第一に、コクの社会・政治活動は何よりナチスドイツによるデンマーク占領を契機として展開することを紹介したい。

１９４０年から5年ほどデンマークはドイツ軍の駐留、占領を余儀なくされたが、同年コクはコペンハーゲン大学でグロントヴィにかんする連続講義（邦訳『グルントヴィ』風媒社）を行ない、同人をアイコンとしてデンマーク国民の結束を呼びかけた。この講義はコクの名を一躍著名にし、これを契機として彼はデンマーク青年協会の議長に就任し、戦時下での青年運動のリーダーとなる。彼のその後の活動にもつながる幾つかの伏線が敷かれた。彼は一方で占領初期にデンマーク政府のドイツにたいする「協力政策」を支持しながら、他方で青年運動の原理は文化ではなく政治的なものだと主張する。国民の絶えざる対話と政治的結束こそがデンマークの独立維持の保障と考えたのであり、ここには対話型民主主義や平和主義による抵抗思想があった。当の青年協会のなかにも、また親友であり著名な哲学者であるルーイストロプ（Knud Ejler Løgstrup：１９０５～８１）からも、この抵抗路線は「ことばだけ」だと批判され、しかも強制占領となった１９４３年には、路線そのものが敗北することになったが、その功績は今日も高く評価されている。

第二に、コクとグロントヴィとの関係である。コクは上記の連続講義を行ない、またグロントヴィ著作集（全10巻、１９４０～４９年）の編者の１人ともなった。ただし、コクが政治的には社会民主主義者でグロントヴィ派と同一視できない点は押さえておかなければならない。この点は戦後のクローウロプ（Krogerup）・ホイスコーレの創設のなかで表面化する。彼はクローウロプ校の開校の辞で、グロントヴィのホイスコーレ構想の核心を民衆の政治的人間形成として言及するとともに、驚くことにそのホイスコーレ構想を葬った立役者の政治家モンラズ（Ditlev Gothard Monrad：１８１１～８７）を引き合いに出して学校創設の意義を語った。ここにはコクとグロントヴィのあいだの思想的距離が見られる。すなわちグロントヴィは基本において国民的であり、また明快な民主主義者でも福祉国家論者でもなかったが、コクは対外的には「間民族的」な国境を越えた連帯も視野に入れ、その言説は自覚的民主主義者であり、福祉国家論者のものであった。このことはコクのグロントヴィ批判の要点ともなる。コクはグロントヴィの思想的意義を十分認めながらも、彼を楽観的な19世紀人の典型と見なした。20世紀の現実はむしろ19世紀自由主義の矛盾の深刻さと正対しつつ対処される必要があった。工業化や都市化の弊害、貧困、失業などの社会問題の拡大、大衆社会の形成、ドイツによる占領など、グロントヴィの用語では「死」の重圧に耐え、それを正視しながら回生への道を探らねばならなかったのである。

第三に、コクの名を不朽のものにした民主主義論に触れよう。日本でも同様であるが、戦時期の全体主義の経験は戦後民主主義を開花させ、民主主義をめぐる本質論議が活発に展開される。コクは『民主主義とは何か』(邦訳『生活形式の民主主義』花伝社)で、民主主義の核心を選挙や多数派の決済による「権力」に矮小化できない「ことば」の次元として取り出し、相異なる意見を持つ者が協議し、共通理解や共通利益を発見する共同学習の場であることを主張した。それは、グロントヴィに始まる対話的政治文化を高度化するものであり、今日いわれる「民主主義の学校」や「熟議・参加型民主主義」の主張と結びつくことになる。コク自身はそうした民主主義を「生活形式」と名づけ、たんに法制ではなく、同時に身近な家族や友人関係、職場の同僚、地方自治、国内政治、そして他の諸国民との関係にも通ずる必須の人間的規範ととらえた。これにたいして、実証主義に立つ法学教授ロス(Alf Ross：1899～1979)は著書『なぜ民主主義か』で、民主主義を国家による「統治形式」とし、法的手続きの遵守が根幹だと主張した。この議論は今日でいう立憲主義に結びつく。こうしてナチズムの全体主義が法を無視し、生活慣習を暴力的に荒廃させた経験を反面教師として、戦後デンマークの民主主義は「生活形式」と「統治形式」の両要素を勘案して展開することになった。コクもロスも双方の主張を理解した上での議論であったことをここでは付記しておきたい。

ちなみに私は20年ほど前にデンマークに留学していたおりにコクの思想の重要性を教えられていたが、シェラン島北部のフネステズ（Hundested）からラアヴィー（Rørvig）間を運航するフェリーに乗船したときに偶然、コクがここで亡くなったことを知りいっそうの興味を覚え、彼の著書を翻訳してみたいという気持ちに駆られた。当時のデンマーク語学校の教師に、そうしたコクへの関心を口にしたとき、「あなたは理想主義者なのね」と応答され、困惑した記憶がある。もちろん現実が理想の逸脱である事例は無数に見受けられる。だが、肝心なのは理想が軽視されないことである。コクはむしろ現実に「理想」を尊重するダイナミズムを見ていた。「現実であるのは、貨幣、機械、権力、大砲なのか、それとも精神なのか」（「現実」１９４０年）、これが彼の基本的な問いだったからである。

（小池直人）

30

デンマークの王室

★グリュクスボー王家成立の物語★

この王室の名称グリュクスボー（Glücksborg）は、ドイツ語の「幸せ（Glück）」という語とデンマーク語の「城（borg）」を合わせた「幸福の城」で、デンマーク史の宿命的なデンマークとドイツの政治的・文化的抗争の地、スリースヴィ（シュレースヴィヒ）公爵領内にあるグリュックスブルク城（Glücksburg）に由来する。その城は、現在の国境のすぐ南、フレンスボー湾の南岸にあって、ドイツ領内に位置するが、1580年代に時のデンマーク王フレゼリク2世の弟、若ハンス公によって水面から屹立する姿で築城された。その息子フィリプから4代後のフリードリヒ＝ヴィルヘルムが1779年に没するまで、グリュックスブルク公爵家は続いた。その後未亡人が再婚したものの、城内に住み続け、彼女が1824年に亡くなったことから住む者は途絶えた。この「幸福の城」を新たに家名として名乗る、幸運に満ちた「王家」へとつながるストーリーは以下のようである。

ヨーロッパがナポレオン戦争の混乱のなか、1804年に、ある没落貴族の父と子が、その祖先がスリースヴィの地を後にして約1世紀半後に、故国に足を踏み入れた。彼らの家系は、前述のフィリプの兄スナボー公のアレクサンダの三男アオゴスト＝フィリプに遡り、その所領の規模では生計が成り立たず、その家系はドイツ、ヴェストファーレンの近郊の小さなベック城にその居を得て、代々プロイセンの軍人として職を得ていた。デンマーク王家オレンボー家の血筋を引く者であっても、この父の代にあっては経済的にも社会的にも破産に追い込まれ、貴族としての息子の教育をその「名付け親」であるデンマークの王太子フレゼリク（父王の病により摂政であり、1806年からフレゼリク6世王となる）に託すことで、「（ホルシュタイン＝）ベック家」の命運を賭けたのである。

その息子の名はヴィルヘルムで、19歳であった。そのまっとうな性格からデンマークの王族メンバーに気に入られ、翌年には彼はホルスティーンの国境を警護する竜騎兵連隊の中尉に任官する。1809年には、公爵領の参謀本部付少佐となり、翌年、参謀総長カール（ヘッセン伯）の次女ルイーセ・カロリーネと結婚する。カールは長年デンマーク軍に籍を置き、デンマーク王クリスチャン7世の妹、ルイーセと結婚しており、彼らの長女はフレゼリク6世の妃マリーイであった。すなわち、ヴィルヘルムは、フレゼリク6世王の17歳違いの「義弟」となり、王夫妻には男児がいなかったために、とくにマリーイ王妃がデンマーク内に頼るべき肉親のいないヴィルヘルムの境遇に同情し、「妹の夫」を大事にしたのだった。

破産後、晩年の居所を息子のおかげでデンマーク国家内（ホルスティーンのヴェリングビュテルの王領地）に得ていた父は1816年に世を去り、「ベック公爵」の肩書以外に息子に残したものは負債のみであった。しかし、義兄夫妻の好意によって、1825年、前年に「空き家」になっていたグリュックスブルク城とその「グリュクスボー公爵位」がヴィルヘルムに与えられることになった。そして、ヴィルヘルムとルイーセ・カロリーネは、義兄夫妻とは対照的に10人の子宝に恵まれたのである。幸運児ヴィルヘルムも、1831年に46歳で世を去り、その葬儀に訪れた国王と義妹の約束から、翌年以降、遺児のうち王妃がその愛らしさを気に入っていた第6子、クリスチャンが「選ばれて」、国王夫妻の下、コペンハーゲンで生活することになった。14歳で首都に出てきたクリスチャンは、陸軍士官学校に入学、デンマーク軍の軍人として育っていく。スリースヴィ公爵領に残った兄たちが、のちの内戦時（1848～51）に蜂起軍に加わったのとは対照的であった。

コペンハーゲンではじめ、自由な時間には国王夫妻の下で過ごすことが多かったクリスチャンは、次の王となるクリスチャン（8世）やその妹シャーロテの関心を惹いていた。シャーロテは、ゴトープ城のカール伯の甥ヴィルヘルム（ヘッセン＝カッセル伯）と結婚しており、彼はコペンハーゲン軍管区司令官であった。われらのクリスチャンはヘッセン＝カッセル伯家でも温かく迎え入れられ、同年代の子どもたちとも親しく付き合うなかで、半年年長のルイーセが彼のお目当てとなり、1842年、彼らは結婚した。その時点では、フレゼリク7世は1839年に没しており、その従弟であるクリスチャン8世が王位についており、王太子には嫡子のいないフレゼリク（のちの7世）がなっていた。

1848年1月、クリスチャン8世は病没し、フレゼリク7世王が誕生し、3月、市民による王宮への行進が展開されるなかで、絶対王制の終了が彼によって宣言され、そのコペンハーゲンの動きに、ホルスティーンのキールで「シュレースヴィヒ＝ホルシュタイン」の臨時政府が樹立され、「三年戦争」と呼ばれた「内戦」に突入した。この戦争によって、われらのクリスチャンの運命が決定されていく。

この戦争のさなかから欧州列強によって戦後の後始末が議論され、結局は戦前のデンマーク国家体制の維持ということになるのだが、フレゼリク7世に嫡子がいないことから、だれを次代のデンマーク国王にするかが国際的に決められていく。ロシアのニコライ1世皇帝の銀婚式にデンマークから派遣されたのがクリスチャンで、そこでの好印象がロシアの外交に反映され、1851年5月、フレゼリク7世に対し、クリスチャンをデンマーク王位継承者として認める書簡を送り、また、翌年5月のロンドン条約では、ロシア政府の積極的支持の下、ロンドンにおける国際会議で、列強がクリスチャンをデンマークの王位継承者として承認した。クリスチャンは、以降、国際的にも「デンマーク公（プリンス・ティル・デンマーク）」という称号を得、公妃ルイーセが母方の家系でフレゼリク5世の曾孫であることが功を奏し、次期王位継承者として王家周辺からの反対の声は出なかった。ドイツ各地では列強の後ろ盾で地位を得たという「議定書公」と呼んで蔑（さげす）まれ、また、デンマーク王国内では、市民階級の間ではスリースヴィ公爵領で蜂起した「反逆者たち」の弟として不人気は避けられなかった。

1863年11月、デンマークの王国とスリースヴィ公爵領の共通議会では、王国とスリースヴィに共通する新憲法案が採択され、あと国王の署名を待つだけの状態で、フレゼリク7世が突然に没し、オレンボー朝が断絶するという事態が生起した。そこで即位したのがクリスチャンでクリスチャン9世となり、その最初の仕事が新憲法案への署名であり、新国王の署名後、デンマークは第二次スリースヴィ戦争を避ける道を失ったのであった。1864年1月中旬のプロイセン・オーストリアによる憲法案の撤回を求めた最後通牒に、議会決議の撤回まで6週間の猶予を求めたデンマークに対し、2月1日、制裁猶予期限が切れたとして両国軍がアイダ川を越えて進軍した。

（村井誠人）

Ⅳ

デンマークの政治・経済

31

デンマーク政治の特徴

★デンマークの政治的アイデンティティ★

世界で最も住みやすく幸せな国とも称されるデンマークのイメージは「北欧の小国」であろう。denmark.dkという外務省広報サイトでも、社会の信頼の厚い小さな国というネイション・ブランドが打ち出されている。けれども歴史家ウスタゴーは、デンマーク国家のアイデンティティには①「小国」、②マルチナショナル（多民族的）な「複合国家」、③「北欧」、④「ヨーロッパ」という複数の面があるという。

19世紀初めまでデンマークは北方ヨーロッパの帝国という「複合国家」であった。デンマーク王はノルウェーとの同君連合の君主であり、神聖ローマ帝国に属したホルスティーン公爵領も統治した。だが19世紀初めのナポレオン戦争期にノルウェーはスウェーデンとの連合下に入り、1864年にデンマークはプロイセン・オーストリア連合軍に敗れスリースヴィ（のち北部は再帰属）とホルスティーンを失った（第24章参照）。「小国」化はこうした国際政治史の帰結であり、デンマークらしさ＝同質的な「小国」だと単純化すべきではないだろう。現代のデンマークにも「複合国家」の性格が存在する。フェーロー諸島は1948年、グリーンランドは1979年に自治権を獲得し、デンマークの加盟するEU（欧州連合）の域外にあるが、デンマーク議会に各2議席を有する（第4章参照）。

北欧の中のデンマーク

デンマークの「北欧」アイデンティティの理念としては19世紀に唱えられたスカンディナヴィア主義があり、これは現実の同盟には結び付かなかったものの、第一次世界大戦後の北欧協会、第二次世界大戦後の北欧会議・北欧閣僚会議のように、20世紀に北欧諸国民を結ぶ枠組みが形づくられてきた。北欧諸国はルター派国教会の伝統や文化的親近性を有するほか、「社会民主主義的福祉レジーム」（エスピング＝アナセン）といわれる福祉国家を発展させた。比例代表制にもとづく安定したデモクラシー、女性の議員・リーダーの多いジェンダー平等といったさまざまな共通点をみても、デンマークは「北欧モデル」の一員であるといえる。ただし「北欧モデル」の福祉国家やデモクラシーというとき、「スウェーデン・モデル」が標準とみなされてきた偏り（かたよ）は否めない。近年の「デンマーク・モデル」論などのデン

国会を含む王宮の建物（クレスチャンスボー）
筆者撮影（2023年3月）

マーク研究の進展は、多角的な北欧理解を与えつつある（第36章参照）。

政党デモクラシーの発展

対外的に「小国」となった19世紀のデンマークで進展したのは、国内社会の民主化であった。その基盤となったのは農民の文化的、経済的、政治的な覚醒であったとウスタゴーは言う。平凡な個人の自立と連帯を尊重する社会の中で、グロントヴィの民衆中心の思想やフォルケホイスコーレが生まれた（第27・第28章参照）。19世紀半ばに政治を主導したのはナショナルリベラル（国民自由主義）の知識人らであるが、１８４０年代に農民の友協会という結社が誕生し、１８７０年代からは議会（下院）では農民の支持を受ける左翼党が一大勢力となった。

この左翼党から１９０５年に分かれた急進左翼党は反軍国主義と社会政策を唱え、世界恐慌時代、そして戦後の１９５０年代後半から１９６０年代前半にかけて社会民主党首班の中道左派連立政権を支えた。１９８０年代に急進左翼党は経済自由主義的な中道右派連立政権に参加するが、１９９３年には再び社会民主党と連立した。この中道左派政権の下で「デンマーク・モデル」と呼ばれる福祉国家・労働市場改革が開始される（第36・第37章参照）。こうして急進左翼党はデンマーク政治の「かなめ政党」となってきた。

一方、デンマークは北欧の中でもいち早く政党デモクラシーの現代的変容を経験している。「地滑り選挙」といわれた１９７３年の議会選挙では議会政党数が倍増し、反税を唱える急進右翼新党・進歩党が第二党に躍り出た。進歩党からは１９９５年にデンマーク国民党が分派し、移民制限、反イスラームを前面に掲げた。デンマーク国民党は生粋国民の生活を優先し移民を排することを主張し、「福祉排外主義」の典型とされる。このデンマーク国民党の登場はデンマーク政治に大きなインパクトを与えた。同党は2001年選挙から第三党となり、2015年選挙で社会民主党に次ぐ第二党に伸長した。2001年からの中道右派連立政権はデンマーク国民党の閣外協力を受け、かつて世界で最も寛容とも評された移民・難民政策は欧州でも最も厳格な法制に変えられた（第41章参照）。対抗する社会民主党もフレズレクセン党首（2019年より首相）の下、厳格な移民・難民政策を維持する方針をとった。だが近年デンマーク国民党は議席を減らし、2022年選挙では急進右翼勢力は同党とデンマーク民主党、新市民党に分裂した状況となった。

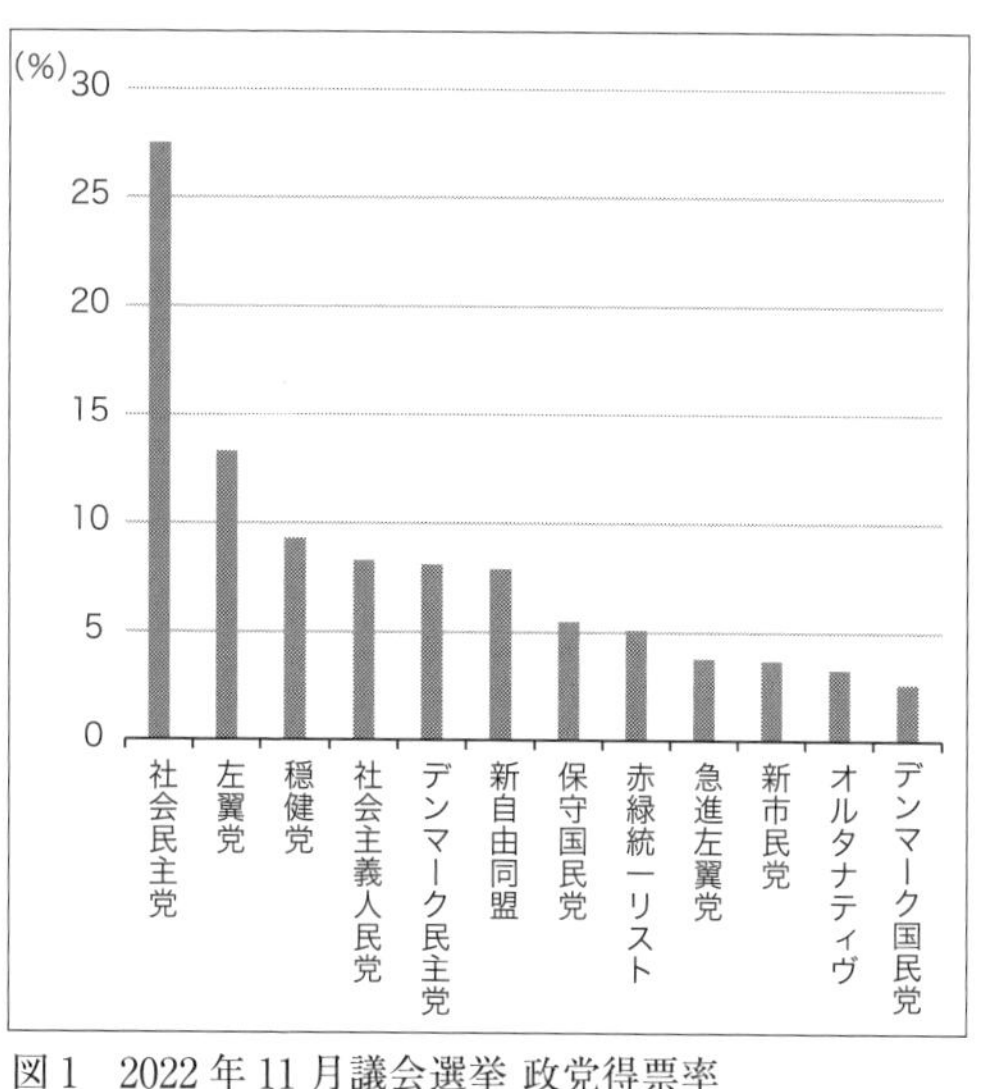

図1　2022年11月議会選挙 政党得票率
出典：ParlGov(https://www.parlgov.org/)の公開データより筆者作成

ヨーロッパの中のデンマーク

「ヨーロッパ」アイデンティティとの関係では、デンマークは1973年の第一次拡大からEC（欧州共同体）に加盟した唯一の北欧国家であり、西欧と北欧を橋渡しする位置にあった。だがスウェーデン、フィンランドの2国も1995年にEUに加盟し、2022年のロシアのウクライナ侵攻後NATO（北大西洋条約機構）にも加盟申請し、フィンランドの加盟は承認され、スウェーデンはトルコの承認が危ぶまれたが、その後のやり取りのなかで、承認への道筋が開けている。その一方でヨーロッパの中でのデンマークの位置づけも変わってきている。デンマークはEUの発足時に一部の分野で適用除外（単一通貨、司法内務、市民権。安保防衛分野も除外対象だったが、2022年の国民投票により安保防衛分野には参加）を得て、その後もEUの中で独自姿勢を示している（第32・第33章参照）。2015年の欧州難民危機の後、庇護希望者をルワンダに移送して審査する計画を表明したように、EUの中でとりわけ難民への厳格な対応を進めようとしているのもそうした独自姿勢の1つである。

急進右翼政党や厳格な移民・難民政策は現代のデンマーク政治の特徴であるが、この国が排他的ナショナリズムに染まったとみるのも一面的に過ぎる。「ユダヤ人であり、デンマーク人であり、欧州人」として生きた文学者ギーオウ・ブランデス（1842～1927）のように、多様な民族性の共存するヨーロッパの中のデンマークという理念の伝統もまた存在するのである。

（小川有美）

32

デンマークとEU

——★デンマークらしさのディレンマ（2000年代初頭まで）★——

近年、ＥＵ（欧州連合）は欧州においてますます存在感を増しつつある。国際関係のみならず、各国の経済、政治、法律、社会などさまざまな領域で、その傾向は顕著である。北欧諸国の中で、デンマークは最も早くこれに加盟した（１９７３年）。これに続いたのが１９９５年加盟のフィンランド、スウェーデンであり、残るアイスランド、ノルウェーはいまだに加盟していない。この事実だけを見ても、北欧諸国とＥＵとの関係がきわめて複雑であり、特にデンマークが北欧の中でＥＵと強い結びつきを有していることがわかるであろう。

デンマークはその人口規模から見ると、現在のＥＵ内の27加盟国の中で少ない方から12番目（ＥＵ総人口の１・３％）にすぎず、いわゆる小国に位置づけられる存在である。しかし、そのデンマークはＥＵにしばしば大きな影響を与え、注目されることも多かった。デンマークはＥＵの拡大と深化に絡むさまざまな問題に直面し、自国の独自性をいかに守るか、苦労を重ね、時にはＥＵの動きに逆行することすらあった。その結果、デンマークの50年にわたるＥＵ加盟国としての歴史は、欧州統合の発展と停滞の歴史を体現していると評することもできる。

表1　ＥＵをめぐるデンマークの国民投票・住民投票一覧

実施年月日	目的	投票率	賛成	反対
1972年10月2日	ＥＣ加盟条約批准法案	90.1%	63.3%	36.7%
1982年2月23日	グリーンランドのＥＣ加盟存続案 （グリーンランドのみの住民投票）	74.9%	47.0%	53.0%
1986年2月27日	ＥＣパッケージ案 （単一欧州議定書署名）	75.4%	56.2%	43.8%
1992年6月2日	ＥＵ条約批准法案	83.1%	49.3%	50.7%
1993年5月18日	ＥＵ条約・エディンバラ合意批准法案	86.5%	56.7%	43.3%
1998年5月28日	アムステルダム条約批准法案	76.2%	55.1%	44.9%
2000年9月28日	共通通貨参加法案（ユーロ導入）	87.6%	46.8%	53.2%
2014年5月25日	欧州特許裁判所国際協定批准	55.9%	62.5%	37.5%
2015年12月3日	ＥＵ司法内務協力への留保修正	72.0%	46.9%	53.1%
2022年6月1日	ＥＵ共通防衛政策への留保撤廃	65.8%	66.9%	33.1%

出典：デンマーク国会ホームページ（https://www.ft.dk/）より、筆者作成

デンマークがＥＵにおいてこうした特殊な立場におかれた要因には、大きく２つの点が考えられる。第一に、欧州統合への対応が常にデンマーク政治の争点であり続け、各政党のみならず国民の間でも議論が続いたからである。その議論は、欧州統合の重要な節目でデンマークの対応を決定づけ、場合によっては欧州統合自体にも大きな影響を与え、統合の停滞を生み出すほどであった。

第二に、デンマークでは欧州統合の重要争点について議論の末に国会が決定を行なうだけでなく、多くの場合、国民投票が実施され、その結果が最終的な決定となったことである。デンマークは、欧州統合に関して最も頻繁に国民投票、住民投票を行なっている国の1つである（2023年6月現在、国民投票9回、住民投票1回。詳細は表1参照）。この国民投票、住民投票により、デンマークのＥＵ政策は劇的な形で国民の判断に左右されてきたのである。

では、デンマーク国内でＥＵ政策をめぐりいか

なる議論が歴史的に展開されてきたのか、簡単に見てみよう。この問題は、すでに１９６０年代からデンマーク政治の大きな争点であった。ＥＣ（欧州共同体）加盟賛成派は、デンマークの最大の貿易相手国、イギリスがＥＣに加盟を求め、さらにＥＣが共通農業政策を発展させていたため、自国の農産物貿易をはじめとする経済的利益を守るためには、ＥＣ加盟しかないと訴えていた。これが功を奏して１９７２年10月の国民投票の末にデンマークは１９７３年に加盟を果たした。しかし、政党や国民の多くが欧州統合の理念に共鳴するよりも経済的利益のためにＥＣに加盟しようとしたために、石油ショック以降の経済停滞の中で次第にＥＣに批判的な声も増え、統合の深化がその都度激しい論争を呼んだ。たとえば、１９８０年代の単一欧州議定書問題では、ＥＣの域内市場づくりに伴いＥＣの権限が強まることを恐れた野党の社会民主党などがこれに反対し、デンマークの同議定書署名が困難になった。保守中道連立政府は１９８６年２月に諮問的な国民投票を実施して、過半数の支持を得て、かろうじてこの危機を乗り切った。

ポスト冷戦時代の１９９２年には、ＥＵ条約（マーストリヒト条約）が締結され、欧州統合が経済通貨面、外交・安全保障面、司法内務面も対象とすることになった。デンマーク政府もこの条約交渉に積極的に加わった。冷戦終結という激動の欧州情勢の中で経済面のみならず政治面でもＥＣの重要性が高まり、デンマークが欧州で孤立しないように、他の加盟国とともにＥＣの統合強化に参加する必要があるとの見方がデンマークの国会主要政党の間で徐々に共有された結果であった。しかし、このＥＵ条約批准をめぐる同年６月の国民投票でデンマーク国民は僅差でこれを否決してしまった。国民の間には、欧州統合の深化に対して依然として不安が強かったのである。デンマークのＥＵ条約批准失敗はＥＣ全体を混迷に陥れるものであった。結局、ＥＣ内で調整が進み、デンマーク国民に不人気の分野でデンマークのみに適用除外を認める打開策（エディンバラ合意）が同年12月に認められ、デンマーク国民は、翌年5月に新たな国民投票でＥＵ条約をエディンバラ合意とともに承認したのである。

デンマークへの適用除外は、経済通貨同盟、防衛協力、欧州市民権、司法内務協力の4分野でデンマークの協力を制限するものであるが、これは長年デンマークのＥＵ政策の足かせになってきた。デンマーク政府は、２０００年、ＥＵ内でユーロ導入の動きが進展していることに焦りを感じ、これに関する適用除外をまず撤廃し、デンマークもユーロを導入することを提案した。しかし、同年9月に実施された国民投票はこれを否決し、ユーロ導入は見送られた。国民の多くは、国の金融政策、財政政策の放棄につながるこの決定が高水準の福祉政策や年金政策などにも悪影響があるとの懸念を抱いたのであった。

以上のように、デンマークはＥＵにおいて優等生とはいえない加盟国であった。政府は4つの適用除外を早急に撤廃し、ＥＵ加盟国としてすべての政策に積極的に関与したいと考えていた。しかし、それはすぐには実現できなかった。なぜならば、適用除外の撤廃には国民投票を行なうとの暗黙の合意が政府、政党、国民の間にあったからである。国民の間には、デンマークが長年にわたり築いてきた豊かで安定した社会を現状のまま維持したいとの声も根強かった。エリートと国民との間に横たわるこの認識ギャップをいかに克服するかが、デンマークのＥＵ政策を左右してきたのである。国民は、激動する国際情勢におけるＥＵ自体の発展にも影響を受けるが、最終的には欧州大に拡大を重ねたＥＵの中でデンマークがいかなる位置を占めるべきかという自国の将来像を熟慮してＥＵ政策を決断しなくてはならなかった。２０００年代以降の展開については、次章においてより広い文脈の中で紹介する。

なお、デンマークにはフェーロー諸島、グリーンランドという自治領があるが、前者はデンマークのEC加盟時から枠外として扱われてきた。他方、後者は当初デンマーク本土とともにECの枠内に組み込まれたが、１９７９年の自治権獲得後、漁業問題などをきっかけに脱退論が浮上し、１９８２年２月の住民投票を経て１９８５年にECの枠外の存在となった。

（吉武信彦）

33

国際関係の中のデンマーク

★2000年代以降の新展開★

第二次世界大戦後のデンマーク外交は、国連、NATO（北大西洋条約機構）、EU（欧州連合）との協調を基本路線としつつ発展してきた。この国際協調路線は、2000年代以降、新たな展開を見せている。特に、NATO、EUとの協力に顕著である。

まずNATOとの協力がデンマークの安全保障の根幹をなすとの理解で歴代デンマーク政府は一貫している。この背景には、アメリカの軍事援助なしにデンマークの防衛は成り立たないとの基本認識がある。しかし、協力の中身に変化が見られる。そのきっかけは、2001年9月11日のアメリカ同時多発テロの発生である。テロ組織、アルカイーダが民間航空機を使い、アメリカの中枢を攻撃した結果、ブッシュ政権はすぐにテロとの戦いを宣言し、アルカイーダ打倒に乗り出した。同年10月、アメリカは「不朽の自由」作戦を開始し、テロの首謀者ウサマ・ビン・ラディンをかくまうアフガニスタンのタリバン政権を倒した。デンマークのアナス・フォウ・ラスムセン政府は、NATOの一員としてこの軍事作戦に参加した。

また、タリバン政権崩壊後の不安定な状況にあるアフガニスタンに対しては、NATO主導のISAF（国際治安支援部隊）が派遣されたが、デンマーク政府は他の北欧諸国と同様にこれにも要員を派遣した。治安維持、地域復興、人道支援を目的にしていたが、デンマーク軍がイギリス軍とともに長く担当した南部ヘルマンド県はタリバン政権の残党との戦闘やテロが頻発する「戦場」であった。その結果、2014年のISAF終了までの期間、アフガニスタンでのデンマーク軍兵士の死者数は、デンマーク国防省によれば43名にのぼった。これは、人口当たりの死者数で比較すると、派遣国中で最も多かった。

アナス・フォウ・ラスムセン政府は、アフガニスタン以外でもアメリカとの協力に積極的であった。2003年3月にアメリカがイラクの大量破壊兵器保有を理由にしてサダム・フセイン政権打倒を掲げて、イラク戦争を開始した際も、デンマーク軍を「有志連合」の一員として派兵した。

なお、アナス・フォウ・ラスムセンは2009年に首相の職を辞した後、2014年までNATO事務総長として同組織を代表する「顔」となった。

以上のように、デンマークはNATO、アメリカとの協調を優先し、ヨーロッパ外での戦争にも関与することになった。しかし、その後のアフガニスタン、イラクの混迷が示すように、その関与が両国の平和構築にいかなる意味を持ったのか、改めて問われている。

EUとの関係では、第32章にあるように、デンマークは必ずしも優等生とは言えない加盟国であった。2000年代以降、その関係に停滞と変化の両方が見られる。右派、左派を問わずデンマーク政府は、EUの経済通貨同盟、防衛協力、司法内務協力に他国と同様に参加したいと考え、エディンバラ合意による適用除外を撤廃することを希望していた（欧州市民権については、これがデンマークの市民権に代わるものでないことがすでに確認されていた)。たとえば、ユーロの導入に関しては国民投票を再度実施したいと歴代政府は考えていたが、欧州憲法条約、リスボン条約の批准をめぐるEU内の混乱、リーマンショック、ギリシャの財政問題に端を発するユーロ危機の中で、国民投票実施案は見送られた。その結果、デンマークは現在もユーロではなく、独自通貨のクローネを使用している。こうして、デンマークではEUをめぐり国民投票は長い間実施されなかった。リスボン条約をはじめとする、この時期のEU基本条約改正に関しては、新たな主権委譲はないとして、批准が確実な議会による承認という形がとられた。

2010年代には、新たな動きがあった。2014年5月25日、欧州特許裁判所国際協定の批准をめぐる国民投票がデンマークで実施された。欧州特許裁判所に参加するにあたり、国家主権の委譲を伴うとして、その可否が問われ、結果は、国民投票としては低投票率であったものの、明確な賛成が得られた(投票率55・9%、賛成62・5%、反対37・5%)。同日の欧州議会選挙において、デンマークでもEU懐疑政党が強さを発揮していた一方で、国民投票ではEUレベルの協力にゴー・サインが出た。特許に関して積極的に関わり、デンマークの経済的利益を守る点が評価されたのであろう。

翌年12月3日には、別のEU国民投票が実施された。EUにおいてユーロポール(欧州刑事警察機構)の協力が強化される中、デンマークは司法内務協力の適用除外に基づき国際法ベースの政府間協力の形でしか関われなかった。そのため、そうした制約を修正し、全面的に参加できるようにしようとした。しかし、結果は投票率72・0%、賛成46・9%、反対53・1%となり、司法内務協力の適用除外が継続されることになった。欧州難民危機による混乱が続く最中に司法内務協力でEUに歩み寄ることになり、国民の不安を払拭できなかったのであろう。ユーロポールに関しては、2017年にデンマークの参加のための協定が新たに締結された。

2022年2月に始まったロシアのウクライナ侵攻は、デンマークのEU政策、さらにデンマーク政治の在り方を大きく変えることになった。ロシアの侵略はデンマーク国民に衝撃を与え、ウクライナ支援の声が高まった。その際に足かせになったのが、EUの防衛協力への適用除外であった。NATOのみならず、EUも支援を調整する場になったが、デンマークはEUでの防衛面の動きには距離を置かざるを得なかった。フレズレクセン中道左派政府は、EUの防衛協力への適用除外を撤廃するかを問う国民投票を2022年6月1日に実施した。結果は、賛成66・9%、反対33・1%（投票率65・8%）となり、撤廃が決まった。危機的状況で、軍事面のEU協力の重要性が再認識された。

ウクライナの戦争は長引くにつれて、核戦争の危険性など軍事的問題だけでなく、難民の発生、エネルギー危機、高インフレと景気後退、環境の破壊など危機の連鎖を引き起こした。これらの危機に直面し、フレズレクセン政府は国会を解散し、2022年11月1日、総選挙を実施した。社民党は得票を伸ばしたが、中道左派政党全体でかろうじて過半数に達する議席でしかなかった。そのため、以後、1か月半にも及ぶ長い組閣交渉の末、12月15日、国会議席数（総数179議席）の上位三党、つまり社民党（50議席）、左翼党（自由党、23議席）、穏健党（16議席）が左右の垣根を越えて大連立政府を発足させた。これは、1970年代末以来の極めてまれな形である。三党合意文書は、現在の重大な課題に立ち向かうための対応であると強調している。デンマーク政治は、新たな次元を迎えている。

（吉武信彦）

34

福祉国家の黄金時代

★1970年代までのデンマーク経済史★

前史

1857年の「営業の自由法」により、職業団体の特権が廃止され、職業選択の自由が認められたことで、デンマークの資本主義化が始まった。19世紀後半の急激な資本主義化により経営者連盟と労働総同盟が1897年に発足している。労働者階級を支持基盤とする社会民主党が1924年に政権についたことは、資本主義が発達した証左といえる。世界恐慌に見舞われ、1933年から社会民主党の社会大臣スタインケが主導して、為替管理、農業補助金制度、社会サービス改革、疾病保険改革が行なわれた。これが第二次世界大戦後の福祉国家の基礎となる。1930年代後半になるとケインズ経済学の支持者が増え、スタインケの改革が支持されていった。

現在のデンマークを代表するグローバル企業のいくつかは第二次世界大戦前に創業している。ビール醸造会社のカールスバーグ（カールスベア）社は1847年、海運会社のマースク（メァスク）社と補聴器製造業のオーティコン社は1904年、インスリン製薬業のノボノルディスク（ノヴォ・ノアディスク）社は1923年、オーディオ機器製造業のバング&オルフセン

（B&O）社は1924年、玩具製造業のレゴ社は1932年に創業している。市場から撤退した企業も無数にあるので、競争を「勝ち抜いた」企業が大企業になったともいえるが、第二次世界大戦以前の経済発展の遺産を無視することはできない。ただし、デンマークは過去も現在も中小企業が99％を占めている「中小企業の国」である。

自由貿易体制下の高度経済成長

野党であった社会民主党は1945年に戦後のヴィジョン『将来のデンマーク』において、普遍主義的な福祉国家の構想を描いたが、それはイギリスのケインズ主義経済学と社会保障の戦後ヴィジョンを描いたイギリスのベヴァリッジ・プランの社会改革の影響を強く受けたものであった。1947年に政権についた社会民主党は、「経済書記局」を設置し、経済政策の司令塔とし、これが1957年に経済省となった。ケインズ経済学者は「社会工学者」として政策決定にも関与し、その1人ヴィゴ・カンプマンは1960年に首相に就任した。

第二次世界大戦期にドイツ占領を経験して、デンマークの経済は疲弊していた。経済の復活に決定的に貢献したのは1948年から開始されたアメリカのマーシャルプランによる資金援助であった。これは産業資金、農業補助金に使用された。GATTの自由貿易体制に加わり、高度経済成長を達成することになる。

しかし、福祉国家を作り出すための積極的な財政政策は、インフレと賃金上昇と内需拡大による貿易収支の悪化をもたらし、外貨不足から、何度も財政の引き締めを行なった。マクロ経済的な調整が

表1　各国の年間平均経済成長率（単位：％）

	1961～68	1969～73	1974～79	1980～90	1991～2000	2001～07	2008～2012
デンマーク	4.8	4.0	1.6	1.4	2.6	1.7	-0.9
スウェーデン	4.4	3.7	1.8	2.1	2.1	2.8	1.0
ドイツ	4.0	4.9	2.4	2.2	2.1	1.2	0.7
イギリス	3.2	3.4	1.5	2.2	2.4	2.6	-0.4
アメリカ	4.9	3.5	3.0	3.0	3.3	2.4	0.6
日本	9.9	8.6	3.5	3.8	1.3	1.6	-0.2

出典：Danmarks Statistik (2014), "65 år i tal - Danmark siden 2. verdenskrig"（s.22）

必要となった。1961年には「経済諮問委員会」を設置し、著名な経済学者を経済賢人（委員長）とし、経済の見通しを策定し、これをもとに労使の代表が参画して経済と賃金の持続可能な政策を追求した。政労使参画による経済見通しの作成は、労使の個別的な利害を超えた国民経済的な議論の場を提示した。

経済構造の激変

表1で国内総生産GDPの推移をみると、1960～70年代前半は日本の高度経済成長には及ばないものの、高い成長率を実現していることが分かる。第一次オイルショック後は成長率が著しく低下した。

産業構造は大きく変わった。表2は産業別の就業人口の割合を見たものである。1948年に4分の1を占めていた第一次産業は1974年には8・9％に減少している。これに対して第二次産業は1960年代がピークでその後減少傾向にある。第二次産業の内容も紡績・服飾・製材などの軽産業から、電機、医薬品、重機などに移行していった。第三次産業の民間部門は1970年代までは40％程度で安定している。第三次産業の公共部門は1960年代に激増しており、福祉国家の黄金期に公的な社会サービスが急拡大されたことが顕著に見てとれる。

福祉国家の黄金時代——国民年金創設

表2　産業別就業者人口の推移（単位：％）

	1948	1961	1974	1987	2000	2012
第1次産業	24.8	16.5	8.9	6.2	3.4	2.6
第2次産業	29.9	34.4	31	25.7	22	17.4
第3次産業（民間）	38.1	39.5	39.6	40.8	46.2	51.1
第3次産業（公共）	7.3	9.7	20.5	27.3	28.4	28.9

出典：Danmarks Statistik (2014), "65 år i tal - Danmark siden 2. verdenskrig"(s.9)

１９５６年に国民年金が創設され、福祉国家の確立を象徴するものになった。社会民主党は、１９４８年に救貧制度がもたらすスティグマ（恥辱の烙印）のない老齢者への所得保障、つまり普遍主義的な老齢年金の検討を開始した。社会民主党は１９５５年にスローガンとして「租税方式、普遍主義、予防（防貧）」を掲げ国民年金の創設を唱えた。自由主義者からは政府の拡大が健全な自由主義経済に反するものとして、あるいは、社会主義的な改革であるとして、宗教界からはキリスト教的な博愛主義を侵害するものとして、反対がなされた。一部の左派は、逆に国民年金が資本主義的な市場メカニズムを規制しないことから、批判した。だが、政治レベルでは与野党間の合意をみた。

国民年金制度は67歳以上の国民全員に租税を財源として無条件で年金を給付する普遍主義的な所得保障制度である。これにより高齢者の貧困が限りなくゼロに近づくことになった。ちなみに、日本の国民年金法はほぼ同時期の１９５９年に成立したが、社会保険方式を採用したため、低所得者の負担感が強く、保険料未納問題を抱えこむことになり、低年金者が多く残ってしまい、現在に至っている。

職業訓練制度の全国化

１９３０年代に失業者対策としての職業訓練が実施され、１９３９年に技術学校が設置された。１９５０年代には好景気のもと公私の職業訓練校が乱立したが、これを整理しつつ、1960年に不熟練労働者を対象に職業訓練制度（労働市場訓練：AMU）が発足した。1960年代の完全雇用に近い状態のもとで、職業訓練により転職を促し、人手不足産業に労働力を供給することが目指された。政労使共同で、職業資格の全国的な標準化が目指されることになった。AMUは職業能力形成の最も重要な手段の1つとなった。第一次石油危機後は失業者に対する訓練へと位置づけを変えていった。なお、1960年代の人手不足のもと、トルコを中心に外国人労働者を積極的に受け入れている。

普遍主義的な医療保障制度と生活支援

1960年には疾病保険の改革が行なわれ、1つのコムーネに1つの疾病金庫を設置することを義務付け、また、保険料負担能力のない者も疾病金庫に加入できるようにした。1971年には社会保険方式を廃止し、租税による国民保健制度に移行することが決定され、1973年から実施された。これにより患者負担のない無償の普遍主義的な医療保障制度が確立した。

福祉国家の黄金時代を締めくくるのは、1974年の「社会支援法」の制定である。黄金時代に発達した貧困救済、子ども若者支援、育児支援、リハビリテーション、老齢介護、訪問介護、ホームヘルプなど各種社会支援制度を統合し、コムーネの窓口で「ワンストップ」で、誰でも必要な支援を受けることができる総合立法であった。1977年に実施され、普遍主義的な福祉国家の「完成」を象徴するものになった。だが、第一次石油危機により、国際経済の環境は激変し、ケインズ主義的な積極的財政政策は終焉を迎えつつあった。混迷の1980年代が待っていた。

（菅沼隆）

35

1980年代以降のデンマーク経済

★混迷からイノベーティヴ福祉国家へ★

２０２０年代のデンマーク経済のパフォーマンスは全体として良好である。たとえば、２０２３年の欧州イノベーション・スコアボード（ＥＩＳ）ではトップである。次いでスウェーデン、フィンランドの順になっている。20世紀の北欧福祉国家が、21世紀にはイノベーティヴな国家に生まれ変わっている。１９８０年代から１９９０年代半ばの混迷と試行錯誤のなかからデンマークは国際競争力のある経済に体質改善に成功したといってよい。また、この時期は１９８７年の単一欧州議定書の発効による単一欧州市場の発足と１９８９年のベルリンの壁崩壊による冷戦体制の崩壊がはじまった時期でもあった。グローバル化とインターネットが普及する時期にデンマーク経済の再構築が進んだ。

混迷の１９８０年代

１９７９～８０年の第二次石油危機は、混乱に陥っていたデンマーク経済にさらに追い打ちをかけた（第34章参照）。１９８０～８１年はマイナス成長を記録している。他方、福祉国家を支える公共支出は１９８５年まで増大し続けた。国際収支は１

表１　失業率の推移（単位：％）

	1983	1988	1993	1998	2003	2008	2012
デンマーク	9.9	6.6	10.9	5.1	5.5	3.5	7.7
スウェーデン	4.0	1.9	9.5	8.4	5.8	6.3	8.1
ドイツ	8.0	6.2	7.9	9.3	9.4	7.6	5.5
日本	2.7	2.6	2.6	4.2	5.4	4.2	4.6
OECD 平均	8.3	6.9	7.9	7.0	7.1	6.1	8.2

出典：Danmarks Statistik (2014), "65 år i tal - Danmark siden 2. verdenskrig"(s.12)

９８０年代を通じてマイナスとなった。表１は失業率の推移を見たものであるが、１９８０年代から１９９０年代前半は高い失業率が続いた。特に１９９０年代初頭の失業率は10％を超える深刻なものであった。

手探りの改革

１９８２年、社会民主党は総選挙を待たずに政権を降り、代わって保守国民党のスリュータ（Poul Schlüter）が首相に就任した。１９８２年に通貨価値を下げ、固定相場制を採用し、雇用を拡大した。１９８６年に、景気の過熱を抑えるため住宅ローンなど利子に課税し、貯蓄を奨励した。

１９８７年、賃上げをめぐって労使対立が深刻になった。スリュータ政権は労使に対して賃金の上昇を抑える代わりに、労働者年金の適用拡大や労働時間の短縮を行なう妥協案を提示し、労使が受け入れた。この年、労使は賃金交渉を労使の下部組織と職場で行なうことができる合意をみた。これ以後、労使交渉の分権化＝職場化が進むことになった。この労使対立を収拾するなかで、協約上の労働時間が週40時間から37時間に短縮された。

１９９１年に与野党が全会一致で設置を決定した「労働市場構造問題委員会」は、１９９２年失業保険の給付期間の短縮や職業訓練制度の改革を提言した。これが後にデンマークの「フレキシキュリティ」として成功モデルをもたらした。また、１９８９年に女性労働者が多い公共部門で育児休業に

100％の賃金補償が導入され、1990年代を通じて民間部門に拡大していった。この背景に、女性の労働力率が、1970年代初頭の34％程度から1990年に52％まで上昇したことが挙げられる。1970年にはのM字型カーブがやや残っていたが、1980年にはそのカーブは完全に消失している。

1990年代の再生

1993年に社会民主党のポウル・ニュロプ・ラスムセン（Poul Nyrup Rasmussen）政権が誕生した。労働市場の改革が進められ、税制改革（税率の引き下げと課税ベースの拡大）が行なわれた。景気は好転し、失業率が低下し、物価が安定し、貿易収支が改善した。

産業政策の再構築

大型公共投資としては、1997年にシェラン島とフューン島を結ぶ大ベルト橋（Storebælts-broen）が開通した（1986年建設決定）。さらに、2000年にシェラン島とスウェーデンのスコーネを結ぶウーアソン橋（Øresundsbron）が開通した（1991年建設決定）。産業政策としては、個別企業に対する産業補助金政策がなされなくなった。代わって、産業政策を立案する新しい委員会が設置され（例：1994年産業開発委員会など）、産業政策の環境整備が重視されることになった。たとえば、イノベーションが起こる環境を「システム」として捉え、デンマーク独自の「ナショナル・イノベーション・システム」構築が重視された。イノベーションを誘発する環境整備が重視され、企業間連携やイノベーション・クラスター（集積）形成が進められた。

行政改革

１９８０年代以降、英国などで流行した民間企業の経営手法を行政に応用するニュー・パブリック・マネジメント（ＮＰＭ）は、デンマークでは消極的に受け止められた。というのも、普遍主義的な社会サービスに競争原理・利潤原理が馴染まず、対話と交渉による行政が重視されたからである。１９９０年代には中央政府と地方政府の財政交渉を通じて、両者が相互に課題の提示と解決を求めて合意を形成し、事務の効率化と社会サービスの改善を図る仕組みが作られていった。そこでは行政の効率化の手段として情報通信技術・デジタル化が戦略的に追求された。たとえば、１９９０年代後半に国民保健サービスに情報通信技術ＩＣＴの導入を開始するなど、デジタル行政が進展していった。デビッドカードの全国民への普及や、ブロードバンドの普及も１９９０年代後半に進展した。２００１年に社会民主党政権はデジタル戦略を打ち出している。２００１年末に左翼党（自由党）政権に交代した後も行政活動のデジタル化が進められていく。２００４年には経済団体・労働組合・研究者らを集めた「イノベーション委員会」が設置され、イノベーションの戦略が練り上げられていった。行政改革では２００７年に地方制度改革が行なわれ、県・コムーネの大合併が実施されている。２０１３年には社会民主党政権のもとで「公共部門イノベーションセンター」が設置され、行政のイノベーションが自覚的に進められている。

21世紀のデンマーク経済

２０００年代に入りデンマーク経済はさまざまな経済指標で世界トップクラスの評価を受けるようになった。一時的に、２００８年リーマンショック後、経済のマイナス成長に陥り、失業率が上昇した。特に、金融業は大きな打撃を受け、また、製造業と建設業の落ち込みが大きかった。リーマンショック以前の経済水準に回復するのは２０１３年前後と4年以上を要した。21世紀に入り、経済と雇用拡大を牽引（けんいん）しているのは情報通信部門である。

環境先進国への道

経済の「環境化」は著しい。デンマークの風力発電の歴史は古く、蓄積があった。第一次オイルショックを契機に風力発電の事業化に乗り出したヴェスタス社は、１９８０年代後半に急成長し、風力発電機メーカーの世界トップメーカーとなった。

１９８５年にデンマーク政府は原子力発電所を作らないことを決定した。長年の反原発運動の成果であった。化石燃料にも頼らない経済を実現することが政策の課題となった。１９９２年に国連の気候変動条約を与野党で批准した。２００２年に「京都議定書」を批准した後は、環境政策を強力に進めていった。２００７年に「環境エネルギー省」を設置するとともに、経済諮問委員会（第37章参照）が『環境経済白書』も作成することになった。

イノベーション・クラスター

イノベーション・クラスター政策の一環として、２００９年にコペンハーゲン「クリーン・クラスター」が発足した。企業、行政、研究機関が参画し、企業のイノベーションを促している。これは廃液、廃棄物など汚染物質の流出・生産を防ぎ、土壌・大気の略奪を抑え、環境汚染のない産業を集積するクラスターである。企業に情報を提供し、ネットワークを活用して顧客とつなげ、共同研究によりイノベーションを誘発し、全世界に商品を販売している。政府が認定した13のクラスターの1つとして、全国レベルのクラスターに成長した。他に代表的なクラスターとして、医薬生化学、食料バイオ、ハイテク機械（ロボテックス）、フィンテック（Fin Tech）などが挙げられる。クラスターへの参加は強制ではないが、中小企業が参加できるインクルーシヴ（包摂的）なクラスター政策が目指されている。

まとめ

21世紀のデンマークは20世紀型の福祉国家を否定したのではなく、その根幹である普遍主義的な社会サービスや参加と包摂という価値観を継承している。学校教育と職業教育を通じた学習の機会を普遍主義的に提供している。その福祉国家的基盤の上に、労働市場への参加を促し、職業能力の向上を進めることで、イノベーションを誘発しやすい経済の仕組みを作り上げてきたといえる。福祉国家がイノベーションを誘発し、イノベーションの成果で福祉国家を支えるという意味でイノベーティヴな福祉国家に最も近い国になっている。

（菅沼隆）

36

デンマーク・モデル

★ユニークな企業システム★

「○○型経営」

突然、デンマーク・モデルというタイトルが現れて、戸惑われたかもしれない。簡単に背景説明から始めたい。ファッション・モデルとは全く関係ない、経営学の話である。

ある国の企業がそろって似たようなユニークな経営をしており、それが競争力の源泉の1つでもあると認められるとき、その国を冠して「○○型経営」と呼ぶことがある。よく知られる例が日本だ。戦後めざましい経済成長を続ける中、成長を牽引(けんいん)する日本企業の経営に世界から注目が集まった。メインバンク制のもとでの安定的な資金調達や、継続的な改善活動、終身雇用や年功序列に代表される長期的で安定した人事慣行などを総称して「日本型経営」と呼ぶようになる。そのような経営のあり方は、歴史や文化のなかで育まれてきたものと考えられていた。同様の例としては、「アングロサクソン型経営」や「ライン（ドイツ）型経営」が知られている。

「ナショナル・モデル」

かつてはそこで話が終わっていたのだが、その後、実証的な研究が進む中で、ある国に特有の経営パターンは、その国の政治や経済、社会などのあり方と深い関係があることが明らかになる。そのような研究を代表するものの1つが、ホールとソスキスによる「資本主義の多様性」分析である。

これを使うと、たとえば日本型経営の1つである終身雇用は、高度な職業能力を持つ人材が不足していた戦後の日本において、企業が自社内で時間をかけて能力構築を行なうために、安心して人的投資ができるための人事制度だったことが明らかになる。さらには、そのような時間のかかる能力構築も、政府の産業政策のもとで求められる能力が明確にされ、銀行からの資金調達で長期にわたる安定的な経営が可能となるなど、社会のさまざまな分野のあり方と整合性を持っていることも示される。このように、ある国に特有の経営パターンは、多くの場合、その国の政治経済社会と有機的に結びついた「システム」として成立しているというものである。これが「ナショナル・モデル」あるいは「ナショナル・システム」である。

「ノルディック・モデル」

21世紀に入り、各国の経済がグローバル競争の荒波にもまれるなか、北欧諸国の順調な経済に注目が集まる。従来からの高福祉政策を維持しながら、先進諸国のなかでも順調に経済成長を続けていたからである。北欧の政治社会と有機的に連動した、優れた企業経営がシステムとして成立しているのではないか、という問題意識である。北欧を1つとして理解しようとするのが「ノルディック・モデル」であり、そのなかでも特にデンマークに注目したのが「デンマーク・モデル」である。

ノルディック・モデルは、デンマークを含む北欧諸国が、いずれも21世紀に入って活発な経済活動と高福祉をともに実現している点に注目する。かつては、この２つは両立しにくいと考えられていた。高福祉を維持するためには法人税も消費税も含めて高い税負担が必要だが、それは経済活動に水を差すからである。

その悪しき代表がイギリスだった。かつてイギリスは「揺りかごから墓場まで」と呼ばれる高福祉社会を実現したが、それが経済活動に水を差し、長期的に低迷する。そこでサッチャー政権は１９８０年代、高福祉政策からの転換を決め、公営企業の民営化や規制の緩和を断行し、経済再生の道を模索し始めたのである。

それに対して北欧諸国は、いずれもイギリスとは異なる道を進む。高福祉社会を維持しながら経済を立て直そうというのである。当初は懐疑的な向きも多かった。しかしこれら北欧諸国の経済は、21世紀に入り先進国としては高い成長を持続的に続けていく。２００７年にキャンプベルとペダーセンが「資本主義の多様性」理論をデンマークに当てはめて、「デンマーク・モデル」の優位性を実証研究のなかで示唆した。さらに２０１３年２月には英エコノミスト誌が「次なるスーパーモデル」と題した特集を組む。関心が、一部の研究者から、より広い世界一般へと広がっていったのである。

エコノミスト表紙「北欧モデル特集号」
出典：*Economist*, 2013/2/3

そこで明らかにされたことがいくつかある。まず、企業は徹底的に市場での競争にさらされる。EUの一員で、かつ市場の小さなデンマークでは、国が産業を守ることはほぼない。したがって労使とも冷静に市場原理を受け入れ、厳しい競争の中でも高い生活水準を維持できるような分野を見つけ、効率的な生産活動に邁進する。そのような背景もあり、かつてのイギリスのような、利益の分配をめぐる労使のイデオロギー的な対立とは異なる労働者と経営者との健全で合理的な調整メカニズムが、社会システムとして成立している。

その中で経営者と労働者は、企業が合理的な経営を行なうために必要な妥協を見つける努力をする。政府を介した労使の現実的なコンセンサス形成過程としての「ネオ・コーポラティズム」が、21世紀において機能している背景である。

労使はまた、高福祉社会を維持し続けることが容易でないことを認め、双方の協力のもとで必要な努力を続けることについて合意し、そのための高負担を受け入れる。政府は、社会の期待に応える努力を続け、納税への支持を得る。そして経済のグローバル化のなかで貧富の差が広がる多くの先進諸国にあって、格差が際立って抑えられている。

「デンマーク・モデル」

このような各国に共通の「ノルディック・モデル」のなかで、ある種の先頭を走るのが「デンマーク・モデル」である。そこでは法人税率の大幅減税に加え、自由な解雇権を企業に与えるなど、企業の経営に対する自由を大きく保障して活発な企業活動を促す。その一方で、解雇された労働者に対しては手厚い失業補償を学び直しと組み合わせて提供するなど、柔軟な経済活動と労働者のスキルとの間にギャップが生じないよう、福祉政策と教育訓練政策が効果的に組み合わされている。経営の自由という「フレキシビリティ」と労働者の保護を指す「セキュリティ」の双方をバランスさせた「フレキシキュリティ」政策である。

また、医薬品のノボノルディスク（ノヴォ・ノアディスク Novo Nordisk A/S）、海運のマースク（メアスク A. P. Møller-Mærsk A/S）、醸造のカールスバーグ（カールスベア Carlsberg A/S）など、デンマーク経済の屋台骨を支える古い歴史を持つグローバルな優良企業の多くが、非営利財団によって株式の過半を所有されていることにも、近年、関心が集まり始めた。これらはいずれも、いわゆる短期的な利潤の最大化を目的とするアメリカ型の株主ガバナンスとは異なる経営形態を持っている。長期的な観点からの経営、株主に加えて社員や地域社会など、さまざまな利害関係者への配慮を行なうステイクホルダー型ガバナンス、外国資本からの買収ターゲットとならないことによる資本と雇用の維持、そして産業界の碇（アンカー）としての役割など、幅広いメリットが認められるのである。

このようにみるとデンマークは、その政治経済体制と一体となった、デンマーク・モデルと呼べるユニークな企業システムが存在し、それがうまく機能することで、デンマーク経済の健全な成長に大きく貢献していると言えるのである。

（尾崎俊哉）

37

デンマークの労使関係・雇用政策

★フレキシキュリティのモデル国★

欧州共同体EUが２０００年に経済戦略として「リスボン戦略」を策定する際に、雇用政策としてフレキシキュリティが注目され、そのモデル国としてオランダとともにデンマークが注目された。２００７年に「リスボン条約」が締結されるとデンマークのフレキシキュリティは俄然注目された。日本でもリーマンショック後の雇用悪化と日本的雇用慣行が腐食する状況で、フレキシキュリティが一時注目された。さらに、岸田内閣以降、労働者の「リスキリング」（学びなおし）が注目されているが、そのモデル国としてデンマークが挙げられることが多い。

デンマークの労使関係は日本と１８０度異なるといってもよい。その特徴を３つにまとめると、第一に、労働組合が職業別に組織されていて、労使の団体交渉も職業別に行なわれていることである。第二に、公的な職業訓練制度と失業保険制度が充実していることである。第三に、長期勤続の慣行がなく、離職の割合が高く、労働市場が流動的であることである。いわゆる「日本的雇用慣行」の特徴として指摘されてきた「企業別組合」「年功序列」「終身雇用」とは異なっている。

第37章

デンマークの労使関係・雇用政策

職業別の労働組合

労使関係の原型は19世紀末から20世紀初頭に形成された。営業の自由が認められた後、賃金労働者が増加したが、その多くは職業別に労働組合を結成し、その全国組織として労働総同盟が結成された。1899年に3か月に及ぶ全国的な労使紛争を経験して労働者団体と経営者団体の間で「9月合意（妥協）」が結ばれた。「9月合意」は「デンマーク労使関係の憲法」とも呼ばれ、現在も有効である。それによると労働組合の団結権と団体交渉権を承認すること、労働協約締結期間中のストライキやロックアウトを回避すること、経営者側の解雇権を認めること、などが合意された。この後20世紀初頭に失業保険制度の創設、労働裁判所の設置などが行なわれた。

団体交渉は職業別の労働組合と経営者団体の間で行なわれるため、経営者団体も職業別の交渉団を形成する。労働組合が職業別であるということは、1つの企業に複数の異なった労働組合に所属する従業員が存在することを意味する。労働協約の改定の交渉が行き詰まると、紛争となり、時に激しいストライキやロックアウトが行なわれることがある。

労働協約では、賃金、労働時間、福利厚生、職業訓練、解雇予告期間など多くの事項を網羅している。日本では労働基準法や労働関係調整法で規定している事項の多くを労働協約が引き受けている。このため労働法体系は簡素なものとなっている。

代表的な労働組合としては、主として半熟練労働者が組織されている合同労働組合3F（Fagligt Fælles Forbund）、主としてサービス業・非製造業労働者を中心に組織している商業・事務職組合HK（ホーコー）、主として金属産業労働者を組織しているデンマーク金属労組（Dansk Metal）などがある。

また、高学歴資格の労働者を組織する経済学法学士組合、修士組合や、管理職が組織する管理職組合などもある。日本と同様なものとして教員組合や看護師組合もある。

3FやHKなどが典型であるが、現在では、1つの労働組合の中に職業別の部会を設置している事例も多い。これは長い歴史の中で労働組合の合併が繰り返されてきたからである。また、1980年代以降、中央レベルでの団体交渉に加えて、職場レベルでの交渉が拡大し、具体的な賃金や労働時間は職場レベルで決まることも多い（労使交渉の分権化）。とはいえ、労働組合の交渉力の源泉は高い組織率とストライキもいとわない職業的な連帯意識である。

解雇も容易だが転職も容易

「9月合意」で経営側の解雇権が認められたことは、景況により労働者が解雇される可能性が高いことを意味する。デンマークはヨーロッパの中でも最も解雇しやすい（されやすい）国といわれるゆえんである。もちろん労働協約で解雇の手続きが明記されているのであるが、企業が余剰人員を抱える恐れは非常に少ない。つまり、労働者は失業するリスクに常にさらされているともいえる。

デンマークの失業保険制度は1907年に創設された。ベルギーのゲント（ヘント）市をモデルに立案されたゲント方式の失業保険である。これは労働組合が失業保険の保険者として失業金庫を管理する方式である。2002年までは労働組合の加入と失業金庫の加入は同一と見なされてきたので、失業保険に加入することは労働組合に加入することを意味した。ゲント方式の失業保険が労働組合への加入を促し、高い労働組合の組織率をもたらすことを「ゲント効果」という。ゲント方式を採用してきた他の北欧諸国の労働組合の組織率も高いことの理由としてこの「ゲント効果」を指摘する意見もある。実際、ＩＬＯによると、２０１８年前後の北欧諸国の労働組合の組織率をみると、デンマーク67％、スウェーデン65・２％、フィンランド58・８％、ノルウェー50・４％と、ドイツの16・２％、日本の16・８％よりもはるかに高い。

失業保険の給付率（所得代替率）は失業前所得の90％である。失業手当は非課税なので、実際の可処分所得は失業前と変わらないといわれる。ただし、給付に上限額が設けられているので、高所得者の給付率はこれよりも低くなる。給付期間は2年間であり、日本の雇用保険の給付期間の90日から３３０日と比べると非常に長い。このため失業によって生活水準が低下する恐れが低い。

デンマークは自発的に離職・転職する者の割合が高い。民間労働者の3分の1が毎年転職しているといわれているが、筆者の概算によると転職者の3分の2以上が自発的に転職している。デンマークは「解雇されやすい国」ではなく「転職しやすい国」なのである。

綿密な設計がなされたリスキリング

失業者のみならず在職者も公的職業訓練を受講することができる。費用の過半は公費と経営者拠出金によるもので、受講生の負担は小さい。公的職業訓練のコースは、社会的に今後必要な職業能力の見通しを立てて、中央政府レベルと経営者団体代表と労働組合代表と政府からなる審議会で毎年見直される。その際、習得すべきコンピテンス（能力）を明示して、コースのガイドラインが策定される。各職業訓練学校で具体的なコースプログラムが策定され、実施される。このため訓練プログラムを習得した場合の就職の確率が高くなる。これは綿密な設計がなされたリスキリング政策といってよい。

フレキシキュリティとはフレキシビリティ（労働市場の柔軟性）とセキュリティ（生活保障）の合成語である。雇用保障はないが生活保障がある。それを可能にしているのが、寛大な失業保険と充実した職業訓練制度である。

だが、これだけでフレキシキュリティが実現できているわけではない。デンマーク福祉国家の基本的な生活保障、無償の充実した教育保障システム、そして高い組織率に裏打ちされた労使のパートナーシップがこれを支えているのである。

（菅沼隆）

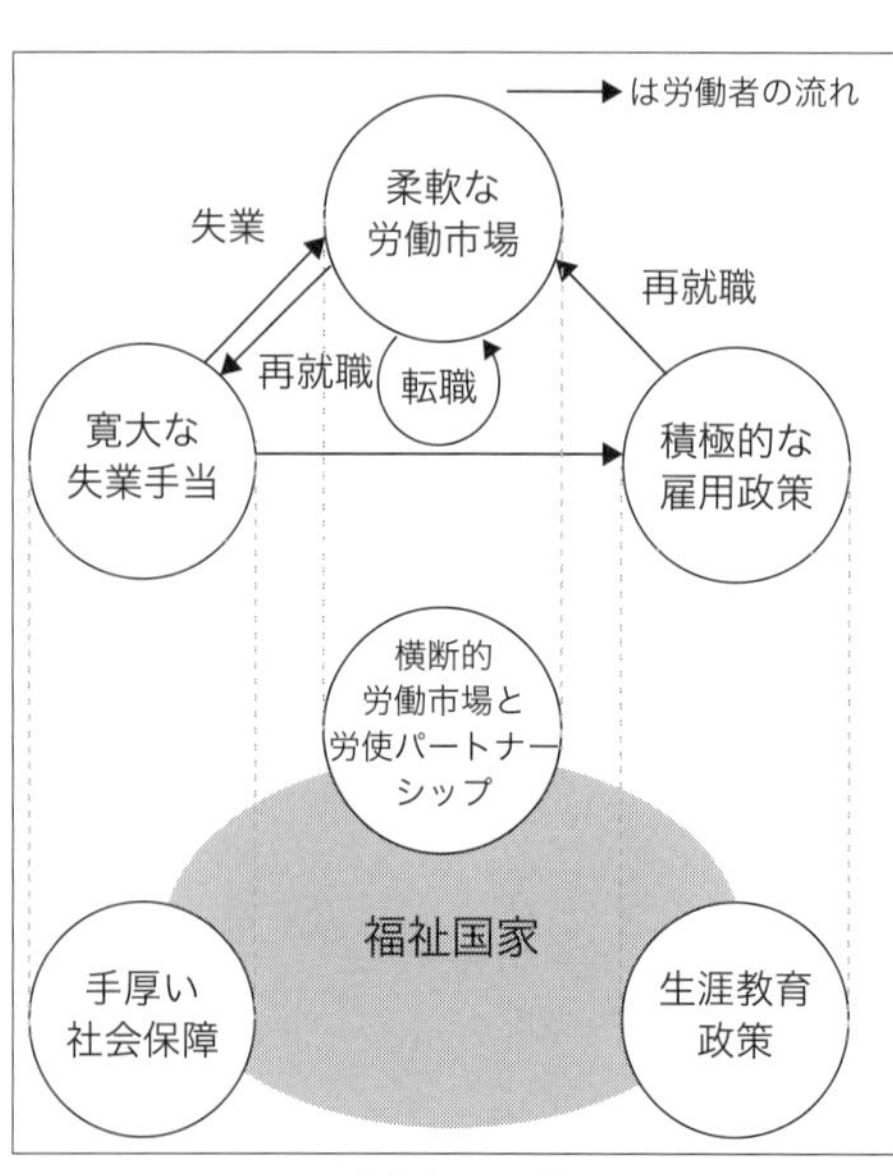

フレキシキュリティの「黄金の三角形」とそれを支える福祉国家

38

デンマークの企業経営

★高い競争力の源泉★

世界一の競争力

　スイスのＩＭＤが毎年行なっている世界競争力調査によると、２０２２年、世界で最も競争力の高い国はデンマークであった。同年の1人当たりＧＤＰは6万６５００ドルと第9位で、高い水準の生活と福祉を維持している。ちなみに21年度は3位、20年度は2位と、デンマークは継続的にトップの座にある。

　これを支えているのがデンマーク企業だ。人口６００万人にも満たない小国にしては、世界的な企業がゴロゴロしている。海運のマースク（メアスク）、医薬のノボノルディスク（ノヴォ・ノアディスク）、ビールのカールスバーグ（カールスベア）、おもちゃのレゴ（The LEGO Group）、風力発電のベスタス（ヴェスタス Vestas Wind Systems A/S）などは、いずれもグローバルに展開し、世界市場で高いシェアを持ち、多くの利益を自国へ還流している。

　デンマークには約52万の企業があるが、このようなグローバル企業は、その０・４％弱、２０００社にも満たない。それら少数の大企業が労働者の６％を雇用（加えて多数の外国人を内外で雇用）し、付加価値の４割を生み出し、輸出の６割を稼いでいる。数の上で99％を超える中小企業は雇用で64％、付加価値で60％を占めている。なおGDPの半分、雇用の29％は公共部門によるものであるが、本章では民間部門の経営に特化し、最初に大企業、次に中小企業に分けて考察する。

大企業の特徴

大企業の経営には、3つの特徴がある。第一に、売上の8割から9割を海外であげている。日本の大企業の海外売上の平均が約5割であることと比較しても、いかに国際的か明らかである。自国の市場が小さいデンマークでは、国際経営が巧みでなければ事業を発展できず、会社を大きくできないのだ。

世界競争力ランキング

	2022	2021	2020
1	デンマーク	スイス	シンガポール
2	スイス	スェーデン	デンマーク
3	シンガポール	デンマーク	スイス
4	スウェーデン	オランダ	オランダ
5	香港	シンガポール	香港

出典：IMD World Competitiveness Ranking

次にその多くで、アメリカ企業かと見紛うような実力主義のもと、40代の若くて優秀な人材を社長や経営幹部に抜擢し、無駄を排した合理的で柔軟な経営を徹底する。大胆なリストラや解雇も頻繁に行なわれる。また、自社の提供する価値の、市場におけるポジショニングが巧みである。多くの場合、価格競争に巻き込まれないよう、付加価値の高い差別化された商品を開発し、巧みなブランディングを行なうことに成功している。

このような経営の背景に、デンマークの非常に合理的な市場制度がある。政府は自国企業を正面から保護することがないため、常に競争にさらされる。賃金が全国的な労使交渉で決まるため、高い労働コストを前提とした経営を行なう。その一方で、再教育と組み合わせた手厚い失業補償を前提に解雇権が確立しており、高い人件費に見合わない仕事は、どんどんリストラする。

さらに、経営の執行と監督が完全に分離された取締役会が、経営を厳しくチェックする。日本では、社長以下の経営幹部が取締役会の主要なメンバーで、取締役会は経営を追認する場となっていることが多い。しかしデンマークでは、社長を含む経営幹部は取締役会のメンバーにはなれない。また取締役会のメンバーには、株主の利益の代表だけでなく、デンマーク社会を代表する社外取締役や従業員代表（組合代表ではない）も含まれる。その点で、株主の短期的な利潤追求のプレッシャーを受けやすいアメリカ企業とは異なる、多様なステイクホルダーに配慮した透明なガバナンスが行なわれているといえる。

なお、経営を監督する取締役会に従業員代表が含まれていても、解雇やリストラが経営上の合理的かつ必要な方針であることが明確にされれば、取締役会はこれを速やかに了承する。多様なステイクホルダーへの配慮が玉虫色の妥協につながるのではなく、合理的な経営判断へのステイクホルダーのコンセンサスとして機能しているのである。

一部の優良企業が、創業家が創立した非営利財団によって実質的に所有され、経営が監督されているのも特徴である。たとえばコペンハーゲン証券取引所に上場する企業の時価総額トップ20社の半数が、非営利財団が経営権を行使する企業である。そのガバナンス上の意義は3つある。まず一般の上場企業に比べて、堅実で長期的な視野に基づく経営が行なわれる。これは非営利財団としての使命に忠実な経営権の行使と考えられている。次に、財団としての目的が営利の追求でなく、寄付などの社会貢献にも積極的で、CSR（社会的責任）経営のモデルとなっている。最後に、財団が経営権を保持し続けることで、海外からの買収対象にならず、雇用を含むデンマーク経済社会への長期的で安定した貢献が認められる。

中小企業の特徴

中小企業の経営はどうだろう。52万社のうち約20万の実態はフリーランスなので、それを除く32万社を概観する。それらを一括りにするのは難しいとはいえ、共通の経営上の課題が2つ見えてくる。第一に、賃金の大枠が全国的な労使交渉で決まるため、極めて高い人件費を前提に経営を行なっている。中小企業の多くは、労使交渉の結果をそのまま受け入れるわけではないが、最低賃金に関する規制のないデンマークで、高い賃金水準が社会全体で維持されるからである。

大企業と中小企業との賃金格差が小さいということは、大企業にとっては中小を下請けとして使ってコストを下げるという手法が使えないことであり、中小企業は人件費を下げて仕事を獲得するという手法がとれないことを意味する。そこで第二の課題がうまれる。大企業に頼ることができない中小企業は、EU自由貿易圏という開放市場の厳しい競争のなか、自らの競争力を高めて生き延びなくてはならない、というものである。

これを示す状況が3つある。まず中小企業の売上の2割を占める製造業や、ファッションやデザイン、ITをはじめとする少なからぬサービス業は、大企業が輸出を主導する日本と異なり、売上のかなりを輸出で占める。次に、輸出企業とそれ以外も含め、いずれも多くが他に類のない「尖がった」

商品やサービスを開発し提供している。価格で競争できないので、ニッチ戦略に賭けているのだ。そして最後に、大企業には創業100年を超すものも多いのに対し、中小企業の寿命は短い。日本は企業も少子高齢化と言われるように、起業も廃業も少ない。他方でデンマークでは、起業はコンスタントに行なわれる一方、倒産や廃業も多く、30年以上継続する企業は一気に減る。賃金を抑えてズルズルと経営を続けるという選択肢がないため、新陳代謝が活発なのだ。良く言えば戦略的で柔軟、悪く言うと短期的で節操のない経営を行なうことが多い。リストラや解雇も普通に行なわれる。働く側も、アメリカ並みに流動的な労働市場のなかで転職を繰り返している。

デンマーク特有の側面

このように記すと、デンマークの企業は人材を大切にしない殺伐とした経営を行なっているような印象を与えるかもしれない。しかし大企業も中小企業も、賃金の高い社員を最小限に使って多くの成果を上げる必要から、無駄を排し、適材適所を実現し、権限を委譲し、徹底的に社員に働きやすい環境を整える。社員も、短い時間に多くの成果を上げるべく努力する。こうやって、労働生産性が世界有数の高さを誇ることになる。金曜日の午後、デンマークの企業を訪問してみるとオフィスはガランとしている。皆さっさと仕事を片付けて、早めに家路につくからだが、それでも会社は困らないのである。

（尾崎俊哉）

39

デンマークの税制・財政

★危機をどう乗り越えてきたか★

デンマークの税制

デンマークは他の北欧諸国と同様に高福祉高負担の国として知られており、しばしば類似した福祉財政のグループとして扱われることが多い（ユスタ・エスピング＝アンデルセン〈アナセン〉の「社会民主主義レジーム」など）。だが、実際にはそれぞれ特徴的な面がある。そこで本章は北欧諸国に共通する特徴を踏まえつつ、そこから際立つデンマークの税制・財政の特徴を明らかにしていきたい。

グローバル化に対応する所得税モデル

デンマークは北欧諸国の中でも租税負担、特に所得税の負担率が高いという特徴がある（図1参照）。これにはいくつか理由がある。デンマークは他の北欧諸国の中で社会保障財源における税財源化（たとえば最低保障年金など）が最も進んでいる国であり、言い換えれば社会保険料で社会保障財源をカヴァーする割合が小さい。また、労働市場政策や医療政策の財源を賄う拠出金が所得税扱いとされている。それゆえ、他の北欧諸国と同等の社会保障費の水準を賄う場合でも所得税負担の割合が高く

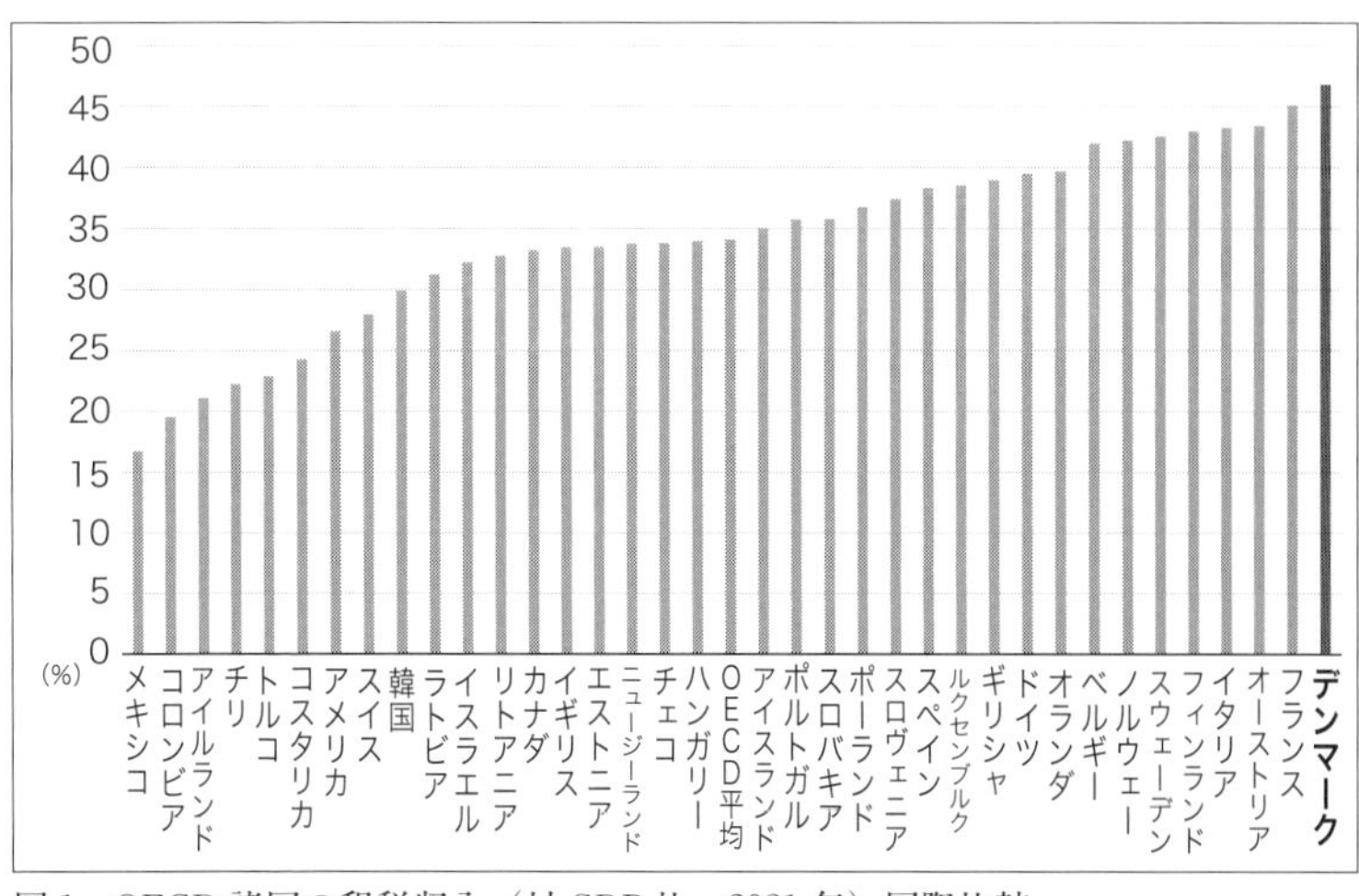

図1　OECD諸国の租税収入（対GDP比、2021年）国際比較
出典：OECD Revenue Statisticsより作成

なっている。

しかし、一般的にいって小国における開放経済下で重い所得税負担は海外へのヒト・モノ・カネの逃避をもたらす懸念がある。デンマークはいかにして重い所得税負担を維持しているのだろうか。そのための対向戦略の1つが北欧諸国が導入している「二元的所得税」モデルである。二元的所得税とは、労働所得と資本所得を2つに分割して前者を累進税率、後者を比例税率で課す分類所得税である。二元的所得税が導入された1990年代初頭、北欧諸国では資本所得に対しても高い累進課税を課していたので多くの所得が海外に逃げてしまって効果的に課税することが難しくなっていた。さらにそれは負担の公平性も損ねる事態になっていた。そこで二元的所得税モデルにしたがって、資本所得の控除を整理し、税率を比例にして租税回避を防ぎつつ、労働所得には累進課税を行ない、税収を確保する戦略をとった。このよ

うにして北欧諸国はグローバル競争下においても高福祉を支える高い所得税負担を維持しているのである。正確に言えば、デンマークの二元的所得税モデルは１９９０年代に修正が迫られ、現在では部分的なものにはなっているが、その考え方は今でも根付いている。

デンマークの反税運動

デンマーク税制といえば所得税よりも高い付加価値税率（消費税）が取り上げられることが多いだろう。確かにデンマークの付加価値税はＥＵ諸国の中でも非常に高く25％もあり、さらには軽減税率がないという珍しい特徴を持つ。また、フランスと並んで１９６７年に付加価値税を導入した国でもある。無論、ここに至るまでには多くの道のりがあり、軽減税率については廃止を求める運動もあった。しかし税制に対する政治的抵抗が強かったのはどちらかといえば、１９７０年代の高いインフレ下で大幅な増税（源泉徴収制度などの改革も含む）を行なった所得税制の方であった。１９７３年には「所得税廃止」を掲げる反税政党の進歩党が躍進し、第二政党となるまでに議席を増やすことになる。当時の所得税制は控除制度の抜け穴が大きく、二元的所得税モデルが導入される１９８７年までは負担の公平性が担保されていない税制であったことがその背景にある。だが、この反税政党である進歩党は党首モーウンス・グリストロプが１９８５年に脱税で逮捕されてから、その勢いは大きく失墜することになる。その後は税制の負担の公平性や透明性も改善し、税制に対する政治的抵抗も次第に弱まっていった。

もちろん、その後も税制のあり方への政治的抵抗がなかったかといえばそうではない。たとえば環境税があげられる。デンマークは環境先進国として知られ、1990年代から意欲的に新たな環境税（炭素税など）の導入を進めてきた。だが、2000年代になるとバックラッシュとして環境税増税に対する抵抗が強まった。炭素税などのエネルギー課税は低所得税に負担が重く、それと合わせて実施された高所得者減税は不公平な税制改革だと批判されたからだ。この問題に対して2010年代以降は低所得税に対する手当（グリーンチェック）が導入された。このように近年では脱炭素社会に向けた「公正な移行」という視点で、税制に対する抵抗の克服が目指されているのである。

「危機」の中の財政運営

デンマークは、政府債務規模はEU諸国の中でも非常に低く、マーストリヒト条約での財政規律の基準も遵守している国である。EUの共通財源である基金への拠出についても、いわゆる拠出側である。その意味でデンマークは非常に安定的な財政運営を現状達成している国であり、自治体レベルでもこれは同様である。

だが、2020年春から世界中で猛威を振るっていた新型コロナウイルス感染症の影響で多くの先進諸国が類を見ない規模の財政出動を実施したが、これはデンマークも例外ではなかった。

もっとも、デンマークの財政出動の規模は他の先進諸国と比べるとそれほど大きいとは言えない。2021年10月国際通貨基金年次報告（IMF Fiscal monitor）の推計によると、コロナ対策として先進諸国が実施した財政措置は米国が25・5%、日本が16・7%などと大規模であるのに対して、北欧諸国は軒並み低く、ノルウェーが7・40%、フィンランドが4・78%、スウェーデン4・15%、デンマークが最も低い3・41％であった。デンマークは米国や日本のように特別定額給付を実施するのではなく、早期から政労使による雇用保障スキームを合意し、既存の雇用保険制度を活用しながら、少ない財源で効果的な失業対策を実施することができた。

もっとも、デンマークは財政出動を他国よりも抑えることができたとはいえ、それでも政府債務残高は急増した。だが、それでも欧州金融危機時の政府債務規模を超えていないし、他のEU諸国よりも非常に低い状況ではあった。政府債務への格付評価も極めて高く、保有者も安定的・長期的、金利も低水準で安定的である。

しかしながら、予算法ベースでデンマークは財政収支赤字が対GDP比0・5％を超えてはならないとされており、2020年度はそれを超えてしまったので例外的に上限を引き上げることになった。このようなデンマークでは例外ともされる財政規律の一時的緩和であったが、それはコロナ禍が明けた後も続くことになる。デンマークはいち早くコロナ禍後の平常時に戻っていったが、2022年初頭から起こったウクライナ危機への対応に迫られることになったからである。政府は新型コロナウイルス対策以外に、ウクライナ危機に伴うエネルギーコスト上昇への対応やウクライナ難民対策への支出増を2022年度予算に盛り込んだ。さらには2022年12月、政府は祝日を減らして労働時間を増やすことで防衛費を対GDP比2％へ引き上げる方針を表明するなど、財政支出のさらなる増加は避けられない状況である。デンマークはこれまで財政規律を重視しながら安定的な財政運営を行なってきたが、「危機」が続く中でその在り方も変化に迫られているのである。

（倉地真太郎）

40

デンマークの地方財政

★協調と合意のシステム★

はじめに

デンマークは2007年の改革以降、基礎自治体であるコムーネ、広域自治体であるリージョン、そして国から構成される二層制の行政制度が採用されている。コムーネは介護・保育・生活保護などの福祉・対人社会サービス、義務教育、現金給付業務など、リージョンは地域開発と公的医療サービス、国は防衛、公的年金、税務行政などを担当している。

デンマークは他の北欧諸国と同じように自治・分権的な地方行政・財政のモデルの国だと言われている。地方自治体の団体レベルだけでなく、住民参加などの住民レベルでも自治の考え方が根付いた国であり、それがデンマークの民主主義を支えている。

高い自主財源比率

財源面で見るとコムーネの歳入の7～8割が自主財源、主に地方税であり、「8割自治」の国とも言われている。これは自主財源比率が低く「3割自治」と言われる日本の地方財政とは対照的である。地方税は地方所得税、地方法人税、土地税、教会税がある。教会税によって冠婚葬祭費の一部が賄（まかな）われるが、これはキリスト教でない場合は支払わない選択もとれる。地方税のうち地方所得税の税収がほとんどを占めており、また地方所得税は課税最低限が日本よりも非常に低いため、付加価値税や環境税などの消費課税と並んで多くの人々が納税している税目である。国の所得税が累進課税で、地方の所得税が比例課税であるが、国所得税の累進部分の税率適用額が高く設定されているため、8割以上の納税者が地方所得税のみを支払っている。つまり地方所得税は、高い自主財源比率を誇る地方財政において要である。次にリージョンについてであるが、実は自主財源を持たない行政組織であり、国とコムーネによる補助金によって運営されている。

水平的財政調整制度

財政調整制度・補助金についてであるが、まずデンマークでは他の北欧諸国と同様に水平的財政調整制度（自治体間の調整がメイン）が採用されている。日本では垂直的財政調整制度（国による再分配がメイン）が主に採用されている。正確に言うと両方の性質が備わっているのだが、大まかに言えば前者と後者の違いは自治体間の財政調整の見えやすさにある。水平的財政調整制度のもとではコペンハーゲンのような都市部自治体からユラン（ユトランド）半島の地方部の自治体への再分配が目に見えて行なわれており、これがデンマークの地方自治体間の連帯の証（あかし）でもあり、時に配分をめぐる対立を生むことになる。ただし日本と違って、これらの財政調整の規模は1～2割程度であり、財政運営の影響は日本ほど大きいわけではない。財政調整制度では課税標準（自治体税収の標準的な規模）と歳出ニーズの「平均」を調整する水平的財政調整の仕組み、国による一般補助金（使途が定められていない補助金）、生活保護や言語教育などの一部の施策に対する一定割合の特定補助金、過疎地域などの財政力の低い自治体に対する特別補助金などがある。このように複数の補助金によって財源保障が行なわれるが、豊富な自主財源と低い地方債水準が故に地方財政の自立性は高く、財政調整も「平均」レベルで行なわれるので日本ほどきめ細やかな調整が行なわれているわけではない。歳出ニーズの算出も多くが人口や高齢化率などの客観的・構造的基準をもとに算出されている。

地方債はもともとデンマークでは地方債発行の制限が極めて厳しく、地方債残高も国際的に見て非常に低い。また、デンマークは地方債の１００％が共同債発行であり、日本の地方公共団体金融機構に相当する共同債発行機関のコムーネ・クレジット（Kommune Kredit）によって資金調達が行なわれている。

以上のようにデンマークの地方財政の歳入面は高い自主財源比率と低い地方債水準によって安定的に運営されているのが特徴である。

２００７年地方行財政制度改革

デンマークの地方財政を語る上で、２００７年地方行財政制度改革は重要である。この改革で従来の13あった県（アムト）は廃止され、５つのリージョンに再編された。医療圏の再編などが主な改革の理由であった。リージョンの導入によって、県の所得税はコムーネの地方所得税に一部税源移譲され、一部は医療拠出金という国の拠出金になった。これによって基礎自治体であるコムーネの財政的・政治的重要性が高まったとも言える。

協調・合意システム

ここまで「分権的」なデンマーク地方財政の姿を説明してきた。だが、「分権的」というのは一面的な説明でしかない。仮にコムーネが国の意図から全く外れてそれぞれに分権的に振る舞った場合、国全体に及ぶ制度改革は実施することができないし、税率引き下げ競争などの自治体間競争の弊害も起こってしまう。デンマークではこのような課題をどのようにして解消しているのだろうか。

デンマークは日本の地方財政計画に相当するものを毎年度、国（内務省）と地方自治体の代表機関であるコムーネ連合（Kommunernes Landsforening）とリージョン連合の合意に基づいて決定している。これによって自治体への財源保障の総枠を合意し、それに基づいて自治体は10月の予算可決に向けて準備を行なう。コムーネ連合は自治体首長から構成される行政組織であり、日本の地方六団体のように複数団体ではなく、基礎自治体に関してはコムーネ連合のみが基本的に国と交渉にあたることになる。この合意に基づいて、コムーネ連合は各自治体の歳出、税率変更、地方債発行の総枠を配分し、各自治体と綿密なコミュニケーションのもと調整を行なう。したがって多くの税収が得られても与えられた枠内でしか歳出を使うことができず、余った額が基金に回ることもある。また、ある自治体には税率を引き上げてもらって、別の自治体には引き下げてもらう。その平均をとって税率増加率の合意を守ったりする場合もある。このように「分権的」と言われるデンマーク地方財政であるが、コムーネ連合による交渉・協調のもと、各自治体の意思決定は一定程度コントロールされているのである。これは決して悪いこととは言い切れない。なぜなら、合意システムによって地方自治体は国に対して一丸となって要求を行ない、財源保障や新たな制度の導入を実現させることができるからだ。その意味でデンマークは自治体全体として国に対して非常に「分権的」に振る舞っているとも言える。

もっとも、この合意は法的拘束力のない紳士協定であり、当然合意を破る自治体も出てくる。コムーネ連合の合意内容について不満を持つ自治体・地方議員もいて、合意を守らず勝手に増税を掲げて実行に移す自治体も出ている。この場合、特に地方税の合意破りについては国による補助金削減の制裁が行なわれる。この補助金削減の制裁は連帯責任制がとられており、合意破りの年数が増えていくほど、連帯責任の割合が増えていくのである。このような制裁の強化の動きは2010年代以降から目立ってきており、国による統制的な側面も強まってきているのがデンマークの地方財政の今の姿である。

（倉地真太郎）

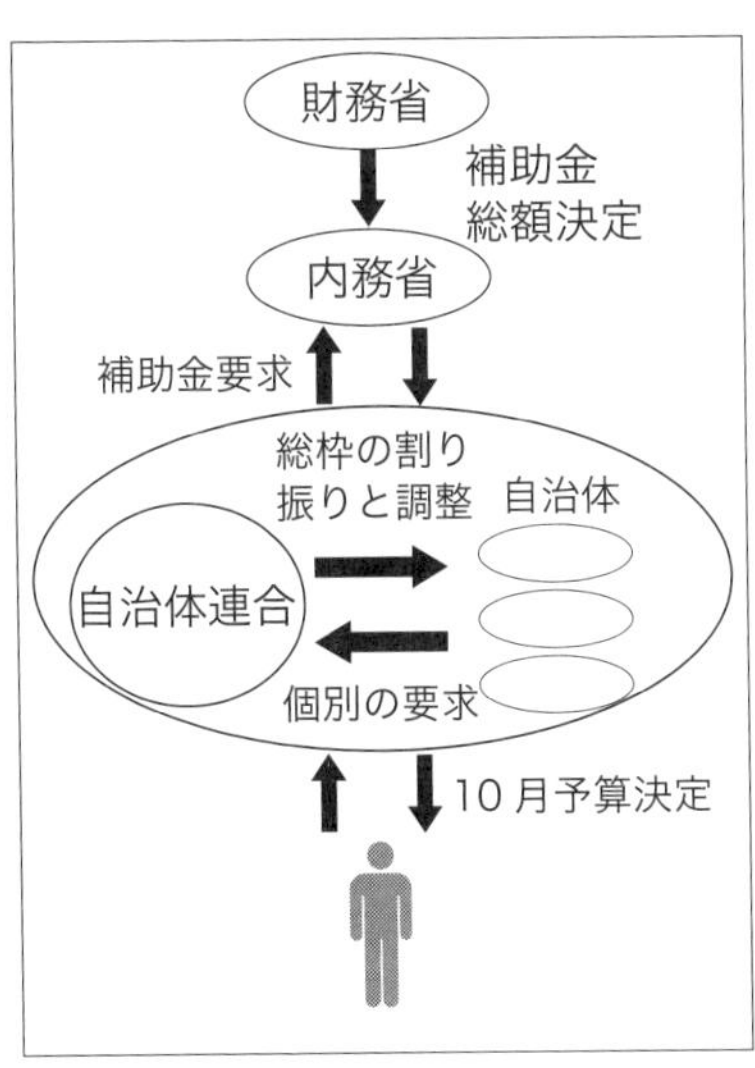

合意形成のプロセス

41

増加する国内の移民・難民とその政治的背景

★国際社会への責任と実情★

デンマークにおける移民、移民2世・3世の割合は毎年増加の一途をたどっており、1980年にはその全人口に占める割合はわずか3％だったが2023年には15・4％にまで上昇している。特に非西欧諸国からの移民・移民2世・3世に関しては、1980年の1・0％から2023年の9・7％と10倍近い伸びを見せている。この伸びは主に、MENAP諸国と呼ばれる中東や北アフリカ、アフガニスタン、パキスタンといった国々からの主にアラビア系・イスラム系移民によるものである。

とはいえ、年々の移民・難民の受け入れが格段に増えているというわけでもない。2021年に外国人に発給された長期ヴィザの種類ごとに見ると、53％がヨーロッパ経済圏からの流入労働者、23％が就労を理由とするもの、13％が就学を理由とするもの、ブレクジットに関わるものが4％であり、難民の占める割合はほんの2％、家族再結合の占める割合は5％となっている。ヨーロッパからの流入労働者は、ルーマニア、ポーランド、ドイツ、イギリス、ウクライナといった国々が多い。なお、北欧諸国の国民は入国滞在にあたって許可をとる必要がないため、その数が登録されていない。

現在の難民申請は、エリトリア、シリア国籍の者が多い。デンマークに滞在許可のない外国人は、まず国内3ヵ所にある「出国センター」に収容される。外国人庁に代わり、うち2つは矯正保護局が、1つは赤十字が運営している。難民認定が下るとそれぞれの自治体に分配される。2022年に難民申請をしたのは4597人と過去5年間で最も多かったが、却下されたのは548人で、却下数は2020年の1155人と比較すると半減した。

デンマーク国内で、保護する必要性が高くないと判定されて難民申請が却下されても、帰国させることができずにそのまま出国センターに留まり続けるケースも多い。センターでは1人当たり年間30万クローネの費用がかかることもあり、こうした外国人の母国送還が歴代の政府で課題とされてきたが、社会民主党がこれに解決策を見出そうと、2020年8月に発足させたのが「帰国庁」である。

現在国内には、難民申請却下後に国内にとどまっている外国人が1128人おり、その多くをイラン人（32％：2021年）が占める。両国の間にはっきりとした送還に関する協定がないために、特に長期にわたってデンマークに滞在している場合の交渉が難しい。これらの人々を1人でも多く母国に送り返すことが帰国庁の使命であり、2021年にはその数は806人に減った。自主的に帰国する人々には3万から4万クローネの奨励金が出されるのも、一定程度の功を奏しているようだ。

1年間で待機状態の人々が30％も減ったのは、必ずしも新しい庁がうまく機能したからというよりは、長く保留になっていた案件をまとめて処理したことや、そもそも難民申請をする者が減ったことが理由ともされているが、目標の10％減は十分に達成され、翌年にはさらなる10％減を目指している。

また、そもそもデンマーク国内に難民を入れることなく、国外で支援をする別のイニシアティヴとして、社会民主党政府が進めているルワンダ国内の収容センターがある。難民申請の処理に加え、認定がなされた後も当該者はそちらに住むことになる。すでにイギリスは2022年4月にルワンダとこうした協約を結んでいることもあり、デンマークはそれを参考にしている。イギリス国内では難民の支援団体などがこれを非人道的だとして中止を求めていたが、イギリスの高等法院は2022年12月、「計画は国連の難民条約や国内法に合致する」とする判決を言い渡している。

2014年以来、2万2000人以上の難民がヨーロッパへ入ろうとするも、地中海で命を落としたりするケースが相次いだ。難民たちは人身売買の仲介業者に多額の金銭を払い、命を懸けて逃避行をするが、常に危険と不公正が隣り合わせである。そのため社会民主党は、財産の多寡ではなく必要とする保護の状況に合わせて難民認定をし、国連の難民条約に則った扱いのもとに必要な人に保護を出すという主張で、収容センターをルワンダに置こうとする計画を実現しようとしてきた。2022年の夏には1年以内に実現する見通しであったが、総選挙の結果、社会民主党は過半数を取れず、2022年12月にできた新政府は3党の連立政権となり、このルワンダモデルに対してはヨーロッパレベルで再考する必要が生じたとして、計画は一時休止されている。

このルワンダとの協定と同様に、強制送還命令の下った外国人犯罪者300人分の収容スペースをコソヴォに借り、そこで刑に服すようにするというコソヴォ協定も2021年12月にまとまっている。今後の10年間で15億クローネの予算が見込まれていたが、矯正保護局への予算がすでに2億クローネ不足したため、2022年9月にこのコソヴォでの刑務所の計画もまた、一時休止が決まっている。

2022年2月以降のロシアによるウクライナ侵攻によってウクライナから大量に生まれた避難民

については、3月に特別法が制定され、受け入れが始まった。この法律で避難を申請してきたケースは23年5月までにすでに4万件を超え、3万6823件が認可を受けている。これらの人々がそれぞれの自治体の大きさに応じて分配され、各所で生活をしている。まだ避難してきて1年しか経っていないが、子どもや高齢者を除いて就労可能とみなされたウクライナ避難民のうち、その6割がすでに就労をしている（2023年2月）。

ウクライナ国旗を掲げるゲントフテ市庁舎
出典：筆者撮影

総合して見ると、デンマーク国内での外国人の割合は増えてはいるが、その半数以上がヨーロッパ経済圏からの労働移民であり、2023年現在も国内の失業率が2・8％であることを鑑みると、これはむしろ歓迎すべき労働力となっている。国連の難民条約や人権意識に基づきデンマークも難民問題に対して責任を果たそうとしてはいるものの、近年の増え続ける難民流入に政府は頭を悩ませている。現職の移民統合大臣は社会民主党が難民に対する政策を緩めたならば、今の支持層がデンマーク国民党や移民・難民排斥を強く謳う政党側に流れてしまうと確信しており、厳しい政策は今後も続く見通しである。

（鈴木優美）

V

デンマークの文学・芸術

42

アイスランドの写本の返還

★独立運動の終わり？★

1971年4月21日、アイスランドでは学校が休みになり、晴れ渡るレイキャヴィークの港から、国内初となる野外からの中継放送が行なわれた。現在は旧港と呼ばれる場所に多くの人が集まり、周辺に置かれていたコンテナの上や、近くの建物の屋根にまでのぼって、デンマークの軍艦「雄羊（Vædderen）」が来るのを待っていた。かつてアイスランドからデンマークへともたらされた中世の写本、『王の書』（GKS 2365 4to）と『フラーテイ書』（GKS 1005 fol.）が、とうとう返還されるのだ。後年、この日は、19世紀に起こったアイスランド独立運動の象徴的な終結とされる。デンマークからアイスランドへの写本の返還は、領海の拡張よりも重要であるという声さえあったが、1997年6月19日、注釈付きで古ノルド語に抄訳された旧約聖書を収める装飾写本（AM 227 fol.）などの移管をもって一端の区切りを迎えた。ただ、デンマークに残る写本の返還を求めようという議論は、その後も国内で幾度かなされている。そもそもアイスランドにあった写本がなぜデンマークにあるのかといえば、そのきっかけは、スカンディナヴィア諸国の起源をめぐる運動にある。

第42章
アイスランドの写本の返還

歴史家サクソ・グラマティクスによってラテン語で13世紀初頭に書かれたとされる『デンマーク人の事績』は、長らく北欧諸国の歴史についての主要な文献であった。サクソは、アイスランド人は他郷の者であっても誰かの偉業を称えることを自分事のように喜びを見出す人たちであるとし、彼らが語るものを軽視するようなことはなく、むしろ自身の書物に取り入れた、とも述べている。ただ、16世紀のヨーロッパ諸国では、とあるドイツ人が発表した紀行詩の影響もあってか、アイスランドはたいそう不潔で野蛮な国とみなされていた。こうした悪評を払拭（ふっしょく）するため、1593年には牧師アルングリムル・ヨウンソンがラテン語で著した『アイスランド概説（Brevis commentarius de Islandia）』がコペンハーゲンで、1609年には同著者の『霜の国（Crymogaea）』がハンブルクで出版されている。これらの本では、かつてスカンディナヴィア諸国で話されていた古い言語――ラテン語やギリシャ語と同様に価値ある古語――がアイスランドでは今なお使われており、そんなアイスランドに眠る写本には、他の北欧諸国では残っていない歴史が記録されている、と書かれている。アルングリムルの書物は、ゴート族との繋がりの有無を含む自らの出自や北欧の覇権を握るうえでの正統性に執心していた当時のデンマークやスウェーデンがアイスランドの写本に関心を持つきっかけになった。やがて、アイスランドで個人や教会が所有していた写本の多くが蒐集（しゅうしゅう）され、海外へ持ち出されることになる。

アイスランドのスカウルホルト司教座の司教であったブリニョウルヴル・スヴェインソンは、国内における写本蒐集の初期において真っ先に名前の挙がる人物だ。コペンハーゲン大学で学び、ロスキレのラテン語学校で副学長を1632年から38年まで務めた彼は、アイスランドに帰国して司教となってから写本を蒐集し、17世紀半ばには、フレゼリク3世に『王の書』と『フラーテイ書』を寄贈

『フラーテイ書』（GKS 1005 fol.）
出典：handrit.is

した。ブリニョウルヴルの半世紀ほど後に生まれたのが、アイスランドの写本蒐集について最も有名なアウルトニ・マグヌソンという人物だ。

アウルトニがコペンハーゲン大学で学んだのち、トマス・バートリーンの補佐やアイスランドの人口調査などのかたわらで蒐集した写本群は、個人のものとしては類を見ないほど大規模だ。残念ながら、1728年10月20日に起こったコペンハーゲン大火までに詳細な目録が作られなかったため、どういった写本がどれだけ彼の手にあったのかは明らかでない。しかし、この大火に遭っても例外的に多くの蔵書が火の手から守られたことは確かである。その写本群や蔵書は、妻メテ・イェンスダター・フィッシャとの遺言どおりコペンハーゲン大学に遺贈され、１７７２年には管理団体としてアルナマグネア研究所が設立された。

２００９年にユネスコの世界記録として登録されたアウルトニの蔵書は、「アウルトニ・マグヌソン写本コレクション」と呼ばれている。そこに含まれるのは、中世に作られた写本だけでなく、18世紀アイスランドで個人や教会が保管していた書類や、さらにはコロンブスの息子であるエルナンド・コロンの作り上げた図書館の蔵書目録など、大陸ヨーロッパ諸国から集められたものも含まれている。アウルトニの蒐集物を見るにはコペンハーゲンに行くしかなかった状況が長く続いた後、アイスランドが自治権を獲得してから4年後の１９０８年、アイスランドに関係する文書の返還要求が、デンマークに対して正式に行なわれる。その後、１９１８年に独立したアイスランドが１９２４年に再び返還要求を行なった結果、まずは18世紀の公文書を中心に大量の文書が返還されることとなった。ここから１９７１年に写本の返還が本格的に始まるまで、いかに中世以来の詩群や散文群に加えて写本が自分たちにとって重要で、アイスランドで保管すべきかが、強く訴えられはじめる。

13世紀中頃にアイスランドがノルウェー王の支配に下るまでにアイスランド人が独自の文化を持っていたことを示すものは、写本に保存された散文や韻文のほかにはほとんどない。アイスランドの写本は、他のヨーロッパ諸国の写本に比べれば、黒く汚れて欠損すらあるが、それこそが、人々の間で読み継がれてきたことを示している。学者の研究対象や展示物として死蔵していたものとは異なり、アイスランドの写本は、まさに生きた遺産なのであり、たとえ書かれているのがノルウェー王朝史であろうとも、それがアイスランドで、もしくはアイスランド人によって書き残されたことが重要であり、当時の人々の生活や文化に多大な影響を与えたはずだと、アイスランドの学者は主張した。アイスランドが、ノルウェーやデンマークでもなく、古くから独自の文化を持つ国であることの証（あかし）である写本に対しては、単に文化財の所有権を主張するにとどまらない切実な想いがあったのだ。そのため、1954年にデンマークの文化大臣であったユーリウス・ボムホルトが、アイスランドに関わる事柄について書かれている写本はアイスランドで管理し、それ以外の写本はデンマークで管理すると提案しても、アイスランドは受け入れられなかった。たとえ法的正当性がなく、国際裁判に訴えたところで望む結果を得られないことが察せられたとしても、アイスランドで書かれたか保存されていた写本のすべてを返還することを要求し続けた。結果としては、ほぼボムホルトの提案通りに写本は返還されることになるが、これは1871年に定められたデンマーク国庫からアイスランドへの基金の拠出や、続く1874年にデンマークから憲法と立法権がもたらされたことと同様に、両国が政治的および文化的に異なることを示す独立運動の――その延長の――成果であるとされた。写本の返還が始まるまでは、デンマークに対してさまざまな意見が飛び交っていたが、いざ返還が始まると、デンマークほどの公正さと寛大さを示す国は他になく、かつてこれほどのことが国と国とのあいだで起こったことは世界中の他のどこにもなかったと度々評されている。

（朱位昌併）

43

サクソ・グラマティクスの世界

★中世ラテン語からデンマーク語へ★

北欧中世を代表する歴史書をあげよと言われれば、中世学者は間違いなく『ヘイムスクリングラ』と『デンマーク人（デーン人）の事績』を挙げるだろう。前者はアイスランド人のスノッリ・ストゥルルソンがノルウェー王権に関して、後者はデンマーク人のサクソ・グラマティクスがデンマーク王権に関して、いずれも神話時代から12世紀に至るまでの歴史を綴った大部の歴史書である。『ヘイムスクリングラ』もその1つであるアイスランドのサガを別とすれば、北欧は、他のヨーロッパ諸国と比べて、伝存する歴史記述は必ずしも多くない。そうした中で異彩を放つ分量と完成度を示す『デンマーク人の事績』とはどのような歴史書なのだろうか。

13世紀初頭に執筆されたと考えられる『デンマーク人の事績』は、全16書から構成される。谷口幸男の邦訳は、そのうち、伝説の王であるダンに始まり、神話伝説時代を扱う第1書から第9書を扱っている。他方で、未邦訳の部分に当たる第10書から第16書は、サクソがデンマーク王室の文書、王室や教会周辺からの聞き書き、そして自身の経験を踏まえて記した、ゴーム老王以降1185年までのデンマーク王権の来歴を扱う歴史書である。『デンマーク人の事績』以前にも中世デンマークでは、『ロスキレ年代記』やスヴェン・アゲセンの著作のようなラテン語歴史書は書かれていたが、それらに比べると『デンマーク人の事績』の文体は、古典や他の著作からの引用も多く、はるかに流麗（りゅうれい）かつレトリックに富んだラテン語で執筆されている。これは著者サクソが、当時の水準にあって、最高峰の教育を受けた知識人であったことの証拠でもある。文法家を意味する「グラマティクス」という二つ名は、彼の卓抜したラテン語の表現力に敬意を評してのことでもある。

コペンハーゲンのホイブロー広場に立つアブサロンの彫像
出典：Comrade Foot,(CC BY-SA 2.0)

『デンマーク人の事績』の著者サクソの人物についてはほとんどのことは不明である。確実に言えるのは、彼が時のルンド（ロン）大司教アブサロン（1128〜1202）のもとで聖職者をつとめていた、ということだけである。アブサロンは、ドイツのハンブルク大司教座から独立したルンド大司教座を北欧キリスト教世界の中心拠点とした立役者であり、他方で、デンマーク・ヴァルデマ朝のヴァルデマ1世（在位1154〜82）と共に、バルト海南岸の異教徒に対するキリスト教への改宗活動（北方十字軍またはバルト海十字軍）などを通じてデンマーク王国の基礎を作った人物でもある。現在も、コペンハーゲンの中心部にある国会議事堂の正面の掘割の向こうに馬に乗った黄金の彫像が立てられているのは、キリスト教王国としてのデンマークの根拠を、王権と教会が手を携えて国家のあり方を模索したまさにヴァルデマ朝時代に置いているからであろう。以下、このような時代に執筆された『デンマーク人の事績』の特徴を記しておきたい。

第一に、本書は13世紀デンマーク人の歴史意識の証言をしていることである。すでに述べたように、本書は、ダンに始まる神話時代から12世紀のヴァルデマ王朝に至るまでのデンマークの歴史が描かれている。事実と虚偽を峻別（しゅんべつ）する社会科学としての歴史学に馴染（なじ）んだ今の私たちからすれば、神話と歴史をまとめることには抵抗がある。谷口が（実は彼だけでなく他のヨーロッパ諸言語の翻訳でもなのだが）、神話や伝説の部分にあたる第9書までのみを訳したのは、歴史として根拠のない神話は神話として扱うべきという現代人の「常識」が反映している。しかし、13世紀のデンマーク人にとって、神話時代と歴史時代は一続きであった。我が国の『日本書紀』や『神皇正統記』を考えてみればわかるように、神話と自らの時代を結びつけるのが彼らの歴史意識なのである。

第二に王権イデオロギーの装置としての役割である。神話的支配者のダンからサクソが記述を始めたのは、ただ当時の歴史意識を反映していただけのことではない。そのような神話的人物の血統の中に現在のヴァルデマ王権がある、ということを示すためでもある。つまり王権は、通常の有力者家門とは異なり、神話的存在と繋がる特別な血統であり、そうであるからこそ、王権という他を統（す）べる地位にあることを正当化している。とりわけヴァルデマ1世とアブサロンの時代は中世デンマーク王国の興隆期であったため、余計にその正当性を強調する必要があった。実際、『デンマーク人の事績』に先行する12世紀は、ヨーロッパ全体で「歴史を書く」行為が盛んになった時代であった。王権も地方領主も、教会も修道院も、自らの来し方の正当性をめぐって、筆力のある人物にそれぞれの歴史を執筆させた。『デンマーク人の事績』も、こうしたヨーロッパ全体の潮流の中で生み出された成果であることは理解すべきである。

第三に後世への影響である。13世紀初頭に執筆された『デンマーク人の事績』は、その後のデンマークの歴史記述に大きな影響を与えた。デンマーク内では、『デンマーク人の事績』を要約した歴史書や『デンマーク人の事績』以降の歴史を書き足す形で新しい歴史書が書かれたりした。印刷術が普及する16世紀には、そのラテン語刊本がパリで刊行されたのち、アナス・ヴィーゼルによってデンマーク語に翻訳され、より多くの人に読まれるようになった。その結果として、ローカルな文脈で継承されてきた『デンマーク人の事績』は、ラテン語を共通語として知識人が手紙の交換を通じて知的活動を行なう「文芸共和国」のネットワークを通じて、他のヨーロッパ人の目にも触れることになった。その影響を受けた最も著名な事例は、17世紀に執筆されたシェークスピアの戯曲『ハムレット』であろう。これは『デンマーク人の事績』に収められたアムレートの復讐譚にヒントを得た作品である（ただしシェークスピアは直接『デンマーク人の事績』を読んだわけではなく、別の作品を通じてアムレートの話を知った可能性が指摘されてい

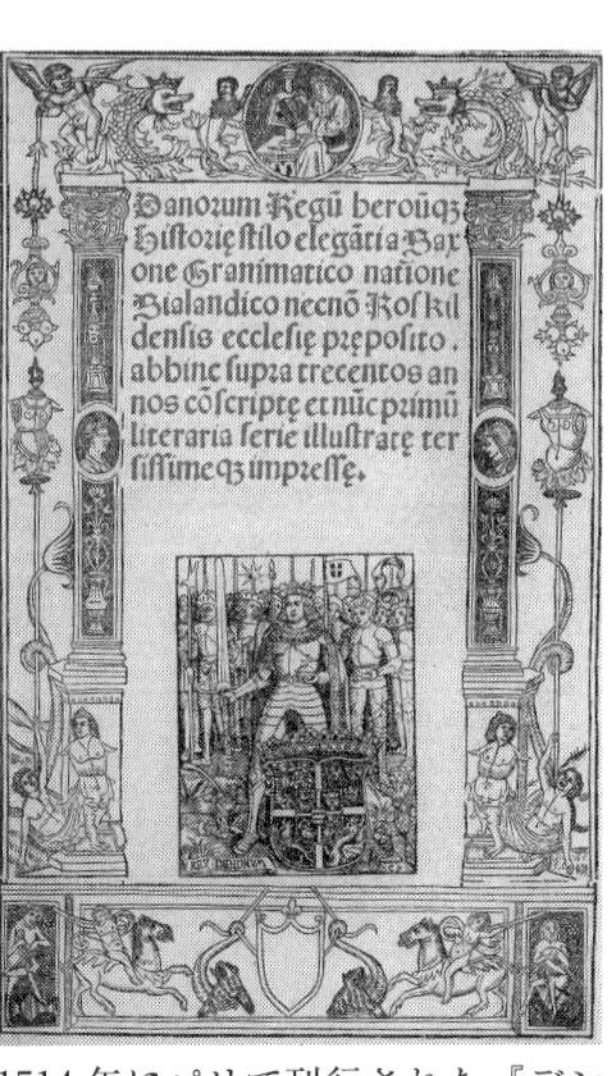
Danorum Regũ heroũqz
Historię stilo elegãtia Sax
one Grammatico natione
Sialandico necnõ Roskil
densis ecclesię preposito,
abbine supra trecentos an
nos cõscriptę et nũc primũ
literaria serie illustratę ter
sissimeqz impressę.

1514年にパリで刊行された『デンマーク人の事績』の表紙

る）。同様デンマークの事例にヒントを求めた『ベーオウルフ』（最古の写本が1000年頃）に続き、英国の中でデンマークの歴史はまた蘇（よみがえ）ることになった。先日公開された映画『ノースマン　導かれし復讐者』（ロバート・エガース監督）は、まさにこのアムレートを主人公に据（す）えた復讐譚作品であることを思えば、サクソの記述は、現在もなお力強く私たちの時代に楔（くさび）を打ち込んでいるといえようか。

これほどまでにデンマークにとって大きな意味を持つ『デンマーク人の事績』がラテン語で執筆された13世紀初頭は、ラテン語のみならず、俗語である古デンマーク語もさまざまな形で残る時期でもあった。第18章で触れた『スコーネ法』、『シェラン法』、『ユラン法』という法律書は、いずれも古デンマーク語で執筆されていた。すべての人が文字の読み書きができたわけではなく、ラテン語にせよ古デンマーク語にせよ利用していたのは教育を受けた聖職者が中心であったが、役人は行政文書を俗語で書くこともあったし、都市部では商人たちも記録のために用いていた。カルマル連合体制は、アイスランドと共通する言語を用いていたノルウェーのデンマーク語化を促進した。近世になるとデンマーク語の普及は一層進み、先述した『デンマーク人の事績』の翻訳、聖書を含むプロテスタントの宗教文献、そしてバラッドのような世俗歌謡なども印刷されることになった。イデオロギーや実務ではなく、楽しみを共有する世界がデンマーク語で現れ始めた。

（小澤実）

44

モルボーの話（Molbohistorier）

―――★モルスの住民が愚か者として有名になったわけ★―――

コペンハーゲンの空港から北西へ車で約2時間走ると、シェランス・オゼという岬に行き着く。そしてフェリーに乗り55分の船旅、するとそこはもうユランの地で、コペンハーゲンの都会の喧騒(けんそう)も知らぬまま、一気に東ユランの自然の中に飛び込むことになる。上陸するのは人口7000人ほどの町エーベルトフトで、昔の小さな市庁舎、かつて活躍した木造軍艦「ユラン」、ガラス美術館などを見学して多少の観光を楽しむこともできる。

通りを歩いていると、店の看板に昔の人たちの何かの様子が描かれているらしいことに気づき、やがてそれが「モルボーの話」（モルボーとはモルスの住民の意）として知られている有名な話のお馴染(なじ)みの場面だとわかってくる。たとえば次のような話である。

「コウノトリと牧童」　コウノトリが餌をさがして麦畑を歩きまわっている。せっかく実った麦が踏まれてしまうのではないかと心配したモルボーたちは、村の牧童にコウノトリを追い払わせようと決めた。いざその男が畑に入ろうとしたとき、皆はその男の足がとても大きいことに気づく。男のほうが沢山麦を

コウノトリを追い払うモルボーたち（筆者撮影）

踏みつぶしてしまう。どうしたらよいだろう、そのうち1人がいい考えを思いつく。男の足が地面にふれなければいいのだ、畑の木戸を外しそれに男を乗せて皆で運ぼう。こうしてモルボーたちは男を担いで畑に入っていった、という話。

いかにも細いコウノトリの足が麦を踏みつけたとしてもほんのわずか、ほうっておけばよいものを過剰に反応してしまった。人間の足のほうがよほど沢山踏みつけてしまう、と気づいたまではよいのだが、解決策として、その男の足さえ畑の地面に触れなければと目先のことしか考えなかった。お神輿（みこし）のように男を担いで8人が畑に入ったのだから、どれほど麦が踏みつぶされてしまったことだろう。コウノトリのほうは追い払われるまでもなくすぐに飛び立ったにちがいない。

「教会の鐘」　敵が攻めてくるという噂に動転したモルボーたちは、大事な教会の鐘をまず守ろうとする。敵に見つからないようどこかに隠そう、どこにするか、そうだ海の底がいいと話がまとまる。苦労して鐘を塔から降ろし、小舟に何とか載せて沖に漕ぎ出した。さて海に沈めたはいいが、あとから見つけられるだろうかと不安になる。するとある男が提案する。ここに沈めたとわかるように舟べりに印をつければいい。男は早速ナイフを取り出し印をつけ、皆はこれで大丈夫と安心して帰った、という話。

素早く行動するのはよいが、教会の鐘をはずして下ろすというのは大変な労力である。敵が本当に攻めてくるかどうかもわからないのに、また実際敵が来たとして教会の鐘を奪ったりするだろうか。海に沈めれば確かに敵の目から隠せるが、そもそも自分たちがあとから見つけられるだろうか、そう考えたのは自然なことだ。できれば海に沈める前に気づくべきだったが。舟のここから沈めたと印をつけたとしても、舟はその後動いてしまうわけだから、印は何の意味ももたなくなってしまう。それなのにモルボーたちは無事問題は解決したと喜ぶ。

どちらの話でも、途中でこれはまずいと気づくのだが、1人が「いい考え」を思いつき、とんでもない見当違いなのに、周りの者たちがそれに賛成するというパターンがある。

モルボーの住むモルスとはどのあたりのことなのか少し詳しく見てみよう。ユランを右に向く人の横顔に見立てたとき鼻先に当たるのがデューアスランという地方である。この鼻先からまるで鼻水が滴り落ちるように小さな半島が湾をはさんで2つ南に伸びており、そのうち西側の半島一帯がモルスと呼ばれる土地である。エーベルトフトがあるのは東側の半島なので、厳密に言うとモルスに含まれないわけだが、実際には冒頭で見たようにエーベルトフトもモルスの町として扱われることが多い。このモルボーについて、いろいろな逸話を通じて周りと比べても特に愚かしいという風評が広まり、それがやがて「モルボーの話」として出版され定着していったのである。

「モルボーの話」を書き留めさせ最初に出版したのはクリスチャン・エローヴィウス・マンゴ（1739〜1801）という人物である。医師として社会活動にも深い関心を寄せていたマンゴは、10年ほどの間ユラン中部のヴィボーで活動している。ヴィボーでは印刷所開設の認可を得た後、1773年に新聞の刊行を始めたりもしている。そしてこの時期出版したのが「モルボーの話」を集めたもので、『モルボーの広く知られた賢い行ないと勇敢な業』。彼らの名誉のため他の者の楽しみのために出版』という題がついている。残念なことにこの初版本は1冊も残っていない。マンゴは1776年にヴィボーを引き揚げる際に印刷所を兄弟に譲り渡すのだが、その後1780年に第2版が出版され、こちらのほうは2冊保存されている。

人間の愚かな振る舞いや失敗を笑う話は大昔からあり、世界中に同じような話が広まっている。今も新聞や雑誌にちょっとした笑い話のコーナーが設けられ、日々新しい話が作られている。「モルボーの話」もいわばそうした話の一例にすぎないわけだが、マンゴが出版したことにより、モルボーらしい失敗とはどういうものかその枠組みがわかりやすくなり、「モルボーの話」というジャンルができあがったと言えるかもしれない。題材は古典的であっても、塩漬けニシンが好物であったり、オーフースの町で鉄砲や鍋を買ったり、一面の麦畑の中をコウノトリが闊歩している様子、道にべったり広がっている牛の糞など、身近な人物や自然がうかがえる話は特別にユラン的なものと映る。

初版はささやかに13の話だけだったものが、数年後の第2版では新たに17の話が加わり計30話となった。その後も「モルボーの話」と称されるものは増え続け、マッチや電信など18世紀にはまだなかったものが登場する話も生まれている。挿絵入りの薄手の本は観光土産として良い記念になるのであろう。エーベルトフトで1956年出版のものには23話、1998年出版のものには42話載っている。アートゥア・クレステンセンという学者が1939年に著した『モルボーの賢い行ない』という本には、代表的なものとして94の話が挙げられている。

（福井信子）

45

海の存在からの警告

★デンマーク人が語る異文化間に通ずるもの★

1576年秋、サムスー島という小島から1人の老農夫が神のお告げを伝えるために国王の謁見を受けようと王宮にやってきた。彼が海岸近くの畑で農作業をしていたとき海から上がってきた人魚が彼に声をかけたという。人魚が陸に上がってきて話しかけることは、当時としては珍しいことではなかった。人魚は神からのお告げを伝えた。ソフィーイ王妃が男の子を身ごもり、それまで女の子しか生まれていなかったので、すなわち、王太子を授かるであろうと、その農夫がフレゼリク2世王に伝えるようにと。そして、その子が幼いうちには命の危険にさらされようとも偉大で勇名を馳せる王になるであろうと告げさせた。神は王国内にあまりに多くの道徳的罪や邪悪が蔓延していることを非常に怒り、国王がそれらを取り除くことに期待したのである。それらは明らかに事実であったので、国王はそれを約束し、その農夫に褒美を与えて、故郷に帰らせた。

翌夏、サムスーの農夫が人魚が彼に託したお告げを携えて王宮にふたたび出向くことになったが、今度は国王側の約束が果たされていなかったため、満足のいく結果とはならなかった。老人は出かけて行ったものの、国王による謁見はかなわず、わずかな旅銀を与えられたのみで、故郷に帰された。国王の神学助言者は、承諾しがたい使いが伝える神からのお告げにもはや耳を傾ける必要はないとした。その後、王子が生まれ、無事に成長し、彼はのちにクリスチャン4世として知られるようになった。

人魚はそれ以来二度と現れなくなった。当時の彼女の姿をあらわした絵は、伝わっていないが、彼女の外見に特に引っかかるところが何もなかったので、きっと私たちが知っている普通の人魚のようなものだったのだろう。それは私たちの内側にある共通のイメージを語るものなのだ。

人々のイメージに忠実な描写の「若い人魚（En ung havfue）」作曲家カール・ニルセンの妻、彫刻家アネ・マリーイ・カール＝ニルセン作（1920 － 21）
出典：ビアギト・イェンヴォル撮影

1846年5月、南日本の熊本の沿岸では漁民たちが、夜に海の中で光るものを何回も見ていた。何がそこで起きているのかを調べるために将軍から1人の役人が遣わされ、彼はその光景を目にした。すると人魚が水中から現れた。当時としては、そのことは特別なことではなかった。彼女の身体はうろこに覆われていて、鰭のような形の3本の足を持っていた。髪の毛は非常に長く、口はアヒルのくちばし——当時は当然存在していなかったとはいえ、ボトックス注射で口角を上げたような唇——を思わせた。

彼女は役人に、自分自分はアマビエで、広い海洋に住んでいて、予言を伝えるためにやってきたと語った。すなわち、これから6年続けて豊作に恵まれるが、そのあとに、恐ろしい疫病が流行り、多くの人が病に伏し、死ぬだろうと語った。そのときに病人たちにアマビエの絵を見せて救うように、そしてその絵はアマビエだとその者たちに告げるようにと言った。

そして、彼女は海に帰っていった。

役人は急いで彼女の言葉を書きとり、彼女の絵を描いた。日本人的な勤勉なふるまいである。その後、その絵とその話が、荒っぽく言えば当時の今風の新聞（かわら版）を通じて日本中に広まった。アマビエはそれ以来姿を現してはいないし、その後の影響もサムスー島の人魚のそれといささか同じ問題を抱えているようだ。もしその現れた経緯を無視して、より長いスパンでの影響を考えないのなら、その人気は短期間で終わってしまう。予言とは一般的に言って時間が経ってしまうと、初めに人を惹きつけた魅力がなくなってしまうものなのだ。

それでもアマビエは2020年のコロナ禍において、日本および世界を舞台に、突然の、そして強烈なカムバックを果たしている。コロナの蔓延を背景に、オリジナルな姿と芸術的解釈を経た姿の双方が人々に受け、サンリオがキティちゃんを用いたように、器用さにあふれた日本の会社がアマビエに関連させて利益をもたらすいろいろな製品を作り出していった。

しかし、サムスー島での神託が未来を予見したというようなことがふたたびデンマークでは起こらなかった。あの人魚の予見が今のデンマークの状況とは合致しないためであった。デンマークでは、すでに両性のどちらもが王位継承者となれるのであり、また、もはや君主の責任の範囲が国内の道徳的罪や邪悪といったことには及ばないからだ。コロナ流行期のはじめに、非常に警戒するようにと、女王陛下は我々に強く促していたし、当時フレズレクセン首相の忙殺ぶりを心配された女王が、(甥たちを気にかけながらカードゲームに参加する叔母のように) 首相のために「女王“叔母(おば)さん”のカード(Tante Dronning-kortet)を引きましたよ」とおっしゃられた、と首相が表現した。

さらにデンマークの「海に棲む存在」のユニークな背景としてもう1つの側面を紹介しておこう。1837年以来アンデルセン(H・C・アナセン)童話に出てくる人魚姫(Den lille Havfrue)の評判が世界中の海に同心円の波のように広がっていき、1人の彫刻家による首都の波打ち際の岩に座っているというファンタジックな解釈がデンマーク観光の最大の呼び物となっている。それによって、1つの芸術作品がすべての関心を集めてしまい、そのことで「海に棲む存在である人魚の生息地」を無くさせてしまったのである。一方、興味深いことに、現代美術を収蔵するルイシアナ美術館刊の草間彌生が描く『人魚姫』(Hans Christian Andersen & Yayoi Kusama, The Little Mermaid, 2015)の表紙には、はっきりとアマビエに似た人魚が描かれていて、そこには世界中の人魚はお互いに同種だと語られているのだ。

筆者は日本で最も知られている人魚、アマビエのことをコロナ禍のなかで知った。現在だれも彼女の存在とかその霊力を信じてはいないものの、コロナに立ち向かう戦士として輝かしい

1846年に役人が描いたオリジナルな肖像画「アマビエ」が、2020年の日本の厚生労働省のコロナ感染予防キャンペーンに登場。世紀を超えた優れたグラフィックの伝統を、厄除けと国民共通の意識を描いたアマチュアによる画像に結びつけることができるのは、きっと世界中どこへいってもほかの国では成しえないことだろう。

今、マスク着用のモチーフとして、北斎の霊峰富士を背景に大波を描いた『神奈川沖浪裏』（1829年頃）を意匠とした絵の中にアマビエが描かれたものがある。布地印刷ではじめタイで作られた漫画風のデザインで、英国から発売され、さらにステッカーマークとして印刷され、ドイツ経由でオランダで売り出された。同様の物が、オーストラリアのDesignerbikesのネットで買うことができ、それらがデンマークのような遠い国々でも手に入れることができる。
出典：ビアギト・イェンヴォル提供

再登場を果たした。デンマークでアマビエに匹敵する人魚とは、と考えるとき、名高き妊娠を予言してデンマーク史上の「熱狂」の1つを巻き起こした、名もなき人魚ということになろう。まさに、あちらはあちら、こちらはこちら、ということである。

日本の大衆文化では、昔から総称して「妖怪」と呼ばれる奇妙な怪物たちであふれている。それらは今もとりわけ漫画やアニメのなかで盛況を博し、一方、クリスマスに赤い服を着た小人「ニセ」とかの親しみ深いトロールたちを除いて、デンマーク人の民間信仰におけるいろいろな存在とは正反対である。筆者の日本の妖怪に関する知識は表面的であっても、アマビエが「人魚」だということに興味を引かれ、ましてや国家がコロナに対する戦いに彼女を据えたという現象に一層の興味を掻き立てられた。デンマークにおける直接的な同様の例は見出しえないが、保健行政において有名な子どもの本『世界でただ1人のパレ（Palle alene i verden）』を引き合いに出して、お互いに距離を取らせようとしていたことを思い出す。

（ビアギト・イェンヴォル／村井誠人訳）

46

現代デンマーク文学事情

★女性の書くオートフィクション★

21世紀に入り、国境、民族、家族、ジェンダー、メディアなどさまざまな枠組みが刻々と変化していくなかで、私たちの日常はたえず社会の流れに翻弄（ほんろう）され、大なり小なりの変革を迫られている。今日のデンマーク文学に目を向ければ、ここ最近10年間の文芸潮流は世界のこうした社会情勢にまさに呼応しているようにみえる。とりわけ今の時代、多くの作家たちが関心を抱くテーマは紛争、移民問題、家族関係、多様な性のあり方、環境問題などグローバルな社会問題であり、それらを自己のアイデンティティの探求に重ね合わせながら表出していると言えるだろう。

そのなかで、本章ではとりわけ現代のデンマークの女性作家の活躍に目を向けてみたい。2022年に女性研究者3人によって『70年代の声（Stemmer i 70'erne）』というデンマーク文学教本が出版された。本書は1970年代と半世紀が過ぎた現在2020年代の文学のあいだに類似性がみられることを前提として編集されたものである。現代の若手作家たちが70年代文学を再活性化させ、当時のテーマや美的要素にインスピレーションを得て新たな創作形態を模索している現象に注目し、現代のレンズを通して70年代を再考している。３人の女性研究者が取り上げた作家は6人の女性作家であるが、そのなかでトーヴェ・ディトレウセン（Tove Ditlevsen：１９１７〜１９７６）は、現在世界中でブームを巻き起こしているオートフィクションというジャンルを半世紀前にすでに先取りしていた点で、再評価の誉れ高い作家である。

ディトレウセンは１９３９年詩人としてデビューして以来、薬物自殺によって命を絶つ１９７６年まで、大衆の心を深く惹きつけてやまなかった国民的作家だ。首都コペンハーゲンの下町の労働者階級の家に生まれ、終生コペンハーゲンに留まり、詩においてもフィクションの中でも、回想録においても絶えず自らの赤裸々な心情を吐露し、自らの女性性をありのままに綴ってきた。代表作は詩集『乙女心（Pigesind）』（１９３１）、『女心（Kvindesind）』（１９５５）、小説『少女時代の道（Barndommens gade）』（１９４３）、回想録『少女時代（Barndom）』（１９６７）、『青春時代（Ungdom）』（１９６７）、『結婚（Gift）』（１９７１）などが挙げられる。これらの作品は70年代後半に起こった女性解放運動がきっかけとなり第一次リバイバルブームが訪れたが、没後はモダニズム文学の隆盛とともにほとんど顧みられることはなかった。ところが、２０１７年にディトレウセンが生誕１００周年を迎える2年前ごろから第二次リバイバルブームが訪れる。この2度目のリバイバルブームの火付け役となったのが、若干29歳の詩人・作家・文芸評論家として活躍するオルガ・ラウン（Olga Ravn：１９８６〜）である。ラウンが２０１５年に、ディトレウセンが新聞、雑誌などに遺したエッセイやコラム、読者への手紙を編纂し、『私は未亡人になりたかったし、詩人になりたかった（Jeg ville være enke, jeg ville være digter）』（２０１５）と題する遺稿集を発表すると、たちまちこの本はベストセラーとなり、いよいよディトレウセン復活が信憑性を帯びてくる。そして生誕１００周年を祝う２０１７年には『私のなかに死にたくない少女がいる（Der bor en ung pige i mig, som ikke vil dø）』（２０１７）と題する記念詩集が再びラウンの編集によって出版された。王立劇場で上演された女性だけの前衛劇団による「トーヴェ！　トーヴェ！　トーヴェ！（"Tove, Tove, Tove"）」（２０１６）が好評を博したことも手伝い、一気にトーヴェ・ブームが花開いた。その後も、ディトレウセンの作品の新装版が主としてラウンの編集によって相次いで出版された。ラウンが編集者として果たした役割も大きいが、昨今のソーシャルメディアがこのトーヴェ・フィーバーをさらに過熱させた。インスタグラムやツイッターで発信されるトーヴェをめぐる情報は国内はもとより国外にも拡散され、国際的なブームを巻き起こすに至った。今や、ディトレウセンの回想録『少女時代』、『青春時代』、『結婚』はコペンハーゲン三部作として、２０１９年にイギリス、２０２１年にアメリカ、そして今年ついに日本でも邦訳（『結婚／毒―コペンハーゲン三部作』枇谷玲子訳、みすず書房、２０２３年）が刊行された。ディトレウセンの作品は、女性の人生への深くて鋭い洞察に満ちあふれている。第二次世界大戦後の女性に期待された生き方、つまり家庭における妻・母親の役割と職場での仕事との両立の葛藤について、不安も怒りも呻きもタブーもすべて含めて淡々と綴ってきた。だからこそ彼女の生き方は、現代の若手女性作家たちに大きな勇気と創作のインスピレーションを与えているのだ。

オートフィクションという用語はすでに１９７７年にフランス人作家によって「素材となるものが完全に自伝的であるとともに、語りが完全に虚構である物語」と定義されたと言われているが、今日オートフィクションが世界的なブームを呼ぶきっかけとなったのは、ノルウェーの作家カール・オーヴェ・クナウスゴールの『わが闘争』（２００９～２０１１）であろう。また昨今では２０２２年にノーベル文学賞がオートフィクションの女王として名高いフランス人作家アニー・エルノーに授与されたことも人々の記憶に新しい。オートフィクションが空想と事実の境界線を越え、自伝、回想録、日記、書簡集、詩、小説を跨ぐ新たな文学ジャンルとして現代の読者を惹きつけてやまないのだとすれば、それはオートフィクションが、あらゆる差異を越えて自分と同じ「内面」を備えた他者に、人間として「共感」することができる醍醐味を与えてくれているからかもしれない。

ちょうどトーヴェ・フィーバーが佳境に入った２０１８年にデンマークの若手女性作家レオノーラ・クリスティーナ・スコウ（Leonora Christina Skov：１９７６～）が母の死をきっかけに、レズビアンであるがゆえに母に愛されなかった娘としての自己、その母を許すことができない自己、母から解放され独り立ちを望む自己、しかしながら死んだ母になおも母の愛を求める自己を曝け出す物語『静かに生きるもの（Den, der lever stille）』（２０１８）を発表した。これは、レオノーラの個人の物語であると同時に、レオノーラの母の物語でもあり、そして母娘の普遍的な物語でもある。この小説は刊行された年に「ゴールデン・ローリエ賞」（本屋大賞）を受賞し、２０２２年には図書館の文学サイトと読書によって選ばれる「20年間で最も読まれた本」に決定した。

「書くことは自分自身を捧げること。そうでなければ芸術ではない。カモフラージュすることはできるが、書くのは常に自分自身なのだ」と語ったディトレウセンの影響は今しばらく続きそうである。

（田辺欧）

47

デンマークが生んだ世界文学作家

★21世紀にカレン・ブリクセンを読む★

19世紀末、当時ヨーロッパに文芸批評家としてその名を馳せていたブランデス（Georg Brandes：1842～1927）は1883年に『近代夜明けの作家たち（Det moderne Gjennembruds Mænd）』（1883）を著し、ヨーロッパに北欧の新しい時代を告げる作家を紹介した。しかし彼はその中で「芸術的天分は男性的なものである。女性は決して芸術家に成り得ない」と断言し、いっさい女性作家を紹介しなかった。一般に女性の性の解放が最も進んでいるといわれる北欧にあって、この大家の吐いたひと言は作られた神話となり、永年北欧女性文学の発展を阻んできた。その突破口を開き、独自の世界観を展開し、今や世界文学作家の1人に数えられるのがカレン・ブリクセン（Karen Blixen：1885～1962）である。

今日ブリクセンは前章で紹介したディトレウセンと共にデンマークの女性文学の双璧をなす作家と言っても良いだろう。実際に現在、小・中・高等学校では国語教育に取り上げるべき文学が、「カノン」（いわば、規範）として指定されており、それは古歌謡と14人の作家で構成されている。そのうち小・中・高において共通の女性作家は現在のところわずか2人しかいない。

カレン・ブリクセン@Rungstedlundsamlingen

女性がわずか2人しかいないという議論はさておき、その2人がブリクセンとディトレウセンなのである。2人は生まれも育った環境も正反対であり、文体や作風もまるで異なる。ブリクセンはブルジョア階級の出身でスウェーデン人の貴族と結婚、17年間をアフリカでコーヒー農園の経営に携わった。50歳間近で作家としてのデビューを果たすが、高雅で古風な文体と神秘的な題材はともすれば大衆に敬遠される対象だった。しかし没後半世紀を過ぎた2010年あたりからブリクセンが一般社会の中に新たな形で受容されていく過程が見て取れる。

ブリクセンの作品においては、しばしば女性が主人公となり物語の舵（かじ）を取る。そのせいだろうか、とりわけ今日においてはフェミニズムの観点から読み解かれることが多い。たとえば、1957年に出版された『最後の物語』（Sidste fortællinger：1957）のなかの一編「空白のページ」もその1つだ（『新装版レズビアン小説短編集』所収、利根川真紀訳、平凡社ライブラリー、2015年）。本作品では語り部の老婆が城門のそばで、日々の糧を得るため、代々語り継いできた物語を披露する。老婆は「語り部は物語に対してあくまで忠実であり続けること。そうすれば最後には沈黙が語り始める」と前口上を述べる。そのあと、「空白のページ」と題する話を語りだす。それはポルトガルの女子修道院をめぐる物語であり、これが枠物語として組み込まれている。

俗世から隔絶したポルトガルの山腹に立つ女子修道院。そこに集う修道女たちの使命は、婚礼を挙げ初夜を迎える皇族の王妃たちに純白の亜麻布のシーツを織り上げ献呈すること、その後処女の証として「血の染み」がついた初夜のシーツをふたたび修道院に送り返してもらい、それを額に入れて修道院の回廊に展示することだった。ところが修道院の回廊に掲げられた額の中に「一点の染みもない純白の亜麻布」が1つ存在し、巡礼で訪れる女性は皆、この額の前で足を止め物思いに耽（ふけ）り沈黙するのだった、と老婆は語り終える。

この作品は私たち読者に実にさまざまなイメジャリーを提示しているが、その中心に置かれるのはタイトル「空白のページ」が示唆する隠喩（いんゆ）である。1つは語り部が語り得ない、そしてまた巡礼の女性たちを物思いに耽らせる「沈黙」とは何か、もう1つは純白のシーツに隠された「秘密」とは何かの2つであろう。これらには多様な解釈が可能だろう。読者としてはこれらの解釈を読み解き、空白のページを多少なりとも埋めたくなる。そこにこの作品の意義と面白さがある。

「空白のページ」に登場する女性は、生きる世界も住む世界もまったく異なる女たちだ。語り部の老婆は珈琲色の肌に黒衣を纏（まと）い、男たちの寵愛（ちょうあい）を受ける女であり、一方語られる側の女は、俗世とは無縁の世界で真白の亜麻布を織る穢（けが）れなき修道女たちである。ここには「女性」というジェンダーのなかに潜む表裏の側面が、表象される双方の色とともに対照的に描き出されるが、そのいずれかに対して価値審判が下されるのではない。本作は女性だけの世界でしか語り得ない、女性だけの物語である。しかしながら、ここに書き込まれた「沈黙」や「秘密」は、「女性」という閉じられたジェンダーの枠組みのなかでのみ議論されるべきではないだろう。私たち現代の読者がこの物語を通して気

カレン・ブリクセンとその生家（現在はブリクセン博物館）@Rungstedlundsamlingen

づかされること、それは、既存のジェンダー意識に囚われないことだ。

そう考えれば、彼女が性の異なる2つの筆名を有する二言語作家であったことにも説明がつきそうである。ブリクセンはほとんどの作品を、デンマーク語版では実名のカレン・ブリクセン（Karen Blixen）、英語版ではイサク・ディーネセン（Isak Dinesen）の筆名で発表した。「イサク」は旧約聖書のイサクを転用したものであり、男性名であり、「笑い」の意を有している。ブリクセンは運命に弄ばれた自らの人生を「笑う」ことで、あまたの逆境に対峙しようとした。また2つの筆名を用いることで読者に対してジェンダーの撹乱（かくらん）を意図したと言われている。さらに娯楽性の強い推理小説には別名ピエール・アンドレゼルという男性名が用いられた。

「娯楽性」はブリクセン研究においては長らく等閑視されてきたが、実はブリクセン文学の基盤をなす「ユーモア」に繋がるものとして決して看過できない特性である。生前ブリクセンがベルギーの放送局から受けた最後のインタビューにおいて若い世代に遺した言葉の中には、「ユーモア」、「娯楽」、「愉しさ」が繰り返し用いられている。私たちは、ブリクセンを知ることが「楽しく」そして「面白い」可能性を秘めていることにもっと気づいてもよいのである。近年はこうしたブリクセン作品における「娯楽性」にも注意が向けられている。

数年前にブリクセン博物館で開催された特別展では、忘れ去られていた小品『まぼろしの馬』(Spøgelseshestene：1955）が取り上げられ、多くの子どもが観客として動員された。新聞やインスタグラムなどに掲載された画像には、一様に子どもたちが展覧会のなかで楽しく遊ぶ姿が写し出されている。現代デンマーク社会に求められるブリクセン文学の立ち位置が今まさに少しずつ変わりつつある様子が窺（うかが）える。またメディアを通したサブカルチャーとしてのブリクセン受容も最近話題をよんでいる。ブリクセンと詩人トーキル・ビャアンヴィー（Thorkild Bjørnvig：1918〜2004）との特別な交友関係を描いた「契約」が2021年に劇場で一般公開された。そして2023年秋には遺作『エーレンガード』(Ehrengard：1963、邦訳『エーレンガード』桝田啓介訳、ちくま文庫、1989年）がネットフリックスのプラットフォームで世界配信されることが決定している。どちらの映画もこれまで、多数の名だたる国際賞を受賞しているビレ・アウグストが監督を務めている。『エーレンガード』のセットデザインはデンマーク国民に愛されてやまないデンマーク女王マルグレーテ2世が制作に携わり、前評判が高い。日本のブリクセンファンにとっても見逃せない映画となりそうだ。（田辺欧）

48

グローバル時代におけるアンデルセン

★現代の人々とアンデルセンを繋ぐ再編作品の魅力★

童話の王様といわれるハンス・クリスチャン・アンデルセン（Hans Christian Andersen）のおとぎ話を知らない人はいないのではないだろうか。『みにくいアヒルの子』、『人魚姫』など世界的に有名な作品を数多く世に送り出してきたアンデルセン（デンマーク語音では、H・C・アナセン）であるが、彼が生きたのは19世紀と今から2世紀も前のことである。それゆえに、現代の読者がアンデルセンの原文を読みその真価を味わうことは容易ではない。それでは、グローバル化の時代の現代デンマークにおいて、アンデルセンやその作品はどのように扱われているのだろうか。

『ハンス・クリスチャン・アナセン：喜びと悲しみとたくさんの冒険に満ちた人生』（*Hans Christian Andersen : et liv med modgang, medgang og en masse eventyr*）は、２０２２年に出版された伝記絵本である。現代デンマークを代表する児童文学作家、キム・フォプス・オーケソン（Kim Fupz Aakeson）のテキストと数々の挿絵を手がけるシーネ・ケーア（Signe Kjær）のイラストがうまく調和している。アンデルセンといえば、作品が圧倒的な知名度を誇る一方で、その生涯についてはあまり知られていない。この絵本は、そんなアンデルセンについて改めて語りなおそうとしている。この絵本の背表紙において表現されているように、「アンデルセンは多くのことを語ってきたが、今度は彼についてたくさん語るとき」なのである。また、アンデルセン作品にアンデルセンの生涯や考え方を読み解く解釈は昔から広く行なわれており、たとえば『みにくいアヒルの子』においてあまたの苦難を乗り越えたみにくいヒナが、美しい白鳥に成長するというストーリーは、19世紀という時代に貧しい靴屋の息子として生まれたアンデルセンが、デンマークを代表する作家になったという当時には考えられないほどのサクセスストーリーと共鳴するといわれる。この絵本も、温かみのある絵柄でアンデルセンの生涯を描きながら、合間には彼の作品の抜粋が紹介される。アンデルセンの生涯と彼の物語の関連を意識してのことであろう。

『ハンス・クリスチャン・アナセン：喜びと悲しみとたくさんの冒険に満ちた人生』における、『みにくいアヒルの子』のイラスト
出典：Aakeson, Kim Fupz, and Signe. Kjær. 2022. *Hans Christian Andersen: et liv med modgang, medgang og en masse eventyr.* 1. udgave. s. 10. København: Carlsen.

同様に、アンデルセンの生涯と彼の作品について新たな視点から語りなおそうとしているのが、2021年にアンデルセンの生誕地・オーゼンセにリニューアル・オープンしたアンデルセン博物館である。日本でも、建築家の隈研吾の事務所によって設計されたことが紹介され話題となった。木や

オーゼンセのアンデルセン博物館における『人魚姫』の展示
出典：2022年6月17日、筆者撮影

光や自然を活かした居心地の良いつくりとなっているこの博物館を特徴づけるのが、没入型の展示である。音や光、映像のような現代的な効果を駆使しながら、デンマーク内外で活躍するアーティストと協働しており、洗練されたデザインや芸術性も忘れてはいない。例を挙げれば、この博物館のデンマーク語オーディオテキストを手がけたのは、先に述べたキム・フォプス・オーケソンである。

博物館の来館者は受付でデジタル端末とヘッドフォンを借りる。展示には番号が割り振られており、端末を首から下げた来館者が近づくと自動で音声が再生され展示側の効果も作動するという、なかなかに新しい仕組みである。音声にはナレーターの叙述だけではなくアンデルセン役の俳優による語りも含まれており、来館者は薄暗い館内に浮かび上がるアンデルセンの物語を耳と目で味わいながら、あたかもアンデルセンの生涯をリアルタイムに体験しているような感覚になる。アンデルセンの生涯に関する展示は数部屋にわたってテーマを変えて続き、来館者はスロープを下りながら展示を巡っていく。最下階にはアンデルセン作品に関する展示があり、さまざまなアートで表現された『雪の女王』や『おやゆび姫』といった作品が待ち受けている。たとえば、『人魚姫』の展示では周囲の壁となる部分を人魚姫が悠々と泳ぎ、海草を模したオブジェを覗き込めば『人魚姫』の物語を紡ぐアニメーションが動き出す。来館者は、石を模したクッションに座りながら、あたかも自分が人魚姫の海にいるかのように展示を体験することができる。

続いてはやや趣向を変えて、アンデルセン作品が現代に合わせた形で再編される例を検討してみたい。マニュ・サレーン（Manu Sareen）はインド生まれであり、デンマークで政治家としても活躍している作家である。インド人の両親を持つという自身の背景から、彼の作品は「社会的統合」を大きなテーマとしている。同テーマの代表作に『イクバル・ファルーク』（Iqbal Farooq）シリーズがあり、それ以外にも有名なおとぎ話を新たに書き直す取り組みをしている。彼のアンデルセン翻案作品は2023年6月時点で3作あり、それぞれアンデルセンの『まぬけのハンス』『裸の王様（直訳では皇帝の新しい服）』『父さんのすることはいつもよし』をもとにした、『まぬけのハッサン』『ギャングスターの新しい服』『いとこのすることはいつもよし』がある。これらの翻案（ほんあん）作品はアンデルセン作品を現代風に捉えなおしたものであり、いずれの作品でも舞台は現代デンマークに改められている。それと同時に主人公たちの属性も変化し、『まぬけのハッサン』の主人公ハッサンは原作通りの田舎の古い従者の家系ではなくムスリムの八百屋一家の息子で、『ギャングスターの新しい服』のキラーデニスは王様ではなくかっこいいギャングになりたい少年である。こうした改変によって、アンデルセンの物語は、グローバル時代である現代の子どもたちにとっても身近に感じられるものになるのであろう。

これまで本章では、アンデルセンの生涯やそのおとぎ話が再編される様子を、現代の視点から概観してきた。これらの再編作品には、現代に生きる我々の「今ここ」の生活と、アンデルセンの世界との接続を円滑にする働きが読み取れる。換言すれば、アンデルセンの生涯や彼の作品をもとにした再編作品に触れることで、我々はアンデルセンに関する知識を得るのみならず、それらを包括するデンマーク文学や文化、歴史という広大な世界に誘われるのである。

日本でも2023年6月9日に公開されたディズニーの実写映画『リトル・マーメイド』において、1989年のディズニーの同名アニメーション映画では白人で赤毛であった主人公アリエルを、アフリカ系アメリカ人の歌手ハリー・ベイリーが演じることが世界的な話題を集めた。これは、今なお翻案作品が発表され続けるという、アンデルセンの現代にいたるまでの影響力の大きさを示すものであるとともに、現実世界のテーマと共鳴して世界的な議論を喚起するという、アンデルセン作品の新たな受容の可能性をも含んでいる。この映画も含め、今後のアンデルセン再編作品の動向にも注目し続けたいものである。

（久木田奈穂）

コラム4

科学と文学のコラボ絵本の誕生

勝矢博子

デンマークには、新しいコラボレーションを生み出す土壌があるのだろうか。量子力学などを絵本の題材に取り込み、注目を集めているデンマークの絵本シリーズがある。ウルレク・ホフとヤン・イーイスボーらによる「フィン・フォトン（Finn Foton）」シリーズ[注]である。２０１７年よりデンマークで刊行されており、シリーズ1作目については２０２０年に日本においても『フィン・フォトンさんと量子力学』（監訳：田辺欧、翻訳：勝矢博子、監修：前田京剛）として、アグネ技術センターより出版されている。

このシリーズ、デンマークでは5歳頃からの子どもを対象としながらも、「重ね合わせ」や「量子もつれ」といった量子力学の用語を登場させている他、デンマーク工科大学の研究者と、作家、画家のコラボレーションにより制作されている点など、ユニークな点が多々見られる。なかでも、単なる子ども向けの解説本ではなく、量子力学をファンタジーの世界に落とし込み、児童文学として成り立つ物語としている点は、他に類を見ない特異な点として挙げられる。このような絵本登場の背景や目的を見ていきたい。

まず、デンマークと量子力学と言えば、なんといってもニルス・ボーア（１８８５～１９６２）の名が挙がるのではないだろうか。ニルス・ボーアは光子の粒子性と波動性の二重性の解明に貢献するなど、多大な功績を残し、１９２２年にノーベル物理学賞を受賞した物理学者である。コペンハーゲンには現在もニ

日本語版『フィン・フォトンさんと量子力学』の表紙

ルス・ボーア研究所があり、量子力学の重要な研究拠点となっている。

絵本の協力者でシリーズの作者の1人である、量子力学研究者のウルレク・ホフによると、量子力学は今後世界的に需要が高まる分野として注目されている一方で、いかにして若年層の関心を引くかが課題となっているそうだ。学習が進むまで「量子力学」という用語や分野に触れることが少ないことも要因のようで、このような中で絵本という形式は、画期的なアプローチ策の1つとして浮上してきた面もあるとのことだ。

なおこの絵本シリーズのプロジェクトは、芸術家であるヤン・イーイスボーがウルレク・ホフらのチームに連絡を取ったことをきっかけに、始動したものであるそうだ。両氏は子どもたちの豊かな想像力とオープンな姿勢に注目し、子どもたちこそ常識では受け入れがたい量子力学の世界も受け入れられるのではないかと考えた。また、イメージを絵で示せるという絵本の特性を活かせば、数式を使わずとも基本的な概念の理解が可能ではないかと判断したとのことだ。こうして量子力学を扱う絵本が登場したのである。

この絵本を単なる量子力学解説本ではなく、

児童文学とするにあたっては苦心があったそうだが、奇想天外なストーリーと個性的なイラストにより、絵本としての世界観を楽しめるものに仕上げられている（なお余談であるが、デンマークの絵本の挿絵は隣国のスウェーデンなどと比較しても、奇抜なものが多い印象がある）。出版当初のデンマーク国内の反応としては、既存のジャンルに分類しがたい新しい絵本の登場に、読者やメディアは少なからず困惑していたそうだ。また一方で、研究者と芸術家のコラボレーションによる作品である点は、大いに注目を集めたとのことであった。

シリーズはその後も電磁気学や量子コンピューターなど、さまざまな科学分野とのコラボを展開している。ホフとイーイスボーはさらに、デジタルを駆使した新たな試みや、子ども向けの本の形式を採用した大人向けの物理学紹介本の執筆など、遊び心にあふれた試みを企画しているようだ。

今後もどのような試みが登場するか、興味が尽きないところである。

注：フィン・フォトンシリーズは当初Dome of Visions社から出版されていたが、2018年以降はPolyteknisk Forlagから出版に切り替わっている。

49

エミーリアの泉

★18世紀のデンマーク絵画から★

「エミーリアの泉（Emiliekilde）」は、コペンハーゲンの北郊クランペンボーの、バルト海に隣接するゼーリュスト（スーリュスト）の庭園にある。その泉は、エアンスト・シメルマン伯爵が1780年に20歳の若さで亡くなった最初の妻エミーリエ（イミーリェ）のために建てた記念碑で、ドイツ・ロマン派の画家カスパー・ダーヴィト・フリードリヒ（1774〜1840）が1797年に水彩で仕上げた作品（「エミーリアの泉」、ハンブルク美術館）によってドイツでも知られるようになった。フォアポンメルン出身のフリードリヒは、1794年の秋から1798年の春までコペンハーゲンのアカデミーで学び、彼に続いてフィリップ・オットー・ルンゲ、ゲオルク・フリードリヒ・ケルスティングら北ドイツの画学生たちもここで学んだ。

コペンハーゲンの王立美術アカデミーは、パリの王立絵画・彫刻アカデミーに倣い、フレゼリク5世によって1754年に、コンゲンス・ニュトーウ広場に面したシャロテンボー宮殿に設立された。当初はフランス人の芸術家が教師として招かれ指導に当たっていたが、1770年代にはその指導を受けたデンマークの芸術家たちが教師となり、新古典主義の枠にとらわれない、独自の「北欧文化復興」を進めることとなった。その新しい芸術の創造に、スコットランドに伝わるケルトの古歌を集めて編纂したというオシアンの伝説や北欧神話、ゲルマンの歴史など北方的な主題が採用された。エミーリアの泉も、この北欧文化復興の一翼を担ったと思われ、後にフリードリヒの師となるニコライ・アビルゴー（Nicolai Abildgaard 1743～1809）とイェンス・ユール（Jens Juel 1745～1802）がそれに関わっていた。

ニコライ・アビルゴー「オシアン」1782年頃（コペンハーゲン、国立美術館）

新古典主義の歴史画家であるアビルゴーは、ローマでミケランジェロをはじめとするイタリア絵画を学んだが、同地で知り合ったスイス出身のドイツ人画家ヨハン・ハインリヒ・フュースリー（1741～1825）と意気投合して、「オシアン」（1782年、コペンハーゲン、国立美術館）やシェイクスピア、ギリシア神話や北欧神話を好んで取り上げ、大げさな身振りの人物像で描いた。彼は彫刻家、建築家でもあり、1797年に落成式が行なわれた「自由記念碑」（現コペンハーゲン中央駅北側）の設計にも関わることになるが、シメルマン伯爵の依頼を受けて1781〜82年にゼーリュストの泉の記念碑を設計した。その赤みがかった花崗岩で建てられた新古典主義様式の記念碑は、高さが5・7メートルあり、3段の階段状の基壇の上に立っている。てっぺんに飾り壺を載せた庇（ひさし）のような板石の下、大理石のプレートに「エミーリアの泉（EMILIASKILDE）」と碑銘が刻まれ、その下の縦長の上に向かって尖った形をした大理石の銘板にはノルウェー人の詩人クリステン・プラムによる詩の形での銘文が表されている。プラムは、この記念碑建立に合わせるように、1782年に彼の出世作となった詩集『エミーリアの泉』を出版し、人気を博していた。プラムの詩集では、詩人が泉を訪れ、夜の静寂と空虚の描写を通じて伯爵の若くして逝った妻エミーリアの「不在」についての思いをめぐらせ、ヴァイキング時代の英雄詩に登場するハークバルトとシーネの悲劇的な愛の物語とも重ね合わされる。このような前（プレ）ロマン主義の感傷主義（センチメンタリズム）は記念碑の詩にも表れており、銘文では次のように歌われている。「エミーリア！／かつて、この場所に佇（たたず）んでいた貴女（あなた）は／ああ、もはや長きに亘（わた）って存在していない／ここは神聖な、貴方の好んだ場所／穢（けが）れなきこと、青空の清澄（せいちょう）さが／貴方の名が付けられたことで心を満たしてくれる／愛した者が／涙してその名を付けたように／1780年」。この詩からも、泉を神聖なものとする「泉崇拝」を読み取ることができる。

スカンディナヴィアのロココ期を代表する画家でもあるユールは、デンマークの自然主義的伝統に基づいた、親しみのある、繊細な感情表現を伴った肖像画を描いた。パリやローマなどで学び、ハンブルクでは若きゲーテにも多大な影響を与えた詩人クロップシュトックと会い、その肖像画を描いている。3年間のスイス滞在中にはジャン・ジャック・ルソーの思想に触れ、風景画にも取り組んだ。1780年にコペンハーゲンに戻って後は宮廷肖像画家に任命され、1782年にアカデミーの会員に選ばれた。ユールは1784年に「エミーリアの泉」（オーゼンセ、フューン美術館）を制作し、泉の記念碑をやや左方向から低い視点で見上げるように捉え、その形状や周囲の環境、変化に富んだ地形や植栽などを「正確に」、そして理想的に表しているように思われる。泉の後ろは高くなった斜面になっていて、青々とした草に覆われ、若い木々が植えられている。柵の向こう、左上には小高くなった広葉樹の林苑があり、その右側の谷間を跨（また）いで中国風の橋が架かっている。このような光景は、当時デンマークでも流行していた、クリスチャン・ヒルシュフェルトの『庭園芸術論』（全5巻、1779～1785）に記述された風景式庭園のタイプを反映していることが指摘されており、実際にスーリュストの庭園は、フレズレクスベア城、フレズレクスデール城の庭園などと共に、その著書の中でデン

イェンス・ユール「エミーリアの泉」1784年（オーゼンセ、フューン美術館）

マークの代表的な風景式庭園として名が記載されている。

ユールの絵では、泉の周り、左側にハーディ・ガーディ（ヴィエル）を弾きながら歌う辻音楽師、子ども、基壇の上に立ち頬杖をついたメランコリックな男性、ベンチに座って語り合う女性、散策する男女らが登場し、この庭園が老若男女、さまざまな身分・階級の人々が自然を享受できる場所であることがわかる。泉をアーチで覆う、基台の足元には水を汲むための柄杓（ひしゃく）が置かれ、水の入ったグラスを持った少年が基壇を勢いよく駆け下りていく。右側から泉に向かって歩いていく若い男女は、この絵に奥行きと動きを与え、鑑賞者の視線を泉へと導く。清澄な空の下、泉を捧げられた女性が人々の渇きを癒し、元気づけ、慕われ続ける存在となるならば、シメルマン伯爵の願いはかなえられたことになるだろう。

エミーリアの泉は、その後も詩に歌われ、黄金時代と言われる19世紀にも人気の行楽地であり、多くの絵画に描かれた。アビルゴーが初めて学長に就任したのは１７８９年のことだが、18世紀から19世紀にかけてコペンハーゲンのアカデミーはヨーロッパの芸術に大きな影響を及ぼすものとなり、ヨーロッパで最もリベラルなアカデミーと言われる。１８０３年にクリストファ・ヴィルヘルム・エカスベア（Christoffer Wilhelm Eckersberg　１７８３～１８５３）が入学し、アビルゴーの指導を受けた。その後エカスベアを中心にデンマーク絵画の黄金時代を迎えることになるが、彼もまた１８０４年にこの泉を描いていた。

（長谷川美子）

50

避暑地に恋する画家たち

★スケーイン画派のモデルと才能★

スウェーデンの作曲家ヒューゴ・アルヴェーン（Hugo Emil Alfvén、1872～1960）が、デンマーク最北端の避暑地スケーイン（Skagen）を訪れたのは、ある絵がきっかけだった。10代のころ、美術アカデミーの附属学校で学んだこともある美術好きの彼が、一目見て忘れられないほどの作品だった。

白い砂浜の波打ち際に立つ、若く美しい女性の全身像。背景に広がる薄く青い海原。静かに寄せる波に、残照の反映が点滅する。ほぼ等身大の女性の肉感的な身体を足元まで包む白い夏服のドレスには、真横から当たる夕陽が薄く黄金の色を射し、栗色の豊かな髪を後ろでまとめた女性の物憂げな横顔（プロフィール）を紅潮させる。すべてが黄昏（たそがれ）時の「青い時間（L'Heure Bleue）」の淡い青い光を浴び、足元に座る黒い猟犬も、脇に抱えた花束も、女性の輝くような美しさを強く浮かび上がらせるばかりだ。

「スケーインの夏の夜。海岸沿いの芸術家の妻と犬」（1892年）は、デンマークの画家ピーザ・シヴェリーン・クロイア（Peder Severin Krøyer、1851～1909）の油彩画である。この大作（206×123cm）は、デンマークの自由美術展（Den

Frie Udstilling）に発表、ミュンヘンの展覧会でも評判となり、1894年にはパリの国民美術協会のサロンで国際的に知られていた。購入したドイツの銀行家から後に売却したいと聞いた画家は、母国に残すことを望み、コペンハーゲンにあるニュ・カールスベア・グリュプトテーク美術館のオーナーに購入を依頼。1902年から同館で展

「スケーインの夏の夜。海岸沿いの妻と犬」

示されていた（現在はスケーイン美術館に移管）。

1892年に、スウェーデンの王立音楽学校卒業後、アルヴェーンは王立オペラ劇場の楽団の第二コンサートマスターとなり、作曲家としてもすでに交響曲を2曲、カンタータも発表、指揮者としても頭角を現していた。1897年にはベルリン、パリ、ブリュッセルに留学。この絵に出会ったのは、1901年から1903年までイェニー・リンド奨学金を得てヨーロッパ各地に研修旅行をしたときだが、まさかイタリアのカプリ島で、同じく一人旅をしていたこの絵のモデルの本人マリーイ・クロイア（Marie Triepcke Krøyer、1867～1940）と偶然出会うことになるとは思わなかっただろう。彼は、自分が絵以上にモデルそのひとに魅了されていたことを知った。じっさいこの絵を描いた画家クロイア自身が「美は真実だ、真実は美だ」（ジョン・キーツの詩句）とよく口にしたのは、16歳年下の

若い妻が本当に美しく、美そのものと思っていたからだ。

ドイツ人の織物工場の技術監督の娘としてコペンハーゲン近郊に生まれたマリーイは、3歳で画家のモデルを務めたほど、少女時代にコペンハーゲンでその美貌は有名だったが、本人はモデルでなく画家を目指していた。当時はまだデンマーク王立美術学校に女性の入学が許可されていなかったので、マリーイは知人の美術パトロン、ヒアシュプロング（Hirschsprung）を通じて、新進気鋭の画家で1882年に革新的な自由美術学校（Kunstnernes Frie Studieskoler）を設立したクロイアやラウリッツ・トゥクセン（Laurits Tuxen、1853〜1927）と面識を得ていた。1888年、絵を学びにパリに留学したマリーイは、クロイアと再会、激しい恋をし、デンマークに帰国後、結婚した。

パリでは同じくデンマークから留学していた8歳年上のアナ・アンカ（Anna Ancher、1859〜1935年）と親しくなった。アナはまだ小さな漁村だったスケーイン唯一の宿屋の娘で、1880年にアカデミーにスケーインの漁師たちを描いた群像《奴は岬を回れるだろうか？》を出品して注目された画家ミケール・アンカ（Michael Peter Ancher、1849〜1927）と結婚、夫とともに同地に住み続け、自らも画家として活動していた。マリーイにとってアナは信頼できる友人で、都会育ちの自分とは異なるアナの田園生活と芸術家夫妻が協力する家庭に憧れた。夫となるクロイアも1882年より夏の間、スケーインに滞在する常連で、アンカとも交遊があり、マリーイは夫に連れられて夏にスケーインに過ごすことになったときに描かれた絵がこの絵だった。

スケーインは19世紀半ばより、画家に好んで取材される地となる。北海（スケーイラク海峡）とバルト海（カテガト海峡）の2色の海流が衝突するスケーイン（古語で岬）は、漁師や船乗りにとって命がけの岬だった。19世紀前半のデンマーク絵画の黄金時代に始まったデンマークの田舎を描く風景画のジャンルは、ロマン主義の影響を受けると、劇的で悲愴（ひそう）なテーマにふさわしい海岸を、辺境のスケーインの砂丘の岩礁が突出する風景に見出した。

次いで1870年以降、社会的テーマに基づく自然主義・写実主義が美術界の最新潮流となると、スケーインはミケール・アンカとその友人カール・マセン（Karl Madsen、1855〜1933）、ヴィゴ・ヨハンセン（Viggo Johansen、1851〜1935）ら、現地に住みながら描く写実主義・自然主義の画家たちに、漁村の漁師たちの厳しくも勇壮な労働の画題を提供した。そして、1880年代以降は、クロイアやトゥクセンらの新世代が、フランスの印象派の影響を受け、コペンハーゲンの王立美術学校の保守勢力に対抗すると、外光と色彩を求める彼らに、スケーインの風物、すなわち赤い屋根とオレンジ色の壁の集落や、野ばらやシャクナゲ、白い砂浜――激しい海流が海洋砂を堆積させグレーネン（砂嘴（さし））を突端に10キロメートル以上におよぶ――は魅力的なモチーフを与えた。

この芸術家の聖地で、画家たちはやがて定住、切磋琢磨（せっさたくま）するとともに、共同で美術指導を行なうようになる。人口2000人ほどの小さな町は、1890年に鉄道が開通すると、20世紀にはさらに多くの文化人や避暑客が訪れるリゾートに発展するが、この地の芸術運動の最高潮はそれ以前のことで、その運動は国際的にも広がっていた。

1872年、ノルウェーの近代絵画の先駆者フリッツ・タウロウ（Frits Thaulow、1847〜1906）は、画家で詩人、劇作家のホルガ・ドラクマン（Holger Drachmann、1846〜1908）に連れられスケーインを訪れた。1879年には再び、本国の友人クリスティアン・クローグ（Christian

Krohg、1852〜1947）とともにドイツ留学から母国に帰国する途上の港町のスケーインで制作し、アンカたちと交流することで自然主義に目覚め、のちにパリにわたって北欧の画家たちのネットワーク——そこには英米など他の外国人画家たちもいた——を誕生させるが、そうした国際的で濃厚な交流を作っていくのは、まだ旅行客の少なく、不便な時代の画家アナの実家ブランドム（Brøndum）・ホテルでの出来事だった。彼らがアナの実家の宿屋、ブランドム・ホテルに宿を取ったのも、ダイニングルームで交流したのも、この小さな漁村では、そこに宿泊し集まるしか選択肢がなかったからだ。それによって芸術の運動とネットワークが起きたのであり、その連結点に人格も才能も優れたアンカ夫妻がいたうえ、印象派という新潮流の第一人者クロイアと新妻マリーイが加わったのは、デンマークだけでなく北欧近代美術の発展に幸運だったといえる。

その直後、ほぼ同様な交遊と制作が、飛び火するように、対岸のノルウェーのクリスティアニア南西の海辺の村オースゴールストランにもタウロウなどによって起こり、芸術家の夏のサークルが生まれる。エドヴァルド・ムンクもその一員であり、後年バルト海のデンマーク領の島、ボーンホルム島では20世紀初頭に国籍を越えた表現主義グループが興っている。

こうしてマリーイは、アナや友人夫妻とともに、クロイアとスケーイン画派の多くに描かれる画題のモデルとなり、スケーイン画派の明るく、輝かしいイメージの主役となった。マリーイはまさしく、世紀末の避暑地のミューズ（美神）だった。

1903年、アルヴェーンはそのミューズを追いかけて、デンマークの北端までやってきた。アルヴェーンは各地で描いた、光と色彩感に満ちた水彩画の数々「群島の風景」（Skärgårdsbilder）を携え、北欧の印象派の巨匠クロイアに意見を求めたくもあったが、マリーイとの再会を期待していたのである。クロイアは、自宅でくつろぐ客のアルヴェーンとマリーイの姿を描いており、アルヴェーンにとってもこの避暑地での出来事は、大いに創作意欲を起こさせた。そして、1月にストックホルムの母校の音楽院の作曲とオーケストレーションの教授職のオファーを受けていたにもかかわらず、旅行奨学金のために仕事を休むことを要求し、職務を引き受けなかったのだが、その間、スケーインにいてクロイア夫妻や仲間と行動をともにし、夏至祭にも参加する姿がクロイアによって描かれている。アルヴェーンの色彩感豊かな作品で生涯もっとも有名になるスウェーデン狂詩曲第1番「夏至の徹夜祭」は、近年の研究では、この年に完成した可能性が高いが、それはデンマークのスケーイン滞在時の成果となる。

実は、マリーイは結婚以来、あまりに力量の離れ、名声のある夫との生活で画家としての自信を失っており、一人娘のヴィベケの養育のほかは室内装飾の創作に関わるだけとなっていた。一方、夫のクロイアは旺盛な創作力とはうらはらに、しだいに精神を病み、狂気の行動をとるようになる。夢に抱いた芸術家同士の家庭の理想は崩壊し、夫婦ともに別々に旅に出ていた。マリーイは、慰めてくれるアルヴェーンと深い仲になり、妊娠したことを知ったクロイアは、離婚を認めず、発砲し、精神病院に送られる。こうして、アルヴェーンとマリーイは一人娘を残し、スウェーデンに向かい、二度とスケーインには戻らなかった。1904年、アルヴェーンはストックホルムの王立音楽院で正式に作曲の教授に就任、マリーイは悲劇のヒロインであると同時に、世紀末芸術にはつきものの、大芸術家たちの運命を翻弄する「宿命の女（ファム・ファタール）」でもあったといえる。

第50章

避暑地に恋する画家たち

1908年、友人で偉大な芸術家ドラクマンの死をきっかけにスケーインでの友情と芸術の証（あかし）として、仲間たちの美術を集めたスケーイン美術館がブランドム・ホテルの一室に創設される。翌年、クロイアが失意のまま亡くなると、主を亡くしたクロイアの家が美術館として記念に残されることになった（現在は移転）。スケーインの仲間たちが早くからスケーイン画派と呼ばれる一因は、この美術館創設があったからと考えられる。

マリーイは死ぬまでスウェーデンに留まり、のちに無声映画の女優となった娘のマルギタを生み、レークサンド（Leksand）地方の小村ティッブレ（Tibble）に設けたアトリエ・自宅はアルヴェーンゴーデン（現・アルヴェーン博物館）と呼ばれ、スケーイン同様、自然に囲まれた地だった。マリーイは装飾美術家として活動、その後アルヴェーンとも別れるが、2人の娘とともにスウェーデンに埋葬された。1980年代半ばまで、マリーイの作品はほとんど知られておらず、2002年になって初めて、多くのドローイングと油絵が公開、再評価され、2020年以降も回顧展が開催され、現在、注目される画家となった。

波乱の生涯を送り、画家としても活動したアルヴェーンが1960年に没し、のちに画家となったアンカの一人娘ヘルガ・アンカが1964年に亡くなってから50年を過ぎた2020年代以降、封印が解かれるように、芸術史上にスケーインが再浮上している。辺境の芸術家村というより、複雑に展開した北欧の近代美術の国際的な醸成地であったことが認識されるとともに、避暑地の画家とモデルたちの夢と恋の真実が明らかにされつつある。

（岡部昌幸）

51

デンマークデザイン

★それを生み出した人びと★

日本においてもデンマークデザインといった言葉はよく見かけるし、デンマークにおいてもDansk Design（「デンマークのデザイン」の意）という表現はあらゆるところに転がっているように感じる。大きな建築物から家具、そして食器などに至るまで、さまざまなジャンルで用いられている。しかし、その実体は何なのであろうか。

現在のデンマークデザインの礎は１９００年代初めに築かれたと言われる。当時、デンマーク家具の伝統に多大なる影響を与えたのは、王立美術アカデミーで教授を務めたコーオ・クリント（Kaare Klint １８８８〜１９５４）であろう。クリントの教えはデンマーク機能主義とも呼ばれ、過度の装飾を取り除いた機能的な家具を製作することに取り組んでいた。イギリス家具に見られるような布地を張った椅子をシンプルにすることを試み、家具をデザインするにあたって、実際に計測を行ない、また家具の種類や使う人のニーズを分析した。しかし、クリントはキューバマホガニーという最高級の木材を好んでいたため、彼の製作物は一部の市民にしか手の届かない家具でもあった。

同時期に活躍したのは、今もＰＨランプで世界的に有名なポ

アーネ・ヤコブセン（© Fritz Hansen）

ウル・ヘニングセン（Poul Heningsen 1894〜1967）である。作家の母を持ち、自身も建築家としてだけではなくさまざまな才能を発揮し、批評家として文筆業もさかんに行なっていた。ランプ以外にも家具のデザインをしており、クリントが木材にこだわっていたのに対し、ヘニングセンはスチール、ベークライト、セルロイドといった近代的な材質にも挑戦していた。ヘニングセンのランプに対する取り組みは、当時、ガスやオイルの明かりに取って代わった電気による照明、裸電球の眩しさや冷たさに彼の母親が満足していなかったことから始まったと言われている。また、戦時下にはチボリ（ティヴォリ）公園の建築にも携わっており、明かりが空から見えないように工夫を凝らしたという。

クリントの教え子の1人にバアウ・モーウンセン（Børge Mogensen 1914〜72）が挙げられる。モーウンセンはデンマーク生協が取り組んだ一連の家具のデザイナーとして知られている。一般の人にも購入できる大衆向けの家具開発に携わったわけである。生産コストを抑えるためにオーク材やチーク材を用い、さらに木材の使用も必要最低限とした。

クリントの教え子ではないが、この時代にはフィン・ユール（Finn Juhl 1912〜89）やハンス・J・ヴィーイナ（Hans J. Wegner 1914〜2007）が活躍している。彼らは、当時の近代美術だけではなく、歴史的な家具にも影響を受け、彫刻的な家具を描いていた。ユールは建築家として教育を受けたものの、どちらかというと独学で学んだ家具デザイナーとしての名声の方が高いとも言える。チーク材の構造や加工に対して新たな方法を見出し、有機的なフォルムにおいて機能的でありながらも職人工芸の技術を活かす表現を行なっている。ヴィーイナは子どもの頃から木材への愛着を抱き、家具職人として働き始める。しかし、コペンハーゲンにおいて職人による工芸と家具デザインの連携を見ることによって、デザイン自体に興味を覚えるようになる。家具デザイナーとしても教育を受けたのち、後述のヤコブセンのもとで、オーフース市庁舎の設計に加わり、家具デザインを担当している。のちに「ザ・チェア"The Chair"」と呼ばれる作品が1950年にアメリカのインテリア雑誌の表紙を飾り、世界で最も美しい椅子と称されたことにより、ヴィーイナ自身だけではなく、デンマークデザイン全体が世界

セブンチェア（© Fritz Hansen）

エッグ―スワン（© Fritz Hansen）

に注目されるに至った。

機能主義と彫刻的な伝統の両方を組み合わせたのがアーネ・ヤコブセン（Arne Jacobsen 1902〜71）である。王立美術アカデミーで建築家として学んだが、建築物だけではなく家具や日用品など、工業デザイナーとしてもよく知られている。幾何学的なフォルムを用いるとともに、アメリカのフランク・ロイド・ライトやフィンランドのアルヴァル・アールトの影響から有機的なフォルムを融合させていった。ヤコブセンの家具は常に建築物との関連性が考慮されており、彼を一躍有名にしたエッグチェアやスワンチェアはコペンハーゲンのSASロイヤルホテル、三脚アントチェア（ありんこチェア）は製薬会社NOVOの食堂のためにデザインしたものである。

また、ポウル・ケアホルム（Poul Kjærholm 1929〜80）はスチールと皮革を用いた家具をデザインしている。スチールを用いた背景としては、クリントのようにマホガニーを使用していると、大量生産の時代には合板や成型を用いることになると考え、新しい材質の可能性に取り組んだという。

歴史を振り返ってみると、19世紀には美術工芸という概念があり、20世紀に入ってから「デザイン」という言葉が用いられるようになっている。1人の職人によって1つのものが生み出される手工芸に対して、デザインはさまざまな能力を持つ人びとの集まりによって作られている。これまでに挙げてきたデザイナーも、家具職人などとの密接な共同作業の結果に生まれた名声とも言える。先述のデザイナーはデンマークデザインの黄金期を作っているわけだが、デンマークの伝統工芸をもとに機能主義に徹したシンプルな家具を生み出し、大量生産の難しい作品を工業デザインへと変革させていった時代とも言えるだろう。彼らの多くは、家具デザイナーや工業デザイナーというだけではなく、

ポウル・ケアホルム（© Fritz Hansen）

建築家であったり家具職人であったりという側面を併せ持っていた。そしてこのことは同時に、家具デザイナーという側面を持つ建築家の存在を暗示していよう。たとえば、シドニーのオペラハウスで一躍世界中に名を馳せたヤアン・ウトゥソン（Jørn Utzon 1918〜2008）は、建築家として多くの建築物を設計している。しかし建物だけではなく、椅子をはじめインテリアの細部に至るまですべてをデザインしているのである。「ものづくり」という観点からは、巨大なものも小さなものも、ものを生み出すというその原点は同じなのかもしれない。

しかし、現在ではデザインの世界にかぎらず、仕事の細分化、分業化が進んでおり、デンマークにおいてもグループによるデザインが主流となりつつある。新たに発表される作品は事務所や会社の名前によって認知され、デザイナーとして個人名が脚光を浴びることは少ないように思う。デンマークデザインは、使う人のニーズに合う機能性を持ちながらも、材質の特性を生かしたシンプルなデザインとして時間や場所を超えて人びとに受け入れられている。そして今後は、「デンマーク」デザインとはいえ、デンマーク人デザイナーによってのみ生み出されるのではなく、世界のさまざまな文化を持つ人びとによっても生み出されていくのかもしれない。

（鈴木雅子）

52

ウトゥソンによる集合住宅の設計

★歴史的建造物の保存について★

デンマークで文化的、歴史的に価値があり後世に残すために保存しなければならない建造物は、文化省の中にある城郭・文化保存委員会（Slot og Kulturstyrelsen）が管轄している。１５００年代から近年までに建てられた城、教会、豪奢な荘園、商家、個人住宅など７１００件の多岐にわたる建物がそこに登録されており、その下のランクの「保存に準ずる」35万件の建築物は建物の歴史、建築的価値、状態によって細かく８段階に分類されている。日本なら重要文化財や登録有形文化財の登録に匹敵する。

筆者は長年コペンハーゲンの北45キロメートルのヘルシングウーア市にある集合住宅に住んでいる。１９５６年から６０年にかけて建てられた60戸から成るその住宅は築30年未満だったが、１９８７年に国の保存対象の文化財に登録された。この集合住宅を設計した建築家はヤアン・ウトゥソン（Jørn Utzon、１９１８～２００８）だ。日本ではウトゥソンはアーネ・ヤコブセンほど知名度が高くない。しかし、オーストラリア、シドニーにあるオペラハウスを設計した建築家だといえば、だれでもその個性的な建物を思い出すだろう。建築案内書では第一期に

住宅はすこしずれて並んでいる（筆者撮影）

建てられた建物がキンゴー通りにあるのでその名前を取ってキンゴーハウス（Kingohusene）と紹介されているが、一般的にはローマハウス（Romerhusene）と呼ばれている。ローマハウスの名前はこの住宅を売りに出した時、不動産会社が黄色いレンガに囲まれた中庭がある家が古代ローマにあった中庭を持つ家と似ていることからローマハウスと名付けたと言われている。この住宅の建設が始まった時の写真を見ると、土を採掘した池が残る殺風景な土地にリズミカルに並んだ壁が印象的な家々が立ち並んでいる。

第二次世界大戦後デンマークは経済が上向きになり、労働者の住宅が不足していた。ヘルシングウーア市でも最大の産業であった造船所で働く人々の住宅が不足していた。ウトゥソンは１９５３年にスウェーデンのスコーネで行なわれた住宅設計コンペで1位を取った。あいにくその計画が実現しなかったので、ウトゥソンは自分でこの土地を探し、ヘルシングウーア市長にスコーネでの住宅建設案を持ちかけた。ウトゥソンはすでにシドニーのオペラハウスの仕事を始めていたのでローマハウスに彼の事務所に勤める若い建築家たちも住んでいたが、この超モダンな住宅の入居者は造船所で働いていた労働者だった。最近高齢で亡くなった男性は造船所で働き、ローマハウスが建設されたばかりの時期から60年以上住んでいた。

ローマハウスの特長は外見にほとんど窓がないことだ。台所やトイレの窓に目隠しのように日本風な格子戸が付いている。ウトゥソンはモロッコ、中国、アメリカ、メキシコなど世界を旅行して、その土地から自分の建築にインスピレーションを取り入れた。黄色いレンガはデンマークの伝統的な素材だが、外見はモロッコの土の住宅、平屋の屋根などは戦後アメリカ経由で入ってきた日本の伝統建築の影響だ。外観は非常に閉鎖的な印象だ。南向きの家の窓は中庭に向いているので家の中は開放的で、外観と内部の格差が大きい。家の広さは基本的に85平方メートルだ。戦後、国が援助する住宅ローンを借りる場合には、85平方メートル以上の家は建てられなかった。４人家族だと家は狭いので、車庫を部屋に改造している人が多い。拡張すると１００～１２０平方メートルの広さになる。部屋数は居間、台所、洗面所、暖房室のほか小さな部屋が3室ある。台所は狭いながら独立した空間で、居間の部分と台所を結ぶ開き戸がある。現在建てられる住居では居間と台所の仕切りはなく、大きい空間だ。ローマハウスの台所は１９５０年代の家なので、仕切りが消える過度期にあたる。画期的なことは、建てられた当時から床暖房が使われていることだ。その頃は各家の暖房室で石油を使って湯を供給していたが、現在は台所、シャワーに使う湯と同様に床暖房は市の地域暖房の湯を利用している。

中庭から見た平屋の屋根と庭に面した窓

60戸の家は６・５ヘクタールの高低のあるなだらかな土地に家が少しずつ角度を変えてジグザクに建っているので、プライバシーが守られている。デンマークは空き巣が非常に多い。家から

共同緑地と住宅

土砂を採掘した池周辺に建つ住宅

隣近所がよく見えないので、隣が空き巣に入られても分からない。拙宅の居間から高い丘の上に建つ家が眺められる。見える風景は家によって異なる。共同緑地は借景となり黄色いレンガの家と調和している。建物が作る陰影や四季折々の自然の美しさがあり、何時も新鮮な風景を作り出している。ウトゥソンは緑地をデンマークの自然のような風景にしたかった。現在でも彼の哲学が継承されている。住民は勝手に庭以外の木を切ってはいけない。共同緑地には自然にまかせた草が育ち、住宅の周りには赤松のような高い木、低木のサンザシやハマナスが植えられている。腰の高さ以上に伸びた草は夏至前に専門業者に刈り入れを委託するが、住民が共同で毎年春と秋に緑地の木の伐採などの手入れをする。住民が持ち回りで昼食を準備する。この時が年に2回ある年次総会以外に、別な通りに住む住民と食事を通して話し合える場となる。

住む人のインテリアと家具を見ればその人の生き方と収入が分かるというように、ここには60通りの住まい方がある。たまに他の住民の家の中に入る機会があるが、同じ間取りでありながら家具が違うので大変興味深い。一般にデンマーク人は気候、生活習慣が違うことから日本人より物を持っていないし、部屋には空間があり、そこではインテリア雑誌で見られるような、名のあるデンマーク家具やランプが使われている。

保存指定を受けた建物に住むと、部屋の改装はそれほど問題はないが、城郭・文化委員会の許可なしに建物の外観を変えることができない。車庫の増築部分は2メートルの範囲までで、窓、ドア、屋根の勾配、使う瓦も決まっている。ローマハウスは建設されて文化保護の指定を受けるまでの約30年の間に所有者が変わったことにより外壁の高さ、間取り、床の素材などが変わってしまった家が多い。特に初期は庭を囲む外壁が大人の膝くらいの高さだった。しかし、道路に面している壁は人の視線をさえぎるように高くなった。その場合の変化はオリジナルに戻さず現状維持だ。住民は家を管理する義務があるので、固定資産税がかからない。屋根、窓やドアなどを取り替え、火災保険料、家の修理にかかった経費は税金控除の対象になる。

右側にある車庫を住宅に改造しているので、車は外に置かれている

拙宅では最近瓦の破損が原因で台所の天井で雨漏りが生じ、屋根の修理をした。この時も大工を通して城郭・文化委員会から修理許可をもらった。割れた瓦はローマハウスが管理している同じ種類の瓦に取り替えた。この修理経費は保険会社が負担してくれることになった。

（小野寺綾子）

53

デジタル時代のデンマーク無声映画研究

★映画史研究の新たな展望★

明治の終わりから大正の初めころの時期に日本で公開された外国映画を国別でみてゆくと、圧倒的に多いのがフランス、それに続いてイタリアとイギリスが当時の映画市場を占めていたことがわかるが、その次くらいにデンマークが入ってくるのを見て奇異に感じる人がいるかもしれない。だが実際、デンマーク映画は1910年ころから欧州大戦の末期1917〜18年ころまで、日本の観客に受容され、大きな映画体験を与えた。これは歴史地政学的に見ても日本の映画市場に限られたことではなく、要するにデンマーク映画は1910年代の半ば、すなわち欧州大戦期までの世界中の映画館でフランスやイタリアといった映画強国の作品と並んで、影響力を維持していた。現在に至るまでの歴史を鳥瞰（ちょうかん）しても、デンマーク映画が世界の映画市場にこれほど影響力を持ち得た時期はなく、それ故にこの時期の映画史に一体何が起こっていたのかを知ることは、映画史の専門家でなくても、デンマークの芸術や文化に関心を持つ人々にとっても興味深いことだろう。

1920年代の終わりまでの映画は音のない、いわゆる無声映画であり、デンマーク語のような世界的に見れば広域で使われることのない言語がハンディキャップになって世界市場に進出することを阻むようなことはなかった。中間字幕は多くの場合、上映される国の言語に翻訳されていたからである。もっともデンマーク映画のこうした黄金時代はそれほど長くは続かなかった。1914年を境目として、徐々にデンマーク映画は勢いをなくし、第一次世界大戦が終わるころ（1918年末）にはスカンディナヴィア圏ではスウェーデン映画の勢いに凌駕（りょうが）されてしまう。だがいずれにせよ、10年に満たない、わずか数年間であるとはいえ、デンマーク映画は突出した勢いで、世界中に広がった。その理由はいくつかあるが、オーレ・オールセンが1906年に設立した（現在でも存続している）ノーディスク（ノアディスク・フィルム）社が、映画のコスモポリタニズム、すなわち民族的というよりは無国籍的な環境を舞台とするメロドラマやコメディーを多数生産することによって、どの国の映画観客にとっても受容しやすい映画の類型のようなものを築くことができたことは大きかった。日本ではダンマーク社の得意とするセンセーショナル映画と呼ばれる、いわゆるハラハラドキドキの状況を作るジャンルの映画のヒロインであったエミーリエ・サンノム（サノム）のような女優が大正初期の映画ファンの間では人気を得ていた。ノーディスク社のスター俳優ワルデマー・シランダー（ヴァルデマ・シランダ）は、世界映画史においても例外的に非常に早い時期にスターのステイタスを獲得した男優であったが（映画におけるスターはどの国でも初めは男優でなく女優であった）、ロシアで彼はガリソンという別名で大いなる人気を獲得していた。

このようにわずか数年間ではあったが、デンマーク映画は世界中の映画市場に行きわたったが、1920年代になるとアメリカ映画の市場独占やドイツ映画の再生などとともに、国際的な競争力を失っていく。そして1930年代以降は、無声映画そのものが上映される機会もなく、デンマークの無声映画はその存在自体が薄れゆく記憶とともに消えていった。

かつて隆盛を誇ったデンマーク無声映画についての文献上の知識のみを頼りに、筆者がコペンハーゲン大学に留学した1970年代の後半、デンマーク無声映画を研究しようとする学生は、知りうる限り筆者1人であった。2巻本の『デンマーク無声映画』を出版してスウェーデンで学位をとったばかりのマグレーテ・エングベア教授に大変歓迎されたことは言うまでもない。この時代の無声映画研究には決定的な困難が伴った。それは上映可能なプリントが限られているということだ。たとえオリジナルの状態で保存されていたとしても、オリジナルのプリントはすべて可燃性であるから、そのままの状態では上映できない。不燃性の上映プリントを作成しなければならない。また無声映画時代の映画フィルムの残存率は低く、たとえ幸運にも残っていたとしても、不完全な形の場合や、わずかに断片のみという場合も多い。だが、デンマーク無声映画は国際的に上映されていたというメリットもあり、たとえデンマーク国内には残っていなくても、外国で上映されたコピーが残されているという可能性もある。現在でもオランダ語やドイツ語の中間字幕を伴ったデンマーク無声映画を見ることがよくあるが、これらはオランダやドイツで見つかったプリントである。また日本では1980年代の後半に、大正期に日本で公開されたヨーロッパ映画のフィルム（小宮登美次郎コレクション）がフィルムセンター（現在の国立映画アーカイブ）に寄贈され、その中には他のどこにも残されていないデンマーク映画が含まれていた。

1990年代以降の映画史学研究の世界的な高まりの中で、改めて初期の映画や無声映画史全般への関心が増大した。当然のことながらそれはデンマーク無声映画の新たな観点からの本格的な研究の必要性をも要求するものだった。コペンハーゲンの映画博物館は組織替えによって、デンマーク映画協会アーカイヴとなり、これまで以上に自国の映画遺産の保存に関する予算を獲得し、それによってデンマークの無声映画は国家的にも再点検されることになった。その最大の成果は、2018年に発表された現存するすべてのデンマーク無声映画をデジタル化し、オンライン上で一般公開するという試みであろう。2019年から本格的な公開が開始されたこの試みは、当初2023年をもって完結するとアナウンスされた。もっともこの原稿を書いている現在（2023年半ば）においても、不定期に更新される無声映画はかなりの数になってはいるが、あと半年で完結するとはとても思えない。関心のある方はstumfilm.dkのページを見てほしい。ここには私どものような専門家ですらこれまで見ることのできなかった作品を含む現存するデンマーク無声映画が並んでいる。諸外国で発見された作品も含まれており、日本で発見された作品もいずれこのレパートリーに入る予定である。ダンマーク社の失われた伝説的な作品『死の島』（1913年）はわずか数十秒間の断片フィルムがごく最近発見されたが、こうした映像も研究者にとっては大きな価値がある。2018年に私も参加したワークショップでフィルム復元の責任者の1人、トマス・クレステンセンさんは「将来無声映画の研究と言えば、第一にデンマーク無声映画の研究を指すことになるだろう」と語っていたが、それは現実のこととなりつつある。

（小松弘）

死の島

コラム5

映画女優アスタ・ニールセン

小松弘

20世紀、世界で最も有名なデンマーク人女性は誰であったか？　もちろん統計も確証もある訳ではないけれど、20世紀の映画の世界的なポピュラリティーということを考えるなら、映画史上最初のスター女優の1人ともいえるアスタ・ニールセン（ニルセン、Asta Nielsen 1881～1972）は、それにあたるかもしれない。1910年代から20年代にかけて、映画を見るものは誰でも映画スターとしてのアスタ・ニールセンの名前を聞いたことのなかったものはいなかったに違いない。1910年に彼女は『深淵』という題名のデンマーク映画で映画デビューした。これがとりわけドイツで爆発的な人気を博したことにより、彼女はスター女優になった。一般的には映画の歴史上、最初のスターであったと言われている。舞台芸術では19世紀から存在したスターの概念が、映画において誕生したその瞬間が、今でもデンマーク映画『深淵』によって見ることができる。

アスタ・ニールセンはすぐにも当時の夫であった監督のウアバン・ギャズ（ガズ）とともにドイツ映画界に招かれた。そして1911年から自分の名前を冠につけた映画シリーズを1914年までウニオン社で作り続けた。第一次世界大戦中もドイツに留まり、ノイトラル・フィルム社などで、ドイツ人監督の演出による作品に出演し続けた。デンマーク人女優であったにもかかわらず、大戦期までの彼女の出演したデンマーク映画は『深淵』を含めてわずか3本しかない。1918年には

「バレエの踊子」(1911)

久々にデンマークに戻ってホルガー＝マッセン（ホルガ・マセン）監督の『光に向かって』に出演したので、彼女のデンマーク映画の本数はこれで4本になるが、その他すべての作品はドイツ映画であった。実際彼女の映画演技の進展は、1911年に始まる数多くのドイツ映画のなかで確認できるのだが、ドイツ映画のなかで変幻自在に活躍する彼女は、それでもドイツ人女優ではなく、ドイツ映画界で活躍するデンマーク人女優であることは当時のだれもが知っていることだった。

1920年代も半ばになると、次第に出演映画の本数も減ってはくるが、年齢を重ねていった彼女の役柄も、それ相応の味わいのあるものになっていった。トーキーの時代になると、アスタ・ニールセンは『不可能な愛』（邦題は『秋の女性』）という1本の映画に出演し、スクリーン上で初めて彼女の声を観客に向けて披露したのを最後に、もはや映画出演することはなかった。ナチスの時代に入り、ヒトラーは彼女を食事に招待したが、彼女は招待は受けたものの、ヒトラーに対しあからさまに不快な態度を示した。ドイツの政治状況に絶望したアスタ・ニールセンは1936年にデンマークに戻り、その後、ユダヤ人やその他の人々がドイツから逃げるのを援助する活動を行なった。

戦中戦後のデンマークにおいて、長い間ドイツで仕事をしていたアスタ・ニールセンはかなり冷遇されていた。第二次世界大戦末期彼女は自伝の執筆に専念し、これは1946年に2巻本として刊行された。彼女の自伝『デン・ティーエネ・ムーセ』は二重の意味を掛けた表題（「第十のミューズ」という意味と「沈黙のミューズ」という二重の意味）を持つ大変興味深い本である。美術製作を趣味としながら余生を送り、アスタ・ニールセンは1972年に亡くなった。

生前もそしてその死後も、アスタ・ニールセンの名前は映画史における神話のごとく扱われた。舞台の俳優とは異なり、彼女は沈黙の、無言のミューズであり続けた。僅か1作のみが製作された彼女のトーキー映画も、アスタ・ニールセンの神話を傷つけることは決してなかった。そして今でもなお、その名前はデンマークの生んだ世界的な映画スターとして、歴史に刻み込まれている。

54

デンマーク映画　Dogme95

★「純潔の誓い」という表現★

近年のデンマーク映画を語ろうとするこの場で、筆者の関心がそそられたことどもを書いてみたいという欲求にかられる。それらは、映画を真摯（しんし）に研究されていたり、専門家として映画の評論に関わっておられる方々からみれば、際立って距離のある素人の関心事であろうし、まともに映画を論じようとする方々を茶化そうとするものでもないことを、まずはじめに述べておきたい。

1995年のパリのオデオン劇場の赤いパンフレット上で、デンマークの映画監督、ラース・フォン・トリーア（1956〜）、トマス・ヴィンタベア（1969〜）ら4名によって「Dogme95（ドウメ・フェム・オ・ハルフェムス）」と名付けられた映画運動が宣言された。フランスのリュミエール兄弟が映画の有料上映をしてからちょうど100年後に、この宣言がなされ、日本語では「ドグマ95」と呼ばれて、それは映画手法の原点回帰を目指したものであり、商業主義的で、豪華で、莫大な予算、派手なストーリー展開のハリウッド的な映画制作に反旗を翻（ひるがえ）そうとする宣言であった。デンマークにはドイツ人の旧貴族のようなフォン（von）を姓につける者は通常いないが、「1968

年の世代」を親に持って、その精神である旧来の常識に縛られないことを第一義として自己中心的に育った本名のラース・トリーアが、かつて学友たちに呼ばれてきたあだ名を映画人として名乗っていた。その人物と若くして高い評価のあった新進気鋭のヴィンタベアらが映画製作上の10のミニマリズム的項目を持つルールを示した。それは「純潔の誓い」と通常訳されるが、その訳語にいささか筆者は疑問を感じている。というのは、「ドウメ95」に共鳴して映画作品をつくり、その認定を受けた作品が必ずしもその10のすべての提言に従っていない。当のトリーアでさえ、『イディオターネ（イディオッツ）』では大々的にバック・グラウンド・ミュージックを流しているのである。その10項目とは、スタジオのセット撮影の禁止、効果音の排除、カメラは手持ち、カメラ・フィルターなどの使用禁止、照明効果は禁止、35ミリフィルム使用、その場では起こっていない殺人などの表面的アクションの不許可、時間・地理的乖離（回想シーンなど）の禁止、ジャンル映画の禁止、映画内での監督名のクレジット表記の禁止などである。実際、監督のクレジットなどの表現を禁ずること自体に無理が生じ、2005年ごろには、わざわざこの運動にこだわることなく終了していくのであるが、アメリカを代表する大仕掛けの娯楽映画に抗する形の欧州各国の映画作品の在り方を示したものとして、「ドウメ95」の存在には意味があり、それらの作品がカンヌやベルリンの映画祭などで大いに評価されていったのも注目すべきである。

デンマーク語の kyskhedsløfter が「純潔の誓い」と邦訳され、またそれを英語にした「Vows of Chastity」からの訳語となるのであるが（あるいは、翻訳語という意味では英語が先かもしれないが）、筆者の感じ方ではその美しくて高潔な「純潔なる」誓いが、その提唱者や参同者からそれぞれの目的によってかなり自由に「項目が削除されうる」ということが認められていて、映画監督自らが、それらの約束事に共鳴し、従っているということを「ドウメ95」のフォーマットに従って表明することで、「ドウメ95」の作品であるとされている。kyskhedやchastityが「純潔」や「貞節」という語を引き出すものの、「それを誓う」ということで一挙に「大仰で高貴な誓い」をしているとイメージされるのである。しかし、それらの語の意味の中に「簡素化」といったものもあり、この「ドウメ95」が映画の原点回帰を謳うミニマリズム思想を積極的に押し進めようとする行動原則の10項目と考えるならば、「簡素化への誓い（Kyskhedsløfter）」の10ヵ条と理解できるし、それゆえ、監督それぞれがそのうちの項目の取捨選択を自由になしうることに何ら驚く必要がないのである。ウィキペディアの当該項目では、「ドウメ95」の作品数は「2008年まで270作を数える」とある。

また、デンマーク映画の邦題のいくつかは、筆者を悩ますものである。かつてはデンマーク語を扱いうる方々が映画配給会社の周辺にいなかったこともあり――昨今は、大阪大学のデンマーク語学科を出たであろう方々が、関わりだして、おかしなものは減ってきているが――、かなり無理をして邦題が捻出されていたようだ。的を射たもの、そうでないもの、それぞれがある。的を射た例として、『ヒトラーの忘れ物』（日本公開年2016年）がある。原題は『砂の下（Under sandet）』で、第二次世界大戦終了時に、北海に面するユラン（ユトランド）半島西海岸の砂浜に大戦中にドイツ軍によって埋められた地雷を降伏したドイツ人俘虜に手作業で除去させるというストーリーに、配給会社は『ヒトラーの忘れ物』という題をつけて公開した。第二次世界大戦物のドイツを扱った映画では、しばしばナチスに関わるものを「ヒトラー」に置き換えて邦題にするものが見られ、たとえば、ロシア映画

『ソビボル（Sobibor）』は、ポーランドにあったドイツによる強制収容所でのソ連兵による大脱走劇を扱った映画だが、邦題は『ヒトラーと戦った22日間』（日本公開年、2018年）となっていた。収容所でドイツ軍人によって痛めつけられ続けた挙句の脱走をテーマにしており、当然ヒトラーが画面に現れることはなかった。『ヒトラーの忘れ物』内にもヒトラーはどこにも現れないが、終戦直後のデンマーク人によるドイツ人俘虜への非人道的扱いを、5年に及ぶドイツ占領下で積もり積もっていたドイツ人に対する憎悪・憎しみが、まさに5年間に醸成された占領者に対する憎悪として、すなわちドイツ占領によって醸成された憎悪感がデンマーク人のうちに育ってしまったことを「ヒトラーの忘れ物」として捉えたのである。筆者は「砂の下」では、イメージの湧きづらい状況を認めて、あえて良い題名を付けられましたねと、関係者に伝えていた。

第二次世界大戦下のドイツ占領時代を扱った映画に『誰がため』（日本公開年2009年）がある。デンマーク語題名は「フラメンとシトローネン（Flammen & Citronen）」である。それはレジスタンスメンバーのコードネーム「フラメン」と「シトローネン」であり、前者は「炎（フラメン）のような赤毛」に対し、後者は「シトロエン自動車会社に勤務していた者」に対してで、映画はドイツ占領時代に抵抗組織で活動した2人の英雄物語である。この原題から、デンマーク人の感情を類推するのが難しく、映画の中で、ドイツ軍への協力者を暗殺していく彼らが、暗殺の対象が、指令者による恣意的な目的で彼らが動かされているのではないかと疑いを持つ経緯があり、2人が「誰がため」に暗殺を遂行しているのかと疑う流れがあり、そこから「誰がため」という題名が選ばれた。ヘミングウェイのスペイン内戦を扱った「誰がために鐘がなる」の言葉が配給会社のどなたかによぎったのかもしれない。筆者は題名決定時に本映画に関わることはなかったが、それでもこの映画の映画館用パンフレットの作成に関わったことで、デンマークの抵抗博物館に邦題が掲載された映画ポスターを手渡す機会が訪れた。フラメンらの抵抗組織「ホルガ・ダンスク」名の由来となったクローンボー城地下の砲廓に安置されている「デンマークの危機に目覚めるという、眠って座しているホルガ・ダンスク」というヴァイキング像があり、それと関係してクローンボー城の関係者から、日本には「平時には眠っていて、緊急時には目を覚まして国を救うという英雄譚」はないのかと訊（き）かれた。そこで、どうにか変化球を駆使して、「三年寝太郎」を紹介したところ、クローンボー城の展示で日本昔話の『三年寝太郎』を見ましたよ、という事後報告を帰国した日本人から聞いたことがある。

そして、デンマークの『一八六四年（１８６４）』が『コールド・アンド・ファイヤー――凍土を覆う戦火』（日本公開年２０１８年）となって、配給された。まったくの和製邦題で、デンマーク史上の重大年「１８６４」年は消えており、過酷な雪中のデンマーク軍の後退劇のシーンからのイメージで邦題が作られた。この戦争「第二次スリースヴィ戦争」の決着は春めく4月18日のプロイセン・オーストリア側によるデュブル要塞への総攻撃であり、「凍土」はツンドラを指す語という認識であったため、筆者の認識の齟齬（そご）――ツンドラを舞台にしたデンマークの戦争を思い描けなかったという――から、とうとう本映画公開時に筆者は映画を見るために劇場に出かけることはなかった。（村井誠人）

VI

デンマークの暮らしと社会

55

COVID-19 蔓延期を経験して

★デンマークの医療現場から★

デンマークの医療現場から見たコロナ対策を紹介する。筆者はコペンハーゲン市内の公立の総合病院の医師である。

コロナ感染者が増えつつあった2020年3月の最終週の状況は以下のようであった。総人口ほぼ580万のデンマークでの感染率は再び記録を更新し、10人の陽性者が平均12人に感染させる計算であった。コロナ陽性者数は急激に増加し続けていた。26日には、1日の感染者が760人で、このうち3人が24時間以内に死亡し、パンデミック中の死者の総数は697人になった。この時点で125人が入院しており、そのうち18人が集中治療室、13人が呼吸器器具を装着して入院していた。3月26日以来、859人の新しいコロナ感染者が記録されており、これは、2日連続で最も高い陽性者数となった。

コロナウイルスに関係する内科は忙しい。しかし我が病院はガラガラであった。というのは全ての緊急を要しない外来や手術は見送られていたからであった。若い教育課程の医師たちは自宅待機し、内科要員としての麻酔科研修に交代で呼び出されていた。近い将来コロナウイルス対策の前線で麻酔科医師の補助または短期的な交代要員が必要と考えられていた。筆者が所属する放射線科はコロナ関係の検査——緊急検査——と癌関係の診断だけなので専門医ですら交代で自宅待機の扱いであった。４月13日までデンマークでは外出自粛措置がとられたので、人々は自宅待機という「長い休暇」を散歩に、読書に、サマーハウスにと、楽しんでいた。子どもたちにはパソコンやタブレットによる遠隔授業が始まっていた。

医療機関では緊急事態に対応可能なシステムに変更され、コロナウイルス感染者が押し寄せて来るのに対応できる状態を作り、全国で約４００床強あったコロナウイルス感染者に対応できる呼吸器装置を備えた全面装備の病床を９００床に増やした。我が病院でもコロナウイルス対応可能な仮病棟やらテントなどの設備がされたとはいえ、コロナ感染による入院患者は依然として30人程度であった。前日の段階では、呼吸器を必要としている患者はコロナウイルス関係で８人であった。緊急手術後で呼吸器を必要としている患者はもともとのＣＩＵに入院中で、この数には入れていない。医療崩壊となるのかはこの段階では未だわかっておらず、感染者数が急速に増え、入院患者の増加で、呼吸器が足りなくなるのを避けられれば幸いだという感覚でいた。病院としては、これ以上の準備はできないとはいえ、予測では４月下旬ごろにピークが来るのではと考えられていた。実際には我が病院では、急遽準備していた集中管理室を使用することは例外的に少なく、結局満杯になるには程遠かった。首都圏の主なコロナ感染者の受け入れ病院である当院でさえ、既存の集中管理室は、その間、高齢者や他の慢性疾患の患者に対応することができていた。外科系統の手術が行なわれなかったこともあって、短期の集中管理を要する患

仮設治療室（筆者撮影）

者がいなかったせいでもある。一年後には仮設の設備はもとの会議場などに戻された。

デンマーク全体では、地域差があって一括りには論じられないが、一部集中管理室が足りずに医療崩壊しそうになったのは、ユラン半島の一中規模病院だけであったといわれる。

コロナ対策を強いられた医療機関のほかには、警察、介護施設、流通関係、スーパーマーケット、薬局、給食センター、公共交通機関（本数は減らされていたが）などは通常に機能していた。

コロナ感染状況が引き起こした一般の人々の生活への影響がどんなであったかの断片を、本土から離れたバルト海上のボーンホルム島の田園地帯に住む一人暮らしの老齢の夫を例にして触れておきたい。食材は近所のスーパーマーケットに注文して20クローネ支払えば（約３００円。このサービスはお年寄り、体の不自由な人なら全員受けられ、料金はクレジットカードから引き落とされる）、配達される。前年に長年住み慣れた農場を売却しており、その後１１５平方メートルの小さな家に７８０平方メートルの敷地、バルブをひねると都市暖房付きの住宅に引っ越しており、「手間がかからなすぎる」と言っていた。そういった田舎ではコロナ感染の危険はガソリンスタンドでのセルフサービスで給油するときぐらいであろう。自宅には消毒用のアルコールが備えられている。夫は何事にも楽観視する性質であるので、本人には高齢者だからコロナに感染しても呼吸器は付けてもらえないから、もし感染したら死を覚悟するようにと脅しておいた。私たち本土で生活する家族の者は「健常感染者」の可能性があるので帰省は当分できない状況にあった。

ヨーロッパにおけるコロナ感染者数の増加はその時点で、深刻な問題を引き起こしており、スウェーデンとは違い、デンマーク政府はＥＵ諸国と足並みを揃え、ふたたび拡散を抑制するために厳しい措置を講じていた。スウェーデンでは、「北欧的民主主義の観点」を重視し個人の自由な活動を重んじるという立場からデンマークの一斉的規制を「冷笑した」が、結果から見ればスウェーデンのコロナ対策は失敗していた。デンマーク政府はいくつかの新しい制限をさらに導入することにし、その制限は２０２１年１月２日まで延長し、たとえば、在宅による遠隔就業の再起動が奨励された。また、具体的な社会生活上の規制には以下のようなものがあった。

1　屋内でのマスク使用

10月29日から、屋内のすべての公共の場所でマスクまたは医療用マスクを着用する必要がある。つまり、ショップ、モール、青少年教育、文化的な場所などでだ。この要件は２０２１年１月２日まで暫定的に有効となり、仕事場は対象外とされた。

2　22時以降のアルコールの販売の禁止

10月26日13時以降、スーパーやキオスクでアルコール類を22時以降購入することはできなくなる。バーやレストランは22時以降閉店しなければならなくなったとはいえ、7-Elevenのような24時間営業のキオスクは、バーが閉まった後にアルコールを購入する顧客の長い列ができていたし、個人の判断では、夜遅くまでパーティーを実行し続ける者もいた。

3　集会人数が10人に引き下げ

9月からは、最大50人の人々が集まることができたが、10月26日から、当面は4週間をめどに全国の集会の人数制限は50人から10人に引き下げられた。一般的に、自分の家族以外には10人を超えて集まることが禁止された。人々の社会的交流を可能な限り制限するように努めることを国は推奨したが、職場、学校、レジャー活動、または家庭で自然に出会う人々は、10人の範囲の制限には当たらないとされた。実際、子どもや若者向けの屋外でのスポーツ活動には、50人の上限が適用された。ステージ、スクリーンなどに向いて座る場合1メートルの間隔が取れれば、コンサートや会議に最大500人が集まることも可能とされた。プロ・スポーツでは、最大500人の観客の着席が可能であり、教会や他の宗教的集会での礼拝についても同じだとされた。メテ・フレズレクセン首相はそれらは非常に煩わしい規制であることを認めながらも、一定期間、社会的接触を制限する必要があることを、当時強調していた。政府の優先事項は、企業、職場、学校、教育、デイケアセンター、商店を開いたままにして、コロナ対策を継続することであった。

4　公共交通機関でのマスクの着用

10月30日、運輸大臣ベニー・エンゲルブレクトはこの規制が「少なくとも年内、そしておそらくもっと長く続くであろう」と語り、そのマスク着用の要件は8月22日から導入されており、12歳までの子ども、および呼吸困難のある人などは除外されたものの、すべての公共交通機関、駅、プラットフォームでマスクまたは医療用マスクを着用することが義務付けられていた。市民はラッシュアワーを避けて移動するか、可能であれば自転車での移動が推奨された。そして、可能な限り、クリスマスおよび年末年始の移動は公共交通手段を避けるよう、彼女は人々に自粛を求めた。

（ラスムセン京子）

56

デンマーク 福祉社会の風景（1）

★福祉用具やウェルフェア・テクノロジーを活用する★

「日本とデンマークの高齢者介護で大きく違っているのは福祉用具が使われているかどうかだと思う。デンマークでは福祉用具をフル活用して高齢者の自立を支えているの」。

来日したデンマーク人の知人がそう私に話してくれたのは1990年代末のことである。看護師資格を持ち、デンマークの高齢者介護現場を率いてきた彼女は、よく日本の介護施設を訪れていて、デンマークと日本の違いを私に話してくれた。

「日本の介護職員は、高齢者を車椅子からベッドに移乗するときに移動用リフトをあまり使おうとしないのね。自分の手で介護することを重視しているみたい。そのせいなのか、慢性的な腰痛を持つ職員がデンマークより多いと思う」。

さらに、車椅子や歩行器などの福祉用具をもっと効果的に使えば高齢者の自立度がもっと上がるのでは、とも指摘した。デンマークでは、福祉用具を必要とする人に自治体から無料で貸し出されるため、高齢者が移動できずに寝たきりになったり、介護職員が腰痛で悩んだりすることが日本より少ないと彼女は話した。

あれから20年以上たった現在、日本でも福祉用具の活用はかなり進んだように思う。しかし、介護保険制度に内在する諸問題（詳細については紙幅の関係で割愛する）もあり、福祉用具の供給システムにはまだ改善の余地がある。

一方、デンマークでは長年の間、車椅子、歩行器、移動用リフト、介護用ベッド、手すりをはじめとする多種多様な福祉用具が高齢者介護現場で有効に利用され、高齢者の生活のなかで大きな役割を果たしてきた。さらには、今後、要介護高齢者が増加し、介護人材が不足することをふまえて、デンマークではウェルフェア・テクノロジーの活用も進められてきた。ウェルフェア・テクノロジーとは、ロボット技術を活用した福祉用具やICTシステムを含むソリューションのことである（従来の福祉用具との区別は必ずしも明確ではない）。利用者の自立を支援するとともに、介護職員の負担軽減のために介護現場で活用されている。

多種多様な福祉用具が備えられている自治体の福祉用具センター（筆者撮影）

ウェルフェア・テクノロジーの利活用が国家戦略の一部として位置づけられてきたデンマークでは、2001年に最初の行政上の電子管理体制戦略が発表されて以来、ウェルフェア・テクノロジーの導入が大々的に進められてきた。このような潮流の背景には、高齢者人口の増加や、国民の公的サービスに対する期待や要求が高まっていることがある。

注目すべきなのは、機器のクオリティーや、どれほど高度な技術が使われているか、といったことだけではなく、福祉用具が利用者の個別ニーズに合わせて選定・調整され、提供され、効果的に活用されるそのしくみである。以下、ポイントを2点挙げたい。

第1に、福祉用具が各自治体に設置されている福祉用具センターで調達され、そこから各利用者に届けられる供給システムである。福祉用具の利用申請があると、ニーズ査定が行なわれ、自治体に雇用されている作業療法士が利用者の状態を精査して必要な福祉用具の選定を行なう。福祉用具センターには非常に多くの種類の福祉用具が備えられている。個別の身体的状況や住む環境に合わせてフィッティングも行なわれる。

福祉用具センターには機器を修理・調整する作業スペースが設置されている（筆者撮影）

高価なウェルフェア・テクノロジーについても、自治体ごとに調達して、それを必要な人に貸し出し、不要になれば洗浄・消毒して次の人が使うというしくみで、無駄が少ない。自治体ごとに福祉用具をいわば「共有財」として所有して必要な市民が平等に利用できるようにしているようなものである。また、自治体ごとの共有の財であるからこそ、多種多様な機器を備えることができ、個人に合ったものを選定できる可能性が高まる。

第2に、福祉用具を扱う人材確保・育成である。デンマークで福祉用具を扱う専門職は主に作業療法士であり、高度な専門知識をもって福祉用具に関する業務にあたっている。ほとんどの自治体には福祉用具担当の作業療法士が雇用されている。さらには、日常的に高齢者の身体介護と生活援助を担う介護職員も、福祉用具に関する知識に精通し、使いこなす技術を持つことが求められる。福祉用具については介護職員（社会・保健ヘルパーと社会・保健アシスタント）の養成課程の教育内容にも含まれている。しかし、最近は新しいウェルフェア・テクノロジーが介護現場に導入されるようになっており、次々と入ってくる最新のテクノロジーに対応する能力も求められるようになった。そこで、デンマーク政府は２０１７年から「ウェルフェア・テクノロジー・ナレッジセンター」を全国に２ヵ所設置し、介護職養成教育を支援・強化する取り組みを行なっている。同ナレッジセンターが全国の介護職養成機関とつながってネットワークを形成し、ウェルフェア・テクノロジーに関する知見を集積し、介護職養成教育に活用することによって、養成機関で学ぶ生徒のテクノロジー教養を高め、実践に生かせるようにすることを目指している。

以上のように、供給システムと人材育成の2点は福祉用具やウェルフェア・テクノロジーを介護現場で効果的に活用していくうえでの鍵である。デンマークと異なる制度的背景を持つ日本は同じシステムを採用することはできないものの、個別ニーズに合った機器を市民に平等に供給できるしくみを構築するという視点や、技術革新をふまえた人材育成のあり方は大いに参考になる。

今後は、テクノロジーを介護サービス全体のなかでどう位置づけていくのかについて、これまで以上に本腰を入れて検討することが求められている。持続可能な介護制度の構築を目指すためには、避けられない論点であるだろう。

（石黒暢）

57

デンマーク福祉社会の風景（2）

―★手を背中に回したままのケア？　デンマークのリエイブルメント★―

デンマークや日本のような先進国は、人生100年時代と言われるような長寿の時代を迎えている。年齢を重ねても元気で自立した生活を続けたいと願う人は多い。同時に、長寿社会は、高齢化とともに急増する介護や医療の社会保障費用をいかに抑制するかを模索せざるをえない。このような時代の要請に応えると期待されているのが「リエイブルメント（生活機能回復支援）」という高齢者介護のアプローチである。ここ10年ほど、デンマーク、イギリス、オーストラリアなどの先進諸国で実践されるようになっている。

リエイブルメントは、介護を受ける前に再び自分でできるようにすることを目指す短期集中型の支援であり、デンマークでは「手を背中に回したままのケア」という表現も使われる。支援者が手を出しすぎずに利用者の自立を側面的に支援することを示している。

リエイブルメントのおおまかな進め方は以下の通りである。まず、介護サービスへの申請がなされた利用者（入院、けが、健康状態の悪化がきっかけになることが多い）の状態を調査し、現状を総合的に把握する。次に、利用者がリエイブルメントチームのスタッフとともに生活の目標を設定する。「1人で買い物に行けるようになりたい」、「趣味の集まりへの参加を再開したい」、「孫に会いに行きたい」など、人によってさまざまである。そしてそれが実現できるよう支援計画が作成される（トレーニング、助言、栄養指導など）。支援期間は大体8～12週間と限定されている。支援の期間が終了すると、目標がどれだけ達成できたかを利用者とともに評価する。そして、今後、介護サービスが必要なのか、支援なく自立した生活を送ることが可能なのかなど、今後の対応の判断が行なわれる。

重要なのは、支援がすべて多職種チームによって行なわれることである。作業療法士、理学療法士、介護職員、看護師、栄養士などの専門職がそれぞれの専門の見地から意見を出し合い、利用者の生活を包括的に捉えて適切な支援を計画し、実施していくのである。また、利用者と一緒に同じ方向を向いて進めることも重要で、利用者自身がリエイブルメントの意義や目標を理解していなければ、うまく進まない。

デンマークでは2008年頃からリエイブルメントに取り組む自治体が増加し、全国の自治体に広がっていった。その成果が評価され、国が法整備を行なってリエイブルメントは2015年に全国的に制度化された。

筆者は2023年3月にデンマークのA自治体を訪れ、リエイブルメントチームのスタッフに同行して利用者の自宅を訪問する調査を行なった。その様子を紹介する（プライバシー保護のため内容は一部改変した）。

作業療法士のメテさんと訪問したのは一人暮らしで76歳のリーセさん。パーキンソン病を患っており視覚障害もある。自宅で転倒したため入院したが5週間前に退院し、それ以来、リエイブルメントチームの訪問を1日4回受けている。月に一度参加していた趣味のサークルに再び参加できるようになるのが目標である。

起きたばかりのリーセさんがシャワーを浴びると言うので、メテさんもバスルームに入った。「シャワーチェアをこちら向きに置いたら、壁の手すりが持ちやすいですよ」とアドバイスをする。リーセさんがシャワーチェアに座ってシャワーを浴びている間、メテさんは簡単な朝食を準備しながら私にこう言った。

「すべてを利用者に自分でしてもらうというわけではないけど、可能な限り自分でできるように導いていくのが私たちの役割なの」。

リーセさんがバスルームから出てくると、着替えを手伝う。視覚障害を持つリーセさんは、クローゼットのどこに何が収納されているのかがわかりにくく、1人で着替える時に困っていると話した。するとメテさんは、一度時間をとって一緒に服をとりやすいように整理してみましょうかと提案した。リーセさんは、ぜひそうしてほしいと嬉しそうに答えた。

リーセさんは自立して暮らせるようになりたいというモチベーションが高く、リエイブルメントがうまく進んでいるほうであるという。体調の波はあるものの、あと何週間か継続すれば、かなり自立度が上がるはずであるとメテさんは微笑んだ。

自立を目的とするリエイブルメントには、ある意味厳しい側面がある。昔は要介護になればすぐに掃除のヘルパーが来てくれたのに、どうして今はそれができないの、と不満の声が利用者から出るこ

高齢者の自宅。可能な限り自宅で暮らし続けられるよう支援する（筆者撮影）

とが特に制度開始の頃はあったという。しかし、徐々にリエイブルメントの考え方が利用者の間にも浸透し、自分の目標に向かって生き生きと取り組む高齢者が増えているとスタッフたちは話してくれた。また、従来型の介護サービスと比べて、リエイブルメントのほうがスタッフの仕事のやりがいが大きいという。

デンマークなどが取り組むリエイブルメントは日本の介護政策にも影響を与えている。２０１７年に出された内閣府の『平成29年度版高齢社会白書』にはデンマークのリエイブルメントが取り上げられている。そして日本でも、まだごく一部の自治体ではあるが、「短期集中予防サービス」として高齢者の状態の改善を図る取り組みを始めているところが出てきている。

リエイブルメントは高齢者を「依存する存在」から「自分の人生を積極的に生きる主体」へと認識を転換するものである。そして、高齢者に対する社会の支援を「弱み補完型ケア」から「強み支援型ケア」に転換する可能性を持っているともいえる。自分の生活を自分の手に取り戻すことを支援するアプローチは、高齢社会のなかでますます主流になっていくだろう。

一方で、リエイブルメントの対象になりにくい人たちがいることにも言及したい。ターミナル患者、重度の認知症の人など、一緒に目標を立てて共有し、自立に向かうことが困難な人々もいることがデンマークの経験から明らかになっている。自立だけが唯一正しい方向性であるとの考え方は社会的排除につながるおそれを持っている。人生１００年時代に自立とＱＯＬ向上を達成すること、そして持続可能な介護制度を構築していくことはたしかに重要だが、同時に、他人のケアに依存する人々をも包摂する高齢社会のあり方を探っていく必要があるだろう。

（石黒暢）

58

家族で暮らすデンマーク

★「信頼」と古き良き日本の生活との類似性★

デンマーク第二の都市であるオーフースに住んで、足掛け10年になる。もともと家族でデンマークに移住を決断したきっかけは、東日本大震災である。小さい娘たちに与える放射能の影響を考え少しでも安全な場所で生活したいという連れ合いの希望を叶えた形だ。自然エネルギー最先端の国であるデンマークを「選んで」移住したのならカッコ良く聞こえるが、当時、東京の私立大学で教鞭を執っていた私にできることは、世界中の大学での求人を探し、履歴書を送ることだけだった。結果的に、運よく雇ってもらえたのがデンマークはオーフース大学だったのだ。

この10年間で、諸事情があって8回も引っ越した。「借金取りにでも追われているのか」と友人によく尋ねられるが、もちろんそうではない。さて、デンマークでの外国人の引っ越しは大変である。というのも日本とは根本的にシステムが違うからだ。驚いたことに、店舗営業している不動産屋は売買しか取り扱っていないのだ。当然、賃貸はオンラインでの取引となるわけだが、どのサイトも基本的に登録費がかかる上に、デンマーク語で問い合わせをしないと返事すら来ないケースも多い。1

週間の登録をして、10件くらいの問い合わせをしても、2件しか返事がなかったこともある。大家さんが高齢で英語でのやり取りを好まないとしたら当然のことだろう。逆に物件の内見まで辿り着くと、日本人で良かったと思うことが多かった。「日本人は礼儀正しいし、約束を守るし、物を丁寧に使う。だから君を優先する」と言って、他の希望者より優先して内諾をしてくれたケースが何件あったことか。ちなみに、普通に契約すると、初期費用として家賃4～6ヵ月分を用意しなければならない。

さて、引っ越しのおかげで良かった点もたくさんある。オーフースの市内だけでなく、周辺の地区（ヴィービュー、ハセルエーヤ、ホイビェア、リーススコウなど）に住むことで、それぞれの地域の特徴や住人の気質などがわかったからだ。移民が多いエリアからデンマーク人しか住んでいないようなエリアまで住んだが、どの場所もある程度「信頼」というキーワードで括れるような気がする。「信頼」という言葉は、この国の幸福度の高さ（世界幸福度調査）や汚職率の低さ（世界汚職度ランキング）にも大きく影響している。オーフース大学のスヴェンセン（Gert Tinggaard Svendsen）教授は、『Trust』という著書の中で、「管理することは簡単だ。だが、信頼することの方が安い」と言っている。多くのルールを作り、管理する人員を配置し、コントロールすれば、犯罪や汚職は当然減る。簡単な方法である。ただ、コストはかかる。お互いが信用・信頼していれば、それだけで安全は守られ、コストはかからない」というわけである。素晴らしい発想だが、それが実践されているのはさらに素晴らしいと思う。

有名な話であるが、赤ちゃんを真冬でもベビーカーに入れて、外に置きっぱなしにするというのも、ごく一般的に行なわれている。もちろん、ウォーキートーキーのようなものがベビーカーには入れてあり、赤ちゃんが泣くと両親が慌てる様子もなくやってくる。真冬の極寒の中でも毎日外に出す。これが赤ちゃんの呼吸器系を強くするらしい。また、地域によってだが、出掛ける時も、鍵をかけずに「ちょっと出掛けてくるね」くらいの挨拶をして出て行く。車もロックしていないことが多い。住人のほとんどがデンマーク人だからかもしれないが、一昔前の日本の田舎のようだ。私が子どもの頃の近所付き合いにとても似ている感覚がある。

市内中心部に引っ越した時も、挨拶しかしたことがないアパートの隣の人が、「2週間留守にするから、植木に水をあげてくれるかしら」とお願いに来た。「もちろん、いいですよ」と答えたが、植木を預けていくのかと思ったら、アパートの鍵を渡すではないか。お互いそんなに知らないのに、よくそんなことができるものだと思い、思い切って聞いてみたことがある。「ここではごく普通のことよ。気にしないで家の中に入ってね」と言われた。ここまで信頼されると、逆に裏切る気にもなれない。もしかしたら「信頼」というのは他人を信用することから始まっているのではなく、「信頼」されているからそれに見合うように行動するというところから始まっているのではないだろうか。

話は変わるが、家族で生活しているからこそわかったことをいくつか紹介したい。子どもが地元の学校に入ると驚くことがたくさんある。まず小中学校は、勉強をする場所ではないらしい。カリキュラム的なものはあるらしいが、いい意味でも悪い意味でも適当である。天気がいいと、森やビーチへ散歩に行く。帰りに先生の家でアイスやお菓子を食べて帰ってくる。これが年に何回もあるのだ。また先生が休むことも多い。当然代わりの先生が来るが、システム上、他のクラスの正規の先生が来るわけではなく、代理専門の先生がいるようである。しかも細かい引き継ぎをしている様子はなく、子どもは「今日は映画をみた」「今日は2時間外でドッヂボールした」などと言って帰ってくる。何も勉強していないという日が結構ある。これで大丈夫かと思って、先生に聞いたことがあるが、返ってきた答えが「学校は社会性を学ぶところです。勉強は各家庭でしてください」であった。なるほど宿題もほとんど出ず、子どもたちはのびのびと生活しているわけだ。

日本で小学校6年生にあたる学年まで、雨が降ろうが雪が降ろうが、休み時間には外に出される。ここまで日本と異なると脱帽である。比較しても仕方がない。そんな子どもたちが高校生になると一気に勉強させられると聞く。それで、高校の卒業パーティーの凄さも理解できるような気がする。クラスでトラックを貸し切って、クラスの友達の家を一軒一軒回るのである。トラックの荷台に乗って、飲めや歌えやのどんちゃん騒ぎをして移動する。移動した先の各家庭では、飲み物や食べ物が提供される。庭の芝生にテントが張ってあり、宴会が始まる。大音響で音楽が流されるが、みんなお互い様なのか、文句を言う人はほとんどいない。これを延々と続けるのだ。ただ、夜11時になると音量を下げる不文律があるようだ。

高校卒業のパーティー（筆者撮影）

さて、9年生（中学校3年生）の卒業が間近になると、さまざまな伝統行事がある。基本的には、「仲間として楽しい思い出を作る。そして在校生にもそれを分けてあげる」というコンセプトで始まったと言われている。その1つに、キャンディーを山のように買ってきて凍らせ、下級生にばら撒くイベントがある。と言っても「渡す」わけではなく「投げる」ので、帽子をかぶっている子もいる。これは私が子どもの頃あった、「建前」という行事に似ている。「棟上げ」の方が一般的かもしれないが、要は家を建てるとき、骨組みができ上がった時点で、家の持ち主が紅白の丸餅やお菓子、キャンディー、半紙に包んだ小銭を撒くのである。これは地域の方々に受け入れられてもらうための儀式でもあり、また、幸せを分ける意味もあると言われている。なんと似ているではないか。相互に信頼し、助け合い、仲間意識が強い、一昔前の日本の田舎生活とそっくりである。デンマーク人が国内で勉強し、仕事に就き、家族生活をするという意味に限定すれば、「幸福度第2位」なのも納得できる気がする。

（富岡次郎）

59

動物園におけるキリンの解剖に映るデンマーク社会

★徹底的な現実主義★

２０１４年２月９日、コペンハーゲン動物園の２歳のキリンのマリウスを殺し、コペンハーゲンの子どもたちを招き、子どもたちの目の前で解剖をしたというデンマークからのショッキングなニュースが、世界中で報道された。増え過ぎた子キリンの近親交配を防ぐための殺処分であり、動物園としては、せっかくの機会なので「良い教育的機会」として活用するというわけである。実際にマリウスは麻酔後、銃で殺され、見学する親子の前で丁寧な飼育員の解説とともに、解剖が実行された。その後、マリウスはバラバラに解体され、キリン柄の毛を付けたままの各部位にライオンがかぶりつく映像まで報道されたが、さすがに、その映像はなかなか衝撃的であった。

欧州動物園水族館協会の規則で、こうした動物の近親交配は避けられなくてはならないと定められている。ヨーロッパ内ですでにマリウスと同様の遺伝子を持つキリンが多数存在していたため、約３００か所の他の動物園も引き取ることが不可能だった。世界の動物愛好家からの抗議、フェイスブックでの「マリウスを救え」という嘆願署名、またあるアメリカ在住の富豪がマリウスを買い取って飼育すると申し出たにもかかわらず、コペンハーゲン動物園はひるむことなく予定通り決行し、国外からは驚きと激しい怒りの声が上がった。

当時、イギリスのテレビ局「チャンネル4」で、コペンハーゲン動物園園長のベングト・ホルストのインタヴューが行なわれている。司会者が「残酷で冷酷であった。子どもたちに見せるべきでなかった」と何度も執拗に繰り返すのに対し、ホルストは冷静に答えている。「肉食動物が他の動物を食べることは自然の摂理であり、ノーマルなことである。動物園はディズニーランドではなく、現実の世界であり、今回のことは全く残酷でも冷酷でもない。その現実から、なぜ子どもたちを避けさせようとするのか。子どもたちはこの解剖でキリンの心臓や脳などがどのように機能しているのかを学び、それは残酷などではなく、事実である。私は動物が大好きだからこそ、動物の健康的な頭数を求めている」と言い、何が問題なのか、ちっともわからないというように、彼は時折うんざりとした表情を浮かべていた。

このキリンの解剖は「特別授業」であったが、コペンハーゲン動物園では教育的役割が重視されている。ホームページを見ると、小学生から教育学を学ぶ学生まで、解剖を含む、幅広いプログラムが用意され、教師が申し込むことができる。2023年のプログラムでは、3・4年生、あるいは7〜10年生のクラスで解剖が設けられているが、両クラスとも「解剖された鶏は、最後に肉食動物の餌として活用します」と明記されている。

さて、この「非人道的」なニュースとして世界で報道されたキリンの解剖について、一般のデンマーク人はどう感じているのだろうか。筆者の周囲の人々に聞いてみたが、大人も高校生も子どもの

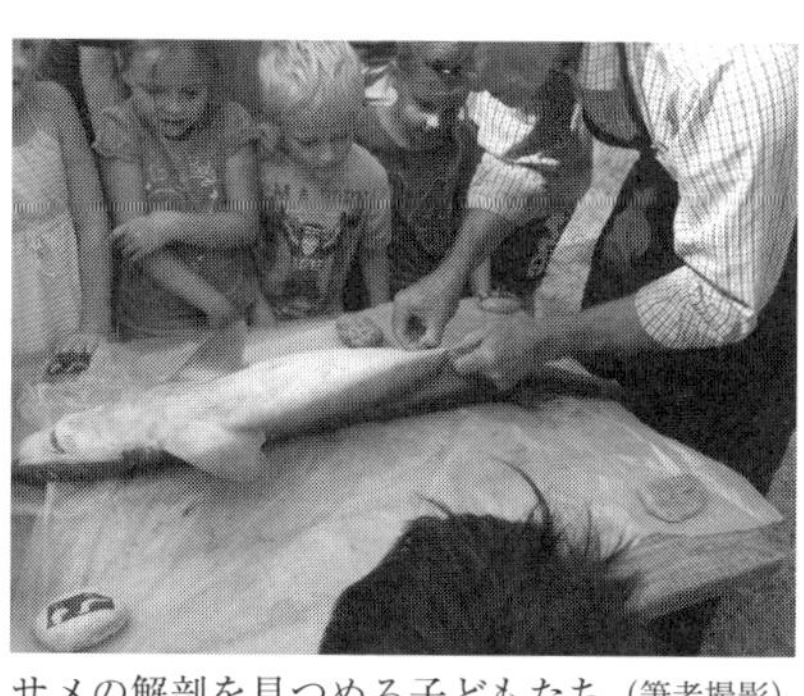

サメの解剖を見つめる子どもたち（筆者撮影）

中にも、1人として否定的な人はいなかった。すぐさま、「大賛成」、「どうしてダメなのかわからない」、「死んだ後、解剖に使うのは、むしろいいことだ」、「ライオンの餌として活用するのも合理的」という肯定的な答えが返ってきた。

現実と向き合うというのが、どうやら長年培われてきたデンマーク人の行動様式なのである。トランスペアレンシー・インターナショナルが発表する「腐敗認識指数」で、毎年世界1位となっている、クリーンなデンマーク社会である。つねに嘘のないこと、真実を隠さないこと、ありのままに状況を受け入れることが、デンマーク流なのだ。何に対しても忖度をすることがなく、2005年にイスラーム諸国から抗議が殺到したデンマークの『ユランス・ポステン』紙が引き起こした、ムハンマド風刺画問題も同じデンマーク社会にある土壌であったと言えよう。表現の自由を他者の宗教の領域まで主張し、ムスリムの心情を逆なでするやり方に、一部のデンマーク人はさすがに反論をしていたが、当時の国内の移民へのヘイト感情と重なって、世論としてはこれを是としていた。事態は悪化し、世界中のイスラーム諸国でデンマークが誇る乳製品企業「アーラ」に対する不買運動に発展したばかりでなく、大使館への火炎瓶などでの襲撃により、同胞の死者まで出ていた。それでもユランス・ポステン紙も、時の首相アナス・フォウ・ラスムセンも全くひるむことなく、最後まで謝罪をしなかったことに、デンマーク人の民主主義の底力を見せつけられた気がして、なんと自由とは厳しいものかと実感したことを覚えている。

こうした現実路線の事例は枚挙にいとまがない。1960年代に『愛についてのA－Z』を出版したヒーイラ夫妻が、デンマーク中の高校を回り、性についてのあらゆる質問に真正面から答えるという活動が行なわれ、1971年には早くも小学校での性教育が義務化されている。1989年に「パートナー登録制度」により、事実上の同性婚が世界で初めて認められたのもデンマークであった。2000年に創設された「ヒューマンライブラリー」は、文字通り、人間の貸し出しをする図書館で、さまざまなマイノリティと呼ばれる人たちが登録され、彼らに本音の質問をしてよいという活動である。2020年には子ども向け番組で、全裸の大人たちが6人ずつ出てきて、身体版の「ヒューマンライブラリー」が教育番組として放映されるという、またもや斬新な試みがあった。映画の世界も現実路線を重視するのがデンマーク流である。デンマーク映画界を牽引（けんいん）する監督たちが「ドウメ95（Dogme95、英語ではDogma95）」という、ハリウッドに対抗する「約束事」を1995年に提案した。人工照明を使わない、カメラは手持ちカメラのみ、すべてはロケーション撮影で行なう、回想シーンや派手なアクションは使わないなどを基本とし、登場人物がすぐそこで日常を見せてくれているようなリアリティ、それこそがデンマーク映画やドラマの魅力となっている。

外から見ると、ときには「それは行き過ぎではないか」という批判があっても聞く耳を持たず、デンマーク人の現実主義は、あっぱれなほどに徹底的に映る。普段のデンマーク人は穏やかで、地味なのに、現実主義や民主主義、自由の尊重となると何事にも揺るがず、屈しない。そのギャップがすごい。

（オールセン八千代）

60

リベラルなデンマークの生殖補助医療

★子どもを持ちたい人々の夢を叶える★

デンマーク第二の都市オーフースに、世界最大の精子バンクがある。国内の法制度の自由度の高さ（社会での受容）と配偶子提供に対する人々の意識（個人レベルでの受容）が適える、デンマーク国内の生殖補助医療の制度を紹介する。

デンマークではシングルでパートナーのいない女性でも、LGBTQ＋の人でも、婚姻関係の有無にかかわらずカップルでも不妊治療を受けることができる。精子提供、卵子提供、あるいはダブルドネーションと呼ばれる精子も卵子もドナーから提供を受けることも可能である。子どもが18歳になったときにドナーの連絡先（本名、生年月日と最終登録住所）を知ることができる身元開示ドナー、身元非開示ドナーのどちらでも選ぶことができる。ただしダブルドネーションの場合には、子どもの出自を知る権利の観点から、精子か卵子のどちらかは必ず身元開示ドナーを選ぶことが条件となっている。

デンマークでは、30歳未満から35歳までのカップルの場合には最低12ヵ月間、35歳以上の場合には半年程度、妊活しても妊娠に至らない場合に、かかりつけ医に相談して不妊の検査が受けられる。検査の結果で不妊治療が必要とみなされれば、夫の精子、あるいはドナー精子を用いて、公立病院で人工授精6回、体外受精3回まで可能である。かかりつけ医からの紹介が出されていることを前提に、女性は40歳になるまでにこうした治療を受けられるが、41歳になると治療は終了される。シングルの場合には子どもがいないことが前提だが、カップルの場合でも子どもを作ったパートナーと別れ、新しいパートナーになってから共通の子どもがない場合にはこのルールは適用される。特に不妊の要素はないが自然妊娠がないシングルやレズビアンで人工的な生殖補助が必要な場合も、同様に41歳未満であれば精子バンクからドナー精子を購入し、上記の回数の治療が無料で受けられる。投薬代を除き治療費用がかからない点は大きなメリットだが、希望してから治療につながるまでの待機期間が非常に長いことや、夏休みなど病院には長期休暇期間があり、病院の都合に合わせなければならないことがデメリットとなる。

一方、デンマーク国内には多数の民間不妊治療クリニックが存在しており、デンマーク人だけではなく、国内外からの外国人患者も数多く受け入れている。年中無休で治療ができるところが多いため、公立病院で無料診療が受けられる条件を満たす場合であっても、待機期間を避けるために自費で民間クリニックにかかるケースも珍しくない。民間クリニックでは治療を受ける女性の年齢に上限（46歳未満）が設けられているのみで、そのほかの制限はほぼ皆無である。在住国で何らかの法制度による制限（シングルやレズビアンへの治療が禁止されているなど）があるために、患者が外国へ渡航し治療を受ける「不妊ツーリズム」も見かけられる。たとえば、隣国のノルウェーやスウェーデンであっても法制度は異なり、利用が許されているのは身元開示ドナーのみで、クリニックがドナー精子の注文を入れることになっている。つまり、そこでは患者は身元非開示のドナーを選ぶこと（子どもが将来ドナーにコンタクトすることを望まない場合）はもとより、そもそも自分でドナーを選ぶことができない。一方、デンマークでは身元開示・身元非開示のドナー双方が許されており、ドナー精子も自分で選択できるため、自分で費用を負担してでも近隣諸国から治療に訪れる人が一定数いる。

治療費に関してはほぼ日本と同じ水準で、医療にお金はかからないと考えているデンマーク人にとって決して小さな額ではないが、給与水準が日本より高いことを考えると、とても手が出ないというわけではない。コペンハーゲンのクリニックで尋ねたところ、患者の8割程度がドナー精子を必要とするケースであり、夫の精子で治療をするカップルはほんの2割程度となっている。

18歳から45歳までの精子ドナーは厳格なスクリーニング検査を受けて、感染症や遺伝性の疾患がないことを確認されている。ドナーの多くが学生で、1回の提供ごとに200から500クローネの補償を受ける。精子提供自体は相当数が可能だが、世界中の異母兄弟の数が管理されており、1人のドナーからのデンマーク国内での妊娠報告は最大12家族とされている。精子バンクの利用者全体の割合としては、シングルの女性が約半数、レズビアンが約35％、異性愛カップルが約15％となっている。

精子バンクによる精子注文用パンフレット

18歳から35歳までの卵子ドナーが卵子提供できるのは最大で6回と推奨されており、1回の提供ごとに7000クローネの補償を受ける。ドナーの未受精卵を凍結保存して販売する卵子バンクは許されていないため、クリニックがドナーと受け取り手のコーディネートをする。

卵子提供を受けるには健康上の理由が必要なため、レズビアンのカップルが2人とも生物学上の母親となるために、1人が卵子を提供し、もう1人が妊娠して胎児を育てる子宮を提供するというROPA法は認められていない。クリニックのコーディネータがドナー希望者と受け取り手をマッチングさせ、採卵された新鮮未受精卵はすべて1人の受け取り手に提供することになる。年齢を理由に卵子提供を受ける受け取り手も多いが、そうした場合には何人も子どもを産む見通しもないため、余剰受精胚が発生する。しかし、余剰受精胚の他への譲渡は禁止されているため、女性が46歳に達したら受精胚は破棄される。ソーシャル・フリージングと呼ばれる未受精卵子の凍結はこれまで5年間を上限に認められていたものの、当人が病気だったり不妊治療を開始している場合を除いては5年後に破棄されなければならなかった。しかし2020年、市民からの提案で不妊治療が終了となる46歳まで保存できるように変更される合意ができている。

以上のように、世界的に見てもリベラルな法制度のデンマークであるが、その背景にはニーズと人々の理解がある。卵子提供では以前はドナーが足りずにスペインなど外国へ治療に出かけることを余儀なくされていたが、補償額を引き上げることでそれなりのドナー数を確保することに成功した経緯がある。また、身元開示を求めるとドナーが集まらないのではないかという懸念とは裏腹に、今は精子ドナーの半数程度が身元開示ドナーとなっている。身元を開示しても子どもの父親として養育費を請求されることはないといった法的な権利が明白だからこそ、純粋に子どもが欲しい人々を助けたいという思いのドナーが集まることが可能になっている。少子化を乗り越えたデンマークで、生殖補助の領域のリベラルな法体制が果たしている意義を見つめ、日本の今後へも参考になることを期待する。

（鈴木優美）

61

有事の備えとしてのデンマーク郷土防衛隊

★抵抗運動からの現代的な変遷★

デンマークには、防衛省のもとに陸軍、海軍、空軍があるが、第四の軍隊として18歳以上の男女からなる市民ボランティアから構成される郷土防衛隊という組織がある。その目的は「戦争を防ぎ、世界の平和的な発展のために働くこと」とされている。郷土防衛隊もまた陸、海、空軍に準じた部門に分けられており、有事の際には防衛軍や警察、税務の支援についたり、雪や嵐、洪水といった災害時に市民救護にあたったりする。隊の3つの部門を合わせると1万3000人が活動中であり、加えて急務の際に出動する待機中のメンバーが3万人控えている。うち女性の隊員は14％程度となっている。

ロシアのウクライナへの侵攻で「有事」への危機感は高まったが、平時から訓練や準備を重ねている。グループによって異なるが、平均して月に1回から3回集まり、場合によっては週末や夏季休暇中も訓練や業務がある。

郷土防衛隊に入隊することで、300以上の訓練コースに参加することができる。手榴弾（しゅりゅうだん）や銃の扱いに関するものや、救護に関するコースなど実にさまざまである。ボランティアであるため報酬は一切ないが、こうした訓練コースもまた無料で参加できるようになっている。迷彩模様のユニフォームからヘルメット、ブーツなど必要なものはすべて支給されるほか、遠方で訓練に参加する場合にも宿泊費や食費はかからない。遠方へ出る交通費は支給され、訓練のために仕事を休まざるを得ない場合には、休業補償がカバーされる。

歴史的には、郷土防衛隊はナチスドイツに対する抵抗運動から来ている。デンマークがナチスドイツから解放された1945年5月4日に、抵抗運動側が郷土防衛隊として再編成・発足させる要求を出し、国会での審議を経て、1949年4月に公式に発足した。そのため、現在も5月4日は郷土防衛隊にとって特別な日である。窓に暗幕をかけて部屋の灯りを漏らさないよう息をひそめた戦時中の暗い5年間が終了したことを祝い、解放された5月4日には街のあちこちで灯りが灯され、人々は自由を祝った。それを機に市民の間でも翌1946年からは5月4日には窓辺にキャンドルを灯すことが伝統となっている。郷土防衛隊でも毎年パレードを行ない、抵抗運動に命を懸け戦った同志やその中で命を落とした同志を悼み、思い返す日とされている。同時に、郷土防衛隊に入隊して25周年、40周年、50周年の仲間にメダルを授与し、顕彰する機会ともなっている。

2023年5月4日にコペンハーゲン北部の兵舎で行なわれた郷土防衛隊の顕彰式の様子（筆者撮影）

発足時から3万人を集めた隊員は、50年代には6万8000人にまで増え、冷戦が終わる80年代終わりには7万4000人にまで拡大した。現在、新規隊員のリクルーティングに関しては容易ではないが、ソーシャルメディアを通したアピールを中心にすることで、一定数の若い隊員を獲得している。若者が参加する動機として、ゲームなどで育ってきた世代が実際に武器に触れたいと考えていたり、敵を想定して防備を試みるシュミレーションゲームに参加するような気分もあるようだ。こうした武器や装備品に興味のある隊員は入隊して一定の訓練や試験を終え、既定の管理枠組みの中で厳正に武器が保管できると判断された場合にのみ、自宅での保管が許される。自宅保管される武器は暗証コード付きの保管庫に入れられ、さらに組み立てにも暗証コードを要するなど、厳重に盗難・悪用防止の策がとられている。もともとデンマークには徴兵制があり、18歳になる男性は全員召喚され、適格・不適格を診る健康診断やくじ引きの結果、4ヵ月間から12ヵ月間軍隊に入って訓練に参加している。女子も兵役に志願することができる。くじ引きはするものの、実情としては99%が志願者で成り立っており、意思に反して兵役に就く人はほとんどいないとされている。

兵役に従事することと郷土防衛隊の直接の関係はないものの、兵役に従事した経験がある場合には、郷土防衛隊の基礎訓練コースに参加することなく、入隊して比較的すぐに業務に従事できるというメリットがある。基礎訓練コースは修了までにおよそ250時間かかり、身体の鍛錬、一次救命処置や応急手当、警備訓練、関連する道具の使い方についてなどを取り扱う。兵役後に普通の仕事に就いたが、職業軍人としてではなくても軍隊と関わりを持っていたいという人に、郷土防衛隊は適しているとと説明されている。

郷土防衛隊で日常的に行なわれている訓練にはどんなものがあるのか、紹介しよう。たとえば、その場で渡された地図から地形をある程度覚え、コンパスを頼りに真夜中の闇の中を敵に模した人に捕まらないようにしながら10のポスト（目印）を見つけるというオリエンテーリングがある。夜の闇の中で目を慣らし、目的を達成する能力を養う。パトロール部隊の訓練の場合には、情報を収集して、味方の元へ戻り報告し、敵が最も弱いであろうところをつく力が磨かれる。そのまま闇の中で起こされるまで眠るように言われ、数時間後に起こされると今度は射撃場へ行き、25メートル先の紙でできた目標を狙う射撃訓練を行なう。胸の上部の心臓のあたり、喉の真ん中、頭の中心がハイスコア目標とされていて、できるだけそこを狙う。2月の凍った海でゴムボートを転覆させるという実技もあった。過酷な天候や身体的な条件の下でも、不満をこぼすことなく任務にあたる精神力や肉体を育てるということだろう。

訓練の他に、実際に社会に役に立つ現場に入ることもある。有事といっても危機は戦争だけではない。たとえば、コロナ禍ではロックダウンをせず感染を広げていた、隣国スウェーデンから電車やフェリーで入ってくる人をチェックしたり、車内・船内に隠れている人がいないかといった見回りを行なった。あるいは公共インフラである電車にグラフィティと呼ばれる落書きをする人を取り締まる目的で、深夜に電車の倉庫のそばに潜み、犯人を捕まえようとしたこともあった。文化・音楽イベントなどで大勢の観客が参加するイベントなどで、警察に代わって交通整理や交通規制などの手伝いをするユニットもある。

日常では治安の維持や取り締まりなどの業務にあたっている警察や国防軍も、災害や有事の際には急にその責任範囲が広がったり、マンパワーが必要となったりする。一朝一夕で人を育て、鍛えることはできないため、こうした軍に準じたボランティアである郷土防衛隊が市民を守るために実戦で役に立つであろう訓練を日々重ね、後方から下支えしていることになる。

（鈴木優美）

62

目前に迫るキャッシュレス社会

★通貨デジタル化と現金決済の行方★

世界からも、どこよりも早くキャッシュレス社会に突入するのは北欧諸国であろうとみられている。デンマークでも長い間、ダンコート（Dankort）と呼ばれるクレジットカードに搭載された機能が、デビットカードとして使われてきた。さらにこの10年ほどはアップル・ペイなどの国際的な決済アプリに加え、モバイル・ペイという銀行の開発したアプリが広範に利用されるようになった。２０２１年にはアップル・ペイがモバイル決済の42％を占めており、モバイル・ペイは22％、ダンコートのアプリは19％、グーグル・ペイは６％となっている（ダンコートのアプリは他の決済アプリに押され、22年に廃止が決まった）。

デンマークでは、支払いに関する法律の中に、小売店やレストランなどが現金を受け付けなければならないという規定があり、朝６時から夜10時までは基本的に現金での支払いを断ることはできない。そのためスウェーデンやフィンランドほど、完全キャッシュレス化は進んでいない。ごくわずかに無人の販売所あるいは特別に強盗などの危険が高いと見なされる地域に限っては、届け出を出すことで現金の取り扱いが朝６時から夜８時までに短縮される。２０２２年11月には、コロナ禍で従業

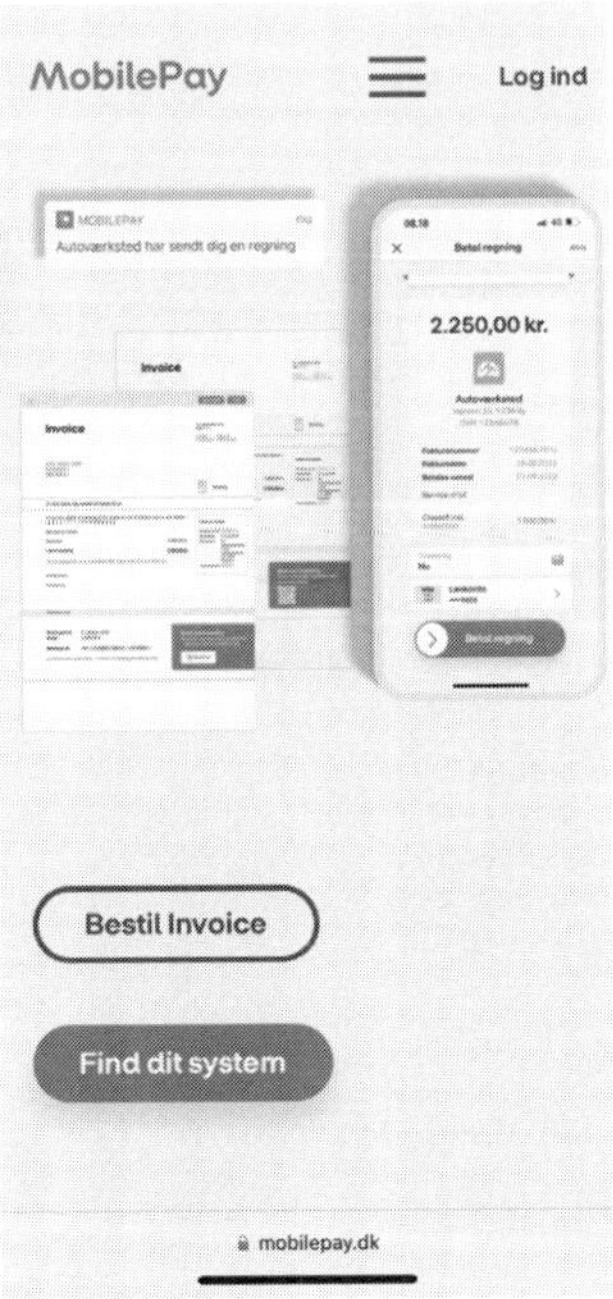

モバイル・ペイ

員への配慮から数ヵ月間にわたって現金の取り扱いを拒否したカフェチェーンが4万クローネの罰金を科せられており、現在も国として現金の取り扱いを廃止する意向は見られない。

しかし、資金洗浄の関わる高額の支払いとなると話は別である。2021年7月以来、現金での支払いは1万9999クローネが上限とされており、現金ではこれを超える額を受け取ると、最低1万クローネ、超過額の25%が罰金として科される。これは大きな金額を現金で扱うことにより、課税されるのを回避しようとする業者へ向けた規制だ。デンマークの付加価値税は25%にもなるため、「ブラックで」仕事を依頼すると顧客側は付加価値税を節約でき、業者側は所得税（売り上げの約50%）をそのまま支払わずに済むのだ。その分、国庫にとっての取りはぐれは大きく、税務省が取り締まろうというのは理解できる。

しかし、小売店側にとっては、現金の取り扱いはマイナスばかりである。現金会計は処理に時間がかかる、従業員による会計ミスや盗難などの危険がある、店舗に釣銭用の小銭を用意しておかないとならない、売り上げの現金を銀行に預け入れるのに手数料がかかる、強盗や空き巣などの危険がある、などが挙げられる。

キャッシュレス化はこれらのマイナスをなくすと同時に、犯罪者が資金洗浄をする機会を防ぐという利点でしばしば語られている。上記のような小規模業者が「ブラックで」請け負った仕事で稼いだお金のこともあるだろうし、外国の犯罪者組織が違法薬物などを扱って入手した現金かもしれない。出所の分からないお金をできる限り減らし、金の流れを追えるようにしたいというのが国側の思惑である。そのため、現金を完全に廃止しなくても、高額紙幣の500クローネ札、1000クローネを廃止するという折衷案も出されている。

キャッシュレス化のマイナス点を調べたが、多くは挙がってこなかった。現金廃止への反対派の意見としては、デジタル化に慣れていない高齢者が取り残されてしまうとか、ホームレスや経済リテラシーに欠け債務を抱えたような社会的弱者は、現金を扱った方が実感がわく、といったどこか感傷論に近いものが多い。唯一、停電やサイバー攻撃といった非常事態の時に、決済手段が電子マネーだけでは不都合が生じるという批判は検討に値する。

2022年に、セブンイレブンがサイバー攻撃に遭った事件を紹介しよう。22年8月に、小売りチェーンのセブンイレブンにハッカー攻撃があり、カードでの決済が不能になった。人質ソフト・ランサムウェアを使って、身代金をとる目的だったとみられるが、セブンイレブン側は脅しには屈しないとして、支払ったという報道は見られなかった。攻撃の翌日から少しずつカード決済ターミナルは復帰したが、それまでの間は現金による支払いと、携帯電話端末を用いての決済に限られた。

今後もこうしたサイバー攻撃の件は増加する傾向にあると思われるが、その対処策が「現金決済に対応できるようにしておくこと」というのは正解だろうか。上記、セブンイレブンの件ではカードが使えずとも、携帯端末での決済は問題なく行なわれていた。モバイル・ペイとアップル・ペイなど他の決済手段と併用していれば、何らかの事情でどちらかが使えない状態であっても予備手段が控えていることになる。

筆者がひやりとした経験は、携帯電話を落として、割れた画面に何も映らなくなってしまった時だ。店舗に行って契約する時間もなく、電話機自体は中古品サイトである個人と簡単に購入する交渉ができたが、その支払いができない。相手はこちらを知るわけでもないから、すぐに支払いを期待している。こちらは有効な携帯電話がないため、モバイル・ペイも使えない。パソコンからネットバンクにアクセスして銀行振り込みをするにしても、「MitID」という個人デジタル認証が携帯電話に入っているため、ログインできない。購入したばかりの携帯電話にSIMカードを入れ替えてすぐにモバイル・ペイが使えることをわずかに期待したが、そう簡単にはいかなかった。結局、タブレット端末から売主に代理でモバイル・ペイで支払ってもらうように友人に頼み、事なきを得た。新しい携帯電話がようやく自分のものになったところで、落ち着いてまずはWiFiへの接続、MitIDの認証と数々の機能を少しずつ回復させ、ようやくモバイル・ペイも復活し、友人への払い戻しも完了できた。キャッシュレスというよりは、デンマークの基本がいかにスマートフォン式の携帯電話に依存した生活になっているかを実感する事件となった（銀行のATMで現金で引き出すという手段は残っていたが、不便な選択肢だった）。

デンマークに限らず、北欧におけるキャッシュレス社会は避けられない趨勢だ。ユーロ圏に入っているフィンランドと異なり、デンマーク、スウェーデン、ノルウェーは自国の通貨を維持するという政策をとっているため、そもそも出回る通貨の量が少ない。紙幣を印刷し、硬貨を鋳造する意味がますます薄れ、コストばかりが膨らめば、国側も現金決済を維持するインセンティヴが薄れる。クレジットカードだけとか、携帯電話だけとかではなく、人々にとっては複数の決済手段を持つことは、キャッシュレス社会に生きる者の有効な自衛策と考えておくべきだろう。

（鈴木優美）

63

デンマーク風力発電の現在

★伝統からイノベーションへ★

1982年に出版され、米国を中心に環境社会学のテキストとして評価をうけていた*Environment, Energy, and Society*（邦訳『環境・エネルギー・社会』ミネルヴァ書房、1991年）のなかで、著者のC・R・ハムフェリーとF・H・バトルは風力発電について以下のように断言していた。「風力発電や、それによって生じた電力のバッテリー貯蔵を通して風力利用を拡大する試みは、なおさら思わしい成果を上げていない。とりわけ農村部の住居において、風は確かに個別的な動力源として一定の潜在性を備えているが、それが全面的に主たるエネルギー源として用いられる可能性はほとんどない」（同書邦訳197頁）、と。だがそれから約40年弱が経過した2021年のIEAデータによれば、デンマークは16TWhの電力を風力から作り出しており、それは国内電力消費の約43・8％に相当するとされる（IEA Wind TCP Report 2021 Denmark）。デンマークという国レベルで見る限りでは、先のハムフェリーとバトルの言は覆されたと言ってよいだろう。本章では、旧版の第42章「風力発電：現代デンマークのナショナル・シンボル」を執筆した筆者がそれ以降のデンマークの、風力発電をめぐる状況や背景の変化を取

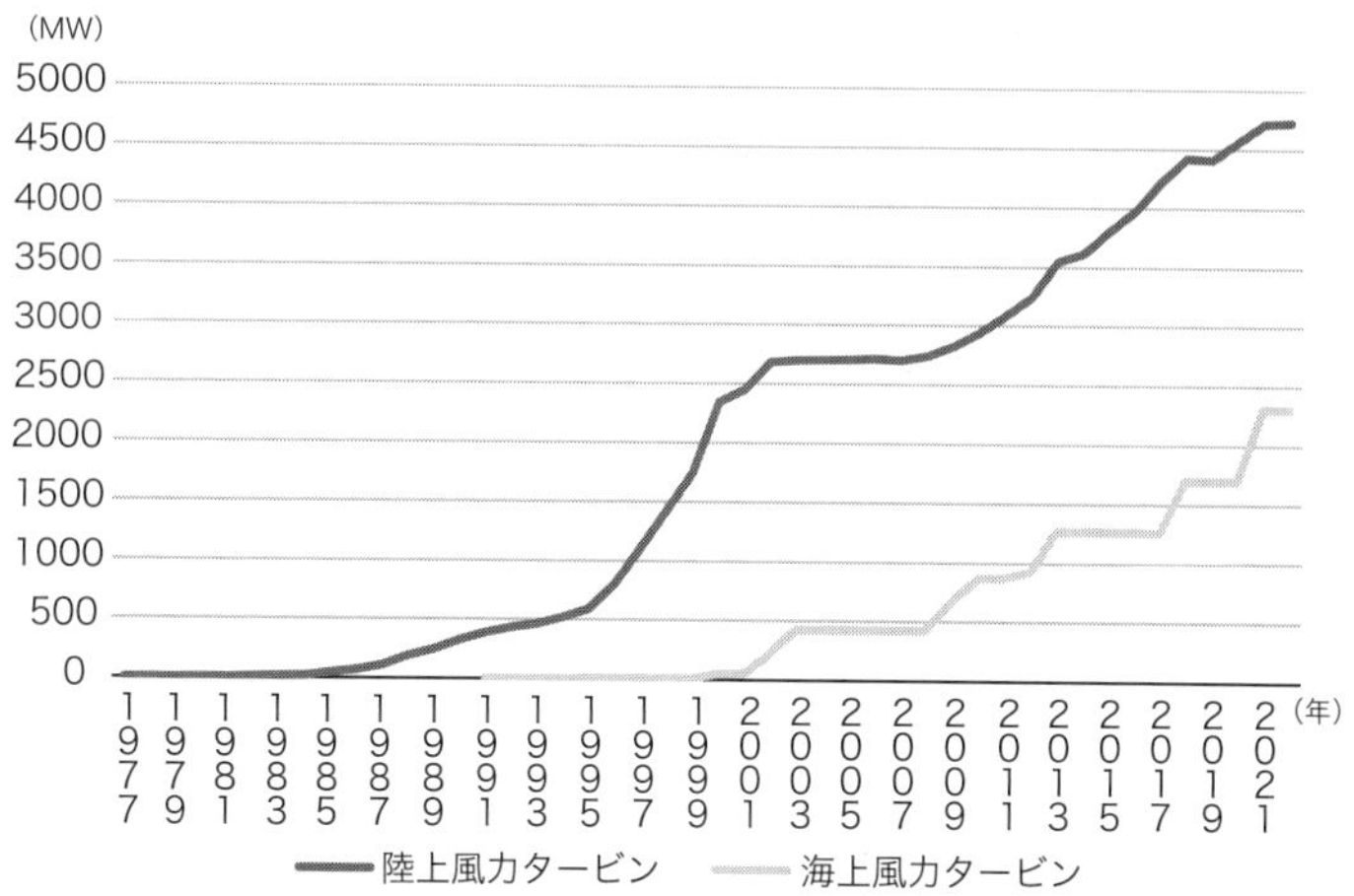

図1　デンマークの風力発電容量（MW）
出典：デンマーク・エネルギー庁 Master Data Register of Wind Turbines（2023年5月31日最終閲覧）より筆者作成
https://ens.dk/en/our-services/statistics-data-key-figures-and-energy-maps/overview-energy-sector

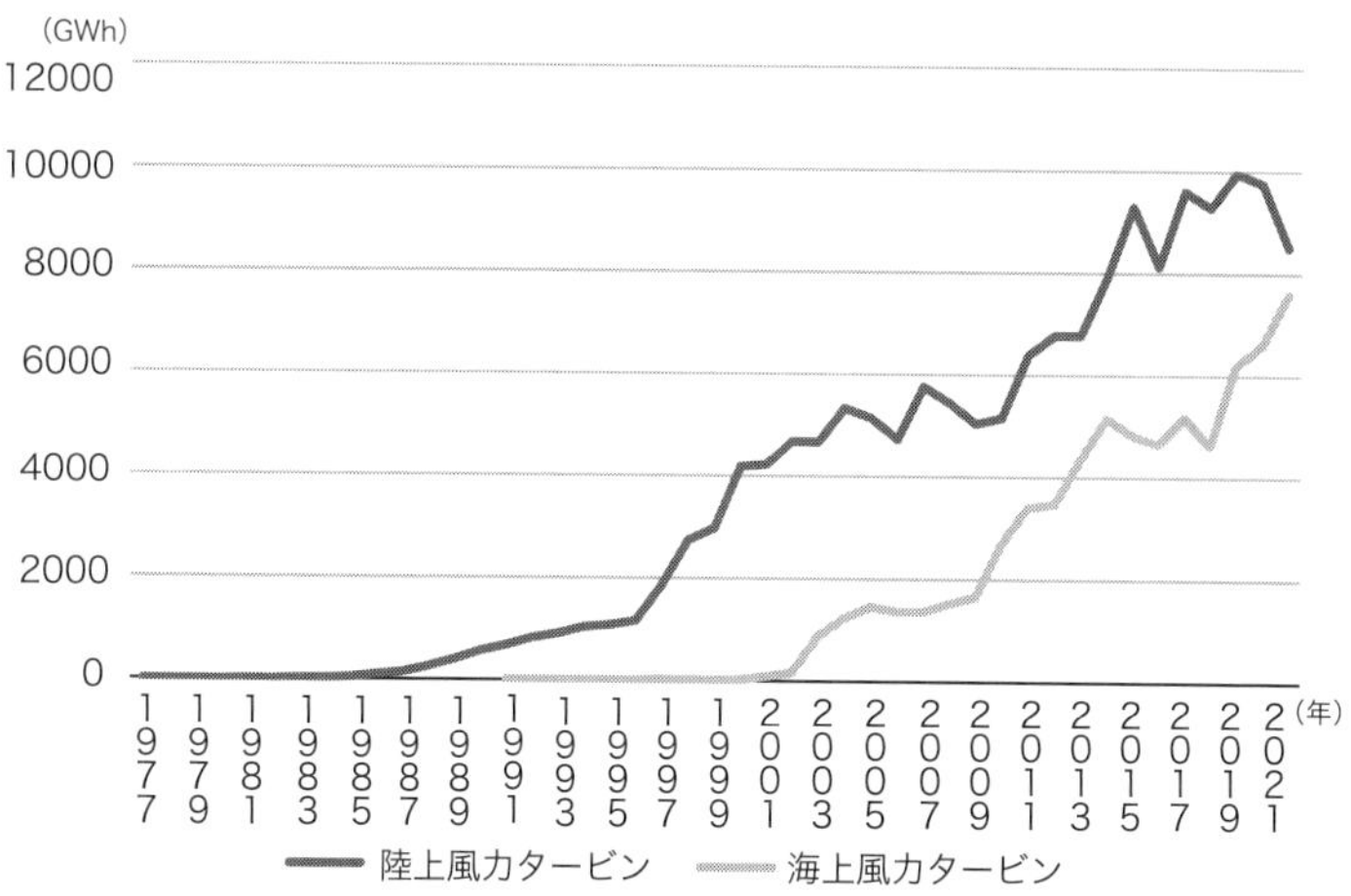

図2　デンマークの風力発電電力生産量（GWh）
出典：デンマーク・エネルギー庁 Master Data Register of Wind Turbines（2023年5月31日最終閲覧）より筆者作成
https://ens.dk/en/our-services/statistics-data-key-figures-and-energy-maps/overview-energy-sector

り纏めてみたい。

デンマーク・エネルギー庁の統計によれば、2022年3月の時点で、デンマーク国内には6296基の風力タービンが設置されている。そのうち、陸上に設置されているタービンの数は5666基、オフショアの数は630基である。設備容量は、陸上で約4・7GW、洋上で2・3GWで国内設備容量は合計で約7GWである。2019年の年間発電電力量は陸上で約8507GWh、洋上で約7593GWhの合計約1万6000GWhとなっている。旧版刊行当時は、風力がデンマークの全電力の内に占める割合は16・8％で、国内に5267基の風力タービンが稼働（2007年末当時）し、年間6018GWhの発電電力量（2006年当時）であった。その当時のデンマークにおける風力発電はすでに世界をリードする規模のものであったが、さらにそれ以降も著しい発展を遂げている。その発展の特徴として、全電力に占める風力の割合が大幅に増加しているなか、タービンの設置数自体は微増にとどまりつつ、その発電電力量が格段に増加している。その背景として指摘できるのは、新たに設置された風力タービン、特にオフショアにおけるタービンの設備容量の増加である。オフショアタービンは一般に、陸上の風力タービンより一基ごとの容量が大きい。陸上タービンの平均容量が一基当たり約833kWであるのに対し、オフショアタービンは約3660kWである。海上のウィンドファームには大規模な風力タービンを設置しやすい。陸上タービンの多くが「市民風車」であり、大規模タービンの設置に向いていなかったことも挙げられよう。またもう1つは効率性の違いである。オフショアタービンの設備利用率（capacity factor）は、2021年で約51％であり、他方で陸上タービンは同21・4％である。つまり、設備利用率の点で言えばオフショアタービンは2倍超の効率性を有していることになる。この理由としては、海上のほうが風が強く、そしてまた安定していることが挙げられる。

デンマーク政府は、2030年までにオフショアタービンの設備容量を12・9GW、4万9500GWhの発電電力量に増大する計画を発表し、2030年代には電力の輸出国となることを想定している。このように、デンマークにおける風力発電の基礎は、陸上から洋上へとシフトしている。それはまた、伝統的な市民風車をもとにしたエネルギー自給の戦略から、グローバルな大規模エネルギー市場創出という戦略へと移行したということでもある。その一端は、洋上におけるエネルギーハブ設置計画に見て取れる。これは、洋上風力発電のハブ施設を有する人工島を建設し、そこから欧州へのエネルギー供給を目指すというもので、ユラン（ユトランド）半島から約80キロ西に建設が計画されている。その規模は2033年までに3GWの洋上風力発電に対応させるものとされ、最終的には最大10GWの発電能力を持つことを予定している。またボーンホルム島にも2GWのエネルギーハブが計画されており、ドイツやスウェーデンへの接続が期待されている。さらにグローバルなプラットフォーム創出にもデンマークは力を入れている。世界洋上風力連合（Global Offshore Wind Alliance: GOWA）はその1つである。同連合は国際再生可能エネルギー機関（International Renewable Energy Agency: IRENA）と世界風力会議（Global Wind Energy Council: GWEC）、そしてデンマーク政府により2022年に立ち上げられたグローバルアライアンスである。同連合は世界の洋上風力発電設備容量を、2021年の57GWから2030年に380GWへと増加させることを目指すとしており、日本政府も同連合に参加を表明している。

デンマークのオフショアタービン
出典：State of Green（https://stateofgreen.com/）

以上のように、デンマークに始まった伝統的な風力発電の広がりは、今や世界レベルのイノベーションを生み出している。だが、現在の世界情勢において、それは単なるクリーンなエネルギーの普及運動にとどまるものではない。たとえば2022年には、デンマークを筆頭にポーランド、ドイツ、バルト三国などは、今後8年間で洋上風力発電容量を現行の7倍に増やすことに合意している。ここにおいて風力は、これらの国々がロシア産ガスへの依存から脱却することを念頭に置いた、1つの大きな戦略的エネルギーシフトの意味を持っている。本章で述べてきたデンマークによる風力発電の世界的なイノベーションは、こうした流れの一部と理解すべきである。つまり、風力発電は外交戦略上の重要な道具として、その役割自体も大きく変容しているのである。

（田渕宗孝）

64

地域に根ざしたエネルギー転換

——★ 100%再生可能エネルギーの島、サムスー島の取り組み★——

本章では「デンマークの再生可能エネルギー島」として早くからエネルギー問題に取り組んできた小さな島、サムスー（Samsø）での取り組みを紹介したい。

シェラン島の西端の町カロンボーからフェリーに乗り、１時間半ほどの船旅を終えると、サムスー島の港のうちの１つ、バレン港に到着する。カテガト海峡に浮かぶ東西に細長いこの島はデンマークの中央に位置しており、面積はわずか１１４平方キロメートルで、日本の壱岐島より少し小さいくらいである。２０２２年の人口は３７１６人で、過疎が進む地域の１つとされているものの、自然豊かで静かなことや、藁葺（わらぶ）き屋根の民家や粉ひきの風車といった昔ながらの景観が保存されていることなどから、観光地や別荘地としては高い人気を誇っている。農業が重要な産業で、国内では特に品質の良いジャガイモの産地として有名である。

そんな片田舎の農村地域であるサムスー島は、島内で使用するエネルギーを計算上１００％自然エネルギーで自給するという偉業を成し遂げて以来、世界中から注目を集めてきた。事の発端は１９９６年、当時のエネルギー庁が、再生可能エネルギーの普及拡大の機運を高めるため、10年以内に島内で消費する全エネルギーを再生可能エネルギーで賄うことを目指す島を募るコンペティションを行なったことに遡る。サムスー島の政治家やビジネスマンから成るグループがこれに応募し、翌年には他の4地域を抑えてサムスー島が提出した計画が採択され、島はエネルギー自給に向けて動き出した。

まず島内で消費されているエネルギーが、電力部門、熱部門（暖房や給湯）、輸送部門（自動車、フェリーなど）の3部門に分類され、その消費量は合計で約500テラジュール（TJ）であると推定された。内訳は電力2割、熱4割、輸送4割であった。そのうえで、各部門を再生可能エネルギーに置き換える方法が検討された。電力部門については、従来は海底ケーブルを通して対岸のユラン（ユトランド）半島にある発電所から電気を購入していたが、代わりに島内に11基の陸上風力発電機を設置して賄うこととなった。熱部門については、化石燃料を使用する暖房器具を減らし、農業で出る藁やウッドチップなどを燃料とする地域熱暖房設備を導入することとなった。地域熱暖房とは、熱供給施設で作った温水などの熱媒を配管を通して地域内の各家庭に供給し、その熱で暖房や給湯を行なうシステムのことで、デンマークでは従来から広く普及しているものである。サムスー島にも以前から熱供給施設が1か所だけ存在していたが、その数を4か所に増やしてより多くの家庭の接続を目指すことになった。一方輸送部門では当初、フェリーの燃料のバイオガスへの転換や、島内を走る自動車の電化が計画されていた。しかしながら経済的・技術的な問題からそれらを短期間で実行することは難しいと判断され、代わりに沖合に10基の洋上風力発電機を建設し、生み出された電気を海底ケーブルを通してユラン半島へ送電することで、輸送部門での化石燃料消費を相殺するという方法が採用された。これらを実行に移した結果、サムスー島はプロジェクト開始から10年を待たずに、計算上ではあるが島内の消費エネルギーを100%再生可能エネルギーで賄うことに成功したのである。

とはいえ風力発電や地域熱暖房といった技術は、デンマークでは当時からよく知られたものであった。サムスー島での取り組みにおいて特筆すべきは、そういった技術的な側面というよりもむしろ、住民が利点を感じることができるような計画が設計されていたことである。たとえば風力発電機は地主や協同組合に参加した住民たちによって共同で所有され、売電によって彼らが金銭的な利益を得られるようになっていた。2000年代初頭に島に引っ越してきたという筆者の友人は、「サムスーに来て面白かったのは、風が吹くと人々が喜んでいたこと。風が吹いたらお金がもうかるから」と語っている。さらに地元の農家は、余った藁を地域熱暖房の燃料として売却することによっても利益を得ることができた。また、住民たちがそういった利点をしっかりと認識できたことや、疑問や不安を口に出し解消する機会が確保されていたことも、プロジェクトの成功には欠かせなかった。その過程で重要な役割を担ったのは、島の農家の息子であるセーアン・ヘアマンセン (Søren Hermansen) である。島の人々の考え方や人間関係に精通していた彼は、住民のプロジェクトへの参加促進を目的としたNPOの代表に

藁葺き屋根の家々が立ち並ぶ通り（筆者撮影）

抜擢（ばってき）され、公的な場面でも私的な場面でも住民たちと何度も話し合いの機会をもち、説明と説得を繰り返した。こうした地道な取り組みによってプロジェクトへの理解が生まれ、協力者が増えていった。

現在ヘアマンセンが代表を務めている「サムスー・エネルギー・アカデミー」は、エネルギー転換や地域のコミュニティとの協働について島で培われた知見を世界中に伝えることを目指し、講演やツアー、ワークショップなどを行なっている。また、サムスー島は近年、エネルギー自給にとどまらない気候変動対策へと舵（かじ）をきっている。島では2030年までの脱化石燃料が目標に掲げられているが、デンマーク全体では目標は2050年までとされているので、それを20年早く達成しようとしていることになる。サムスー島が2020年に発表した「気候行動計画」では、輸送部門と農業部門の温室効果ガス削減が重視されているが、これは現在島で排出されている温室効果ガスをCO_2に換算して考えた時、その約5割を輸送部門が、約4割を農業部門が占めていることによる。農業の割合が非常に高いのは、畜産などで排出されるメタンなどの温室効果が非常に高いからで、サムスー島は食糧生産を担う地域としてこの課題に向き合う必要がある。対策としては家畜の排泄物を利用したバイオガス生産が検討されており、輸送部門におけるフェリーの燃料のバイオガスへの転換も、これが実現するかどうかにかかっている。

計画書の中で、バイオガス製造設備の導入などいくつかの取り組みについては、政府が全国的な財政支援制度や法的枠組みを整えることができるかにその成否がかかってくることが強調されている。エネルギー転換や気候変動対策には、地域に近い人間がその地域の実情に合わせて行動することと、それを支える制度を国が整備することの、どちらが欠けてもいけないのである。

（三待栞）

65

デンマークの近代女性史

★いつから女性たちは自由で平等に?★

世界経済フォーラムが発表した2022年度の「ジェンダー・ギャップ指数」では、他の北欧諸国がトップを争う中、デンマークはなんと32位である。そうした順位が存在するものの、現代デンマーク女性は自由に生き、キャリアを積み、パーティーではお洒落をし、よく飲み、よく笑い、人生を謳歌している。日常生活の中で、男女が不平等だと感じることはない。学校では男女別の行動は一部の運動を除いてはほぼないし、子育ての中で「男らしく、女らしく」という話も聞かない。裏返せば、レディファーストのない国なので、女性も力強い。家庭での役割分担はそれぞれの家庭の問題である。筆者の友人たちは、夫が料理を担当している家の方が多い。夕方のスーパーや休日の公園で父親がベビーカーを押しているのは、当たり前過ぎて、今さら誰も何も思わないだろう。

デンマークには専業主婦はいない。週37時間と勤務時間が短く、残業がなく、年6週間の休暇も取れるため、子育てとキャリアを皆、何とか両立し、さらに自分の趣味などの時間を確保している。個人の自由が何より尊重されており、皆、自分の人生を楽しもうとしている。女性の権利は男性の権利でもあり、男性たちも家計を支えるプレッシャーは半分となり、自由がある。

だが、19世紀のデンマークでは、女性は夫の「所有物」であった。法律的に財産権も子の親としての権利もなく、「夫が暴力で躾けてもよい」存在であった。だが、19世紀後半になると、イギリスに端を発した女性運動が徐々に欧米に波及する中、デンマークの女性たちも自由と平等を得ようとする動きが始まった。1871年に女性の教育参加や既婚の女性の自己財産の獲得などを求めて「デンマーク女性連盟」が発足し、1901年には女性労働者のみで結成された「デンマーク女性労働組合（KAD）」が設立され、女性工場労働者の劣悪な労働環境の改善を働きかけ、同年、出産時に4週間の有給休暇が認められた。19年には女性公務員の男性との同一賃金法が制定、21年には公務員と一般企業における男女平等法が定められたが、こうした場で働く女性はほとんどおらず、また、女性は男性の3分の2の賃金という企業内規約の方が国の法令よりも優先されており、実際には意味がなかった。家庭内においては、22年には妻も子に対する養育権を獲得、25年には家計や相続、家族経営ビジネスなどの面で法的に対等となり、離婚の際には半分を手に入れる権利を得たが、家事や育児、夫の世話は完全に女性の仕事であり、夫は家の中では座っているだけであった。

デンマーク女性が参政権を手にしたのは1915年の憲法改正のときであり、世界では5番目と比較的早かった。だが、国王クリスチャン10世は内心反対であった。女性解放運動家の中心的存在の1人、劇作家で准提督の妻であったエマ・ガース（Emma Gaz：1852〜1921）がその喜びを報告すると、王は「早く帰って、ご主人にコーヒーを入れなさい」と言ったというエピソードが残っているが、恐らく当時の多くの男性は同じ気持ちであっただろう。改正後初の総選挙で女性は4議席獲得したものの、第二次世界大戦終了まで常に女性は5議席以下であった。大戦前に活躍した主な女性政治家としては、24年、女性でデンマーク初及び世界初の大臣となり、学校制度の民主化や教員養成改革を目指し活動したニナ・バング（Nina Bang：１８６６～１９２８）教育相や、前述した初の女性議員4人の内の1人で20年近くにわたり議員を務めたエルナ・モンク（Elna Munch：１８７１～１９４５）であろう。モンクは運動家としてではなく、政治家という立場で、真っ向から女性の平等のために闘うことを信念としていた。

第１次スタウニング内閣とニナ・バング（前列左端）

第二次世界大戦後になると、女性は家に戻り家庭を守るようにという世界的な反動の中、デンマークもこの時代の女性就業率は20世紀を通して最低であった。既婚女性の4分の3が専業主婦という時代であり、家庭内では男女の分業がはっきりしていた。ＩＬＯ条約から遅れること10年、１９６０年になるとようやく同一労働同一賃金が議会で採択されたが、実際にはまだ賃金格差が何ら変わりなく続いていた。これはデンマークの労働組合の力が強く、法よりも組合の労働協定の方が優先されたという性格から来ている。

依然として古い権威主義や家父長的価値観から、現在の真に皆が平等なデンマーク社会へと大きく変わったのが、１９６０～７０年代である。好景気から始まった「幸福な60年代」と呼ばれたこの時期、労働時間が短くなり、人々は余暇を楽しめるようになり、個人消費が一気に伸びた。教育が高等化し、若者たちは大人と子どもの間の「時間」を持てるようになり、60年代後半から古い価値観を否定する「若者の蜂起」が始まると、デンマークの大人たちは若者の主張に耳を傾け、それが時代の流れであろうと受け入れた。主にアメリカから始まった第二波フェミニズムがデンマークにも訪れると、アメリカの女性運動に倣い、70年、コペンハーゲン大学に通うカーアン・スュベア（Karen Syberg：1945〜）を中心とした女子学生たちが「赤いストッキング」グループを結成し、デンマーク各地の大学でもあちこちで小さな集会が行なわれた。スュベアらは女性の賃金が男性の8割ということに抗議し、バス代を8割しか払わないというパフォーマンスなどですぐに有名になった。彼女たちはリーダーを持たないという主義で活動していたが、「赤いストッキング」で目立っていたダレロプ三姉妹のうち、特に後に大学教授となり、国際レベルでの女性研究と多数の著書を発表するドゥルーゼ（Drude Dahlerup：1945〜）は徐々に頭角を現し、活動のリーダー的存在となっていった。やや過激ともいえる「赤いストッキング」の活動によって、女性も男性と同じことを望む権利があるという価値観が認められていく。1973年に出版された、性の解放について主張したスサネ・ブレガの『愛情からの解放』は運動家たちのバイブルの1つであった。この年、人工妊娠中絶の承認により、女性は望まぬ妊娠を逃れ、自らの人生を選択する権利も手にすることとなる。

この時期のデンマークは、労働力不足が深刻な問題であった。そこで政府が着目したのが女性の活用であり、手始めに国が取り組んだのが保育所の確保である。それまで女性たちの一部が必死に家事・育児をこなしながら、家族に申し訳ない気持ちで働いていたが、1970年代半ばにはほとんどの女性が外で働き始めることになった。83年には納税申告制度が個人単位となると、女性は夫と完全に別会計となり自立、86年にようやく実質的な男女同一賃金法の改正も実現した。2005年にはKADもその役目を終えている。

1970年代以降も多くの女性たちが、現代デンマークの平等社会の確立に貢献してきた。中でも2016年にBBCにより「世界の100人の女性」に選ばれた、ソーシャルワーカーのティネ・ブリュル（Tine Bryld：1939〜2011）はラジオでの公開相談を36年間も続け、多くの若者や女性の悩みに寄り添った。また教育相、社会相、農水相、コペンハーゲン市長と生涯を政治に捧げたリト・ビャゴー（Ritt Bjerregaard：1941〜2023）は、40年にわたりその存在と言動で、力強く女性たちを支え、鼓舞し続けてきた。1972年に女王となったマルグレーテ（Margrethe：1940〜）もまた、長きにわたってデンマークで輝く女性である。現在、デンマークは女王と2人目の女性首相メテ・フレズレクセン（Mette Frederiksen：1977〜）の女性のツートップ状態であり、内閣の構成は男性が15名、女性が8名となっている。

デンマーク人女性の自由は実はそう古くからあったわけではなく、日本の女性解放の歴史ともそんなにたがわない。長い闘いの末にようやく男女が平等となったのは、1970年代から80年代にかけてである。そこで大きく女性を取り巻くデンマーク社会が転換したのは、労働力不足という社会的背景からやむなく女性が社会に進出するという政策的な面も大きかった。さらに当時の女性たちのパワーがあったが、女性側の主張を理解し、受け入れ、変化しようとした、「若者の蜂起」の時代を経験した男性側の意識変革も大きな要因だったのではないかと考えている。

（オールセン八千代）

66

デンマークの子育て

★親たちが感じる「子どもがかわいそう」とは?★

「母親の就労のために○歳未満の子どもを保育施設に預けるのはかわいそう」という意見に対して、あなたはどう思いますか。

性別役割分業意識を尋ねる際、このような質問文がよく使われる。選択肢はたいがい「とてもそう思う」、「そう思う」、「あまりそう思わない」、「まったくそう思わない」の4択（「どちらとも言えない」を含む場合は5択）である。

さて、ここで読者に尋ねてみたい。デンマークでこの質問をすると、どのような反応が返ってくるだろうか？ 年代や子どもの有無など、属性によって反応は異なると予想されるため、今回は質問文が想定している「小学校へ入学する前の子どもを育てる母親」で考えてみて欲しい。

筆者が、「○歳」の部分を「1歳」、「2歳」、「3歳」に設定した質問文を用いて、コペンハーゲンとその近郊で暮らす親たちへインタヴュー調査を開始した当初、調査に協力してくれた母親たちの第一声は次のようなものだった（この調査は、科学研究費補助金「基礎研究」（B）（海外学術調査）「ケアネットワークと家族の親密性に関する国際比較研究」（課題番号 15H05148 研究代表者：宮坂靖子金城学院大学教授）で実施した）。

・1歳未満で施設に入れるっていうのはかわいそうだけれども、「母親のせい」というのは変です。「父親のせい」という理由もあるかもしれないのに。
・実際1歳未満で施設に入れるというのはかわいそうだと思います。でも「母親または父親の仕事のために」というのではないんですか？

お分かりだろうか。母親たちは、この質問文に「子育てをする父親」が想定されていないことに疑問を投げかけたのである。この調査を設計したプロジェクトチームのメンバーは、筆者を含めて、普段日本国内外の大学で家族関係やジェンダーを教えており、性差に関してかなり敏感だと自覚していた。しかしながら、デンマークの母親たちにこのような疑問を投げ返されるまで、この質問文のおかしさにまったく気づいておらず、自分たちがいかに日本社会の性別役割規範にとらわれていたか、ということを痛感させられた（その後の調査では、「母親の就労のために」を「親の就労のために」と変更した）。

母親たちがこのような反応をした理由は、デンマークでは、世話を必要とする幼い子どもを抱えていても、子どもの両親はフルタイムで仕事をしながら子育ても協力して行なう社会だからである。そのような家族生活が実現するように、国家や企業もサポートしている。このような社会モデルは「2人稼ぎ手・2人ケアラーモデル（the dual-earner/dual-carer family model）」と呼ばれており、デンマークに限らず北欧諸国全体に見られる（Ellingsæter & Leira eds. 2006）。ノルウェーの社会学者アーンロウ

ベランダに置かれているベビーカーの中で子どもは昼寝中（筆者撮影）

窓辺に置かれた卵型の機器からアラームが鳴ると、子どもが起きたことを知らせてくれる（筆者撮影）

グ・レイラ（Arnlaug Leira）によれば、デンマークは他の4か国と異なり、子どもが1歳の誕生日を迎える前後に法定育児休業が終了するという（前掲出）。そこで筆者らは質問文を、日本の3歳児神話に合わせた「3歳未満の子ども」だけでなく、「1歳未満」と「2歳未満」も設定したのである。

調査に協力してくれた親たちは、「3歳未満」とした質問では「あまりそう思わない」「まったくそう思わない」（両者を合わせて「否定的回答」とする）に、「1歳未満」の場合は「とてもそう思う」または「そう思う」（同「肯定的回答」）に偏ったのに対して、「2歳未満」では肯定的回答と否定的回答で意見が分かれた。基準となるのは、子どもがまだ親を求めているか、あるいは親以外に関心を向け始めたかにあるようである。理想とする育児休業期間を「1年半」としたある母親は、次のように話していた。

子どもが2歳くらいになると社会的な関わりを子ども自身が求め出すので、母親だけではその要望に応えられません。ほかの子と関わりたいというその要求に応えられなくなるので、（育児休業は）1年半くらいがパーフェクトな期間です。

この母親だけでなく調査に協力してくれた母親／父親たちの意見は、子どもの関心がまだ親にある段階で親と切り離し、保育施設に預けてしまうのは「子どもがかわいそう」。しかし親以外に関心が向き始めたら、子どもが何歳であっても施設に預けても大丈夫だと言う。調査協力者の多くが、自身の子どもが親以外に関心を向け始めたのが1歳前後だったため、「1歳未満」では「かわいそう」と肯定したものの、実のところ「1歳未満は早い」「1歳を過ぎると大丈夫」と年齢を基準に答えるのは難しいというのが本音であった。

最後にもう1つ、調査当時フルタイムの保育士として働いていた母親の発言を紹介したい。冒頭の母親たちの反応と同様、この母親の発言からも筆者らは、はっとさせられた。

私としては、子どもを保育施設に入れるというのはいつも良いことだと思っています、何歳でも。ただそれが、施設が開いている7時から19時までずっととなると、それは子どもがかわいそうです。（中略）自分自身は8時間働いても疲れちゃうのに10時間も施設で過ごす子どもは……（もっと疲れてしまうだろう、だからかわいそう）。

現在、日本では待機児童を解消しようと自治体を中心に保育施設の設置に力を入れている。一方、保育施設に預けられた子どもたちが施設で過ごす時間の長さにまでは、まだ関心が向けられていないように感じる。これは、子育て中かどうかにかかわらず、日本人全体の働き方とも関わってくる問題である。デンマークの親たちが何に対して「かわいそう」とみなすのか、そこから得られた今回の示唆が、日本の子育て中の家族だけでなくそれ以外の家族にとっても生活を見直すきっかけになることを期待したい。

（青木加奈子）

67

デンマークにおけるエフタスコーレとは

★若者一人ひとりの育ちを支える場★

デンマークでは公立の学校に並び、自由な教育実践を行なう民間の学校が存在している。その中でも近年、若者からの人気が高まるエフタスコーレ（efterskole）という学校がある。デンマークの義務教育は、０年生（幼稚園クラス）から９年生までであるが、学力や進路に不安のある生徒は1年間延長し、10年生に進むことができる。この義務教育の最終段階にあたる８年生・９年生（日本の中学2年生・3年生）・10年生の１～２年間を、それまで通っていた学校の代わりにエフタスコーレで過ごすことが選択できる。エフタスコーレの生徒数は増加傾向にあり、２０２３年度は３万２３６８人に上った。これは３学年全体の約20％にあたる。また、現在デンマークに２４２校のエフタスコーレが存在している。

エフタスコーレには一般の学校とは異なるユニークな特徴がある。まず、生徒は寮で暮らし、他の生徒や教員と生活を共にする。洗濯、掃除、炊事の手伝いなど、身の回りのことも生徒ら自身で行なう。また、デンマーク語や数学などの必須科目に加えて、スポーツやアートなどのさまざまな選択科目が開講されており、生徒は興味のある科目を学ぶことができる。このようにエフタスコーレでは教科学習だけではなく、共同生活やさまざまな学びを通した人間的な成長にも重きが置かれている。

その背景には、エフタスコーレが19世紀半ばの教育運動にルーツを持つことがある。牧師のグロントヴィ（N.F.S. Grundtvig：1783〜1872）は、無意味な暗記や試験、立身出世のための競争に基づく当時の学校を「死の学校」と呼んだ。それに対し、学校は一般の市民が自らの生に目覚める場であるべきとして、生きた言葉による対話と相互作用に基づく「生のための学校」を構想した。これが試験を行なわず、共同生活の中で自由に学び合う成人教育機関フォルケホイスコーレ（folkehøjskole）へと結実する。グロントヴィと並んで教育運動を牽引した教育者のコル（Christen Kold：1816〜1870）は、成人への移行期にある青年への教育をより重視し、フォルケホイコスーレのジュニア版として、1851年に最初のエフタスコーレを設立した。その後エフタスコーレは、農村の若者の学び場として需要を伸ばすも、都市への移住や公教育の整備が進むにつれて生徒数は減少していった。これを受けてエフタスコーレのあり方を巡り、試験のないノンフォーマルな方式を維持し続けるか、あるいは試験のあるフォーマルな方式へ転換するかという議論が起こった。1960年から7年間にわたる議論の末、1967年に義務教育の修了試験が部分的に導入された。これによりエフタスコーレは、試験のないフォルケホイスコーレと一線を画することになるが、「生のための学校」という設立以来の教育理念は引き継がれていく。さらに1980年代以降、エフタスコーレは多様化する。それまでは、グロントヴィとコルの思想に基づき教養を学ぶ学校が一般的であったが、アートやスポーツなどのテーマを設ける学校や、読み書きの困難や発達障がいのある生徒を対象とする学校が増加した。このようにエフタスコーレは設立以来、若者のニーズに合わせて柔軟に変化を遂げてきた。それでは現在、エフタスコーレで学ぶ若者自身はその経験をどのように捉えているのだろうか。ここで、筆者が2022年に調査のため訪れたエフタスコーレで出会った生徒の声を紹介する。

16歳のイーダさん（仮名）は、進路に迷いがあり、親の意見に左右されず、自分のやりたいことを考える時間が欲しいと思い入学した。それからエフタスコーレで約1年間過ごす中で進路が決まったという。卒業後は職業学校へ進学して社会保健ヘルパーの資格をとり、将来は介護施設や病院で働くことを目指していると誇らしげに話してくれた。「あなたにとってエフタスコーレはどのような存在ですか？」と聞くと、次のように答えた。「私に自由を与えてくれた存在です。ありのままでいることができる場所であり、始めからやり直すことができる場所です。そして、友達づくりや勉強など色々なことを試すことができる余白の機会と言えるかもしれません」。

生徒と教員が共に朝食をとる様子（筆者撮影）

また、17歳のエマさん（仮名）は、前の学校や家から離れて新たなスタートを切りたいと思い入学した。以前は人との関わりに苦手意識があったというが、エフタスコーレでの生活を通して徐々に自信をもてたとして、次のように話してくれた。「前の学校では大変でした。でもここに来てからは違います。皆で一緒に過ごすうちに仲の良い友達ができました。先生はいつでも頼ることができる親のような存在です。ここはまるで自分の家のように感じます」。

他にも、新しい友達に出会いたい、興味のあることを学びたい、親から離れて自立した生活をしてみたいなどの希望を持つ生徒もいれば、勉強に疲れた、前の学校でいじめを受けた、家に居たくないなどの生きづらさを抱える生徒もいた。このようにエフタスコーレでは一人ひとりが異なる目的を持っており、それを他者と関わり、自身と向き合い、試行錯誤する中でゆっくりと果たしていく。また、エフタスコーレは学校でありながら、家のように感じられる場でもある。同年代の友達や親以外の大人から成るこの緩やかな共同体が、一般の学校や実の家族では対応することが難しい、現代の若者の持つさまざまなニーズや生きづらさに応えているのではないだろうか。若者一人ひとりのより良い育ちを支える場としてのエフタスコーレの可能性が見出せる。

一方で、現在エフタスコーレは岐路に立たされている。２０２３年5月に政府の改革委員会が発表したデンマークの今後の教育に関する提案書では、10年生の制度を廃止する案が提示された。これに伴い同委員会は、エフタスコーレの8年生と9年生はこれまで通り扱うが、その後の1年間は「10年生」ではなく「若者のための年」として義務教育の範囲外に位置づける意向である。また、エフタスコーレの費用は、授業料の大半が国の助成金により賄われ、住居や食事などの生活費が保護者により支払われている。自己負担額は平均月10～20万円ほどになるが、家庭の経済状況に応じて助成を受けることができる。費用について同委員会は、エフタスコーレの10年生の生徒の世帯収入が、デンマークの平均の世帯収入を上回っている現況を踏まえ、今後は8年生と9年生の生徒への助成を増や

エフタスコーレの校舎（筆者撮影）

し、「若者のための年」の生徒への助成を減らす考えを示した。現時点でこれらはあくまでも提案にとどまる。しかし、筆者が訪問した２０２２年当時、複数の教員が危惧していた10年生廃止の案がまさに今議論に上っている。エフタスコーレのあり方を問うことは、デンマークの教育、そして社会のあり方を問うことにもつながるであろう。エフタスコーレが今後どのような道を辿るのか、引き続き動向を注視していきたい。

（段畑実生）

コラム6

デンマーク中等教育における選択の重さについて

オールセン八千代

親戚のヤンは19歳。有名な私立中学校（16世紀以来続く、デンマークには珍しい英国型のパブリック・スクール）に通っていたが、高校（ギュユムネーシャム）には進学せず、職業学校に進み、レンガ職人として働いている。「高校に行かなかったの？」と驚く私に、学年で高校に行かなかったのは、彼ともう1人だけだったよ、と笑う。

レンガ職人の収入は、レンガ1つ当たり20クローナだそうだ。熟練すると1日に100個積むことができ、月収は円換算すると約90万円になる。今はまだ80個ほどだが、すでになかなかの収入だそうで、最近自分で購入したというややや高級な新車を、嬉しそうに見せてくれた。

デンマークでは義務教育を終えて中等教育に進む際、高校に進学して大学に進むコースか、職業学校系のコースに分かれる。デンマークは「資格」社会だ。家業の農業を継ぐ者でも数年間の専門教育を受け、農業経営資格の取得が必須であり、大学進学者はほぼ大学院まで修了するため、皆、おのずと自分には専門的知識があるという職業的なプライドが育まれる。

ヤンが尊敬する父親も配管工からスタート、起業し、今は20人近くの従業員を雇うまでに成功している。広い庭のあるマナーハウスのような家の中は、さながらデンマークの工芸美術館である。有名な数々のデンマークの家具に、すべて揃ったロイヤルコペンハーゲンの「メガ」を普段に使っている。安物のポテトチップスすらメガの素晴らしい大皿で出されたときには、写真を撮らせてもらったくらいだ。勤勉な一家の余暇は、自宅裏での農作業や家や庭の手入れをすることだ。余暇といえどもなかなか忙しい

コラム6

デンマーク中等教育における選択の重さについて

よと笑う様子から、彼らの家や農場への深い愛情が伝わってくる。

ヤンには4年も付き合っている恋人がいて、将来のことも話し合っている。「中学校以来だ」という英語が不得意なヤンの通訳をときどきしてくれた彼女は、高校を卒業し、今は「休んで」いるが、来年には大学に進学するつもりだと言った。多くの高校卒業者はこのように大学進学前に1～2年、「サバト・オー(sabatår)」という休憩を取り、アルバイトや旅行をし、自由に過ごす。

ヤンの夢は、19歳にしてほぼ完成形だ。すでに仕事も車も将来のパートナーも手にし、これから家を買い、家族を作り、父親と同じような人生を歩むだろうことに、本人は満足している。彼の人生への不満と言えば、SU（18歳以上の学生が貰える生活費に相当する奨学金）を貰うチャンスがなかったことだ。デンマークの学生は授業料が無料の上に、生活費まで支給されるため、彼らは経済的な心配なく、学生時代を楽しむことができる。教育にはゆとりが持たれ、9年間の義務教育終了後、10年生といって1年間高校に向けて準備する時間やサバト・オーなど、階段の踊り場のように立ち止まり、じっくりと将来を検討する時間が用意されている。こうした時間を経て、大学進学コースを選んだ者は幅広い人生経験を持ち、ゆっくりと大人になり、就職が25歳を超えるのは普通だ。一方、ヤンはそうした人生の幅を広げる時間を持ってこなかった。両者の大人になる前の時間の差は大きい。ヤンの考え方の幅が狭まってしまわないか、価値観が一元化してしまわないか、と私の頭にひとすじの心配がよぎる。

もしヤンの身に何かあってレンガ職人が続けられなくなってしまったら、という懸念も浮かぶ。高福祉のデンマーク社会は、もちろん経済的支援と再就職支援という面では何とかしてくれるだろう。だが、他の職種に就こうとしたら、また何年間も学校に戻らなくてはならない。大学卒業資格が必要なホワイトカラーへの転職となれば、ヤンの場合は高校の入学から始めなくてはならず、高いハードルに阻まれる。そうした者の中には自身への誇りを見失い、アルコールに溺れたり、心の病になってしまったりという問題を抱えることもある。

高校か職業学校系かという中等教育でのコース選択は、人生のコースの選択でもある。後者を選んだ者が前者となるのはなかなか至難であり、デンマーク人社会の中の「見えざる壁」となる。若さにあふれ、誇らしげに輝くヤンの笑顔を見ながら、デンマークの中等教育の選択の重さについて考えてしまった。

VII

デンマークと日本

68

「外に失いしものを、内にて取り戻さん」考

――★日本で常識化していたデンマーク・イメージの作られ方★――

1982年7月29日の朝日新聞は、朝刊第二部という形で特集版を発行していて、「森を破壊したとき文明は死んだ」の見出しの後には、辰濃和男（1930〜2017）記者が通常より1ポイント大きな文字で、次のように記した。「国が戦に敗れたとき、デンマークにもし1人のダルガスがいなかったら、今日の豊かなデンマークはありえなかった。1864年、デンマークはドイツ・オーストリア二強国との戦いに敗れ、（中略）そのとき、36歳のダルガスはいった。『友よ、ユトランドの荒野を化してバラの花咲くところとなすべし』。失敗の繰り返しである。溝をうがち、水をひき、牧草を植え、モミを植える。植えても植えても育たず、子に受けつがれてはじめてモミの森林化に成功するのだ。（中略）いま、デンマークを訪れる私たちは、ダルガス父子の最高の遺産に目をみはる」と。

その参考文献は内村鑑三『デンマルク国の話』（1911）であるのだが、その内容が真実でなかったとしたら、どうなのであろうか。実際、内村の書には、上記のようにとれる内容が存在しているし、その書は無教会主義の集会における内村鑑三（1861〜1930）という偉大な人物によるキリスト教の聖書

講話として語られたものであった。我が国自らも1945年に大戦の敗北を経験して、それまでの軍国主義を捨て戦後の平和な日本の社会を作り出していこうとする機運のなかで、多くの教育関係者が内村の聖句に満ちた書からキリスト教的色彩を換骨奪胎して、子どもを読者に想定して和文和訳を試みた。小・中学校の国語の教科書や紙芝居などで、敗戦によって帰郷した工兵大尉のダルガスが、荒れ地を緑の野に変えようとモミの木を植えていこうとする苦労の果てに、子の代になってそれが成功したという父子物語が、時代の子どもたちに伝えられたのである。それゆえ、この辰濃の文章も、人々を驚かすものではなく、新聞社の「自然保護キャンペーン」の冒頭文章としては、だれもが納得するものであった。

筆者が子どものころ、1950年代の後半、「平和の国 デンマーク」のイメージは日本国中にあふれていく。筆者自身の体験でいうと、学校図書株式会社の1951年検定本『六年生の国語』下巻にあるドイツ文学者高橋健二の筆になる「緑のデンマーク」を習っている。そこでは、領土を失って『外に失ったものを内に取り返そう』と固く決意して、改革と復興のために立ち上がったダルガスの力」によって、「敗戦のいたでに、国民はすっかり気力を失い、国としてはもう再建の見込みがないと思われるほど、どん底に落ち込んだデンマークが、わずか数十年の間に」「幸福な平和な国を築くことができた」(88頁) ことを戦後の子どもたちに提示したのである。主人公のエンリコ・ダルガスなる名前も筆者は記憶していて、1969年、デンマークに初めて出かけたときにそれを披露して、「なぜ、遠い日本で、その名前が知られているのか!」とデンマーク人に驚かれた。日本中の、それを習った子どもたちは、その話が事実であることを疑わなかったし、それを教えた教師たちも、偉

ありえない父子物語

大な内村の語ったことが子どもを対象に書き直されたものだとして、その内容の真贋を疑う者はいなかったであろう。金田一京助編『中等国語 一下』（四訂版、三省堂、1956）の10章「優れた人々 二 国を興したダルガス」内の122頁の挿絵では、椅子に座った中年のダルガスに向かって「十八才になった息子のフレデリックが、（モミの小枝を手に持って）顔色を変えて飛んで帰ってきました。『おとうさん、わかった。』」と、非常に具体的な画像が存在したが、どのように考えてもそういった場面は現実にはありえず、まったくの和文和訳を根拠とした場面であった。内村の創作である「父子物語」が、さらに事実から遊離した重訳的効果を生んだのである。

1950年の内村の弟子たちが集まる研究座談会で、食糧公団総務局長の渡辺五六の語った言葉は、象徴的である。1931年に彼はデンマークを訪れ、それ以前に内村の『デンマルク国の話』を読んでいたにもかかわらず、「ただ漠然とデンマークを見て通り過ぎただけだった」のが、7年間の上海生活ののち、第二次世界大戦の敗戦の翌年に焼け跡の日本に帰国して、「早速この先生の『デンマルク国の話』を引っ張り出して読んでみました。ところが前に読みましたときと違いましてこれこそ本当に腸に滲みわたったような気持ちがいたしました。これこそ本当に、先生は明治44年にお書きになったのだが、敗戦後の日本の国民に遺言(ゆいごん)しておいてくださったものじゃないか、それを我々はただ封を切らずにおったのじゃないか、という感じがいたしました。これこそ本当に敗戦日本の国民のために遥か前途を見通しして預言せられた先生の御遺言だというふうに感じたわけです」と言っている。やはり、時代状況としての我が国の決定的な敗戦が、1911年に内村が語ったデンマークと日本を結び付けたともいえようか。

内村鑑三は、1911年10月22日、重篤(じゅうとく)となっていた愛娘ルツ子の看病で、東京の新宿柏木の今井館で行なう聖書研究会の講話の準備ができず、急遽(きゅうきょ)、話題を代え〝この世の話である〟デンマルク国の話をそこで行なった。弟子の矢内原忠雄が、そう書いている。そしてほぼ100年後に、岩波文庫『後世への最大遺物・デンマルク国の話』(2011年改版)の「解説」で鈴木範久(1935〜)は、それまで不明であった講話の種本を見つけている。1911年のアメリカの雑誌『マクルーアズ・マガジン(MacClure's Magazine)』第37巻5月号に掲載されたリーチ(Henry Goddard Leach:1880〜1970)の論文「ヒースの開墾——デンマークが荒野を農地に変えた方法」がそれである。ヒース地帯の開墾を行なった「ヒース協会」の存在に内村が触れなかったのはデンマークの歴史状況を知らなかったからだろう。内村はヒース協会の2代目会長のエンリコの長男クレスチャンには言及せず、米政府に招待され、まったくヒース協会に関わっていなかった次男のフレズレク(内村は、フレデリックと書いたが)——リーチ論文のきっかけとなる、リーチとともにアメリカの森林破壊の状況を見て回っている——を、モーセの出エジプト記に倣(なら)うように、労苦が報われるように神の啓示を授かる篤信(とくしん)の親子、ダルガス父子物語の息子側として内村が創作したのである。内村の書内において、ストーリーが歴史的現実と辻褄(つじつま)が合っていない理由がリーチ論文を読むと理解できる。そして、リーチ自身も、デンマークで一般に語られてきた「ダルガス神話」を採録する方法で、デンマーク事情を紹介しており、フレズレクにいろいろ尋ねても、デンマークのヒース開墾での話題をあまり引き出すことができなかったとも、リーチは記していた。

そして、ダルガス神話に関しては、『ヒース協会雑誌』の編集人を30年務めたH・スコースホイによる『E・M・ダルガス』（1966）を読めば、真贋(しんがん)が明らかになる。

「様々なダルガスに関する伝記の中で、ダルガスを表舞台に登場させたのは1864年の敗戦と南ユトランドの喪失であり、デンマークの屈辱に対するダルガスの大いなる苦悩が1つのヴィジョンとして、ユトランドのヒース原野が、内において国土をより大きくする可能性を作り出し、幾分かでも敗戦によって受けた傷を癒しうるだろうという確信をダルガスに与えた、とする意見を私たちは目にする。しかし、そういったものは存在しない。確認できる限りの書簡においても、またそういった主題を意図的に扱って表現された当時の彼の論説においても、存在しないのである。いかに美しくかつ愛国的なものであろうと、またいかに彼の心を動かしたであろうとして感情的にふさわしいものであったとしても、そういった考えを彼の存在の上に重ね合わせるのは非論理的である。まったく別の意味でダルガスはユトランドのヒース地帯の改善がすでに大幅に進んでいたことを認識していた」。

すなわち、ダルガスは「外に失いしものを、内にて取り戻さん（Hvad udad tabes, skal indad vindes）」とも言っていないのである。ヒース協会の設立は、1866年であり、「外に失いしものを、内にて取り戻さん」と詩人ホルスト（H.P.Holst：1811~93）がコペンハーゲン周辺の工業化を謳って表現したフレーズが刻まれるメダルは、1872年に発行されたのである。

内村が「デンマルク国の話」をした1911年当時、彼はまったくグロントヴィ（N.F.S.Grundtvig：1783〜1872）の存在を知らなかったと、確認できる。日本では1913年の那須皓『国民高等学校と農民文化』が刊行され、国民高等学校への関心が農業関係者らの間でその教育システムに集まりだしてから、事態が変わりだす。その提唱者としてのグロントヴィに関心が集まると、内村を師と仰ぐ人々の側からグロントヴィとダルガスを並べて、あれこれとグロントヴィとダルガスの関係を説明しようとしだした。とくにグロントヴィの方が年齢は45歳も上であり、グロントヴィがダルガスに影響を与えたというストーリーを何とか作り出そうと模索され、我が国においてデンマークに関心を持つキリスト教の関係者の間で、いろいろと検討されていく。誰にも悪意はなく、内村を師と仰ぐ人々が戦後社会で影響力を持つに至って、彼らはデンマークで起きたであろう文脈を創作し、そのストーリーを模索した。そして、そうした方々は、デンマーク語の知識を駆使してデンマーク史の文脈でそれを追求しようとはしなかったし、また、ここにおいて、遥かに年長のグロントヴィとダルガスの関係性が日本において独特に作り出されていった。当時、デンマークが話題となるときに必ずと言っていいほど一般の人々が思い浮かべるであろう有名な人士が、それらを世に向けて語っていた。デンマークではそういったことが語られることがないままに。その極みは、重平友美が「豊かな人生文庫」の一冊として上梓した少年・少女向けの『近代デンマークの父 グルントウィ』（1983）であろうか。若き「植林青年」のダルガスと80歳を超えたグルントウィとの再会が、挿絵入りで描かれたシーンである（197頁）。

1864年の敗北で荒廃したユトランドの「山中」で、グルントウィ一行は、一人の男が山を歩いて来るのに出会った。

——おお

グルントウィは声を上げた。

澄みきった秋の空を、そのまま映したような青い目である。

髪が伸び、頬はこけているが、まぎれもなくエンリコ・ダルガスであった。

「先生——」

ジッとグルントウィを見つめるダルガスの目に涙が光った。

陽焼けした顔に疲労の色があった。服が破れている。

（中略）

「あの樅苗（もみなえ）はどうなったかね……」

「はい、寒さと風と砂地の乾燥に耐える強い木ということで、色々さがしましたが、結局大樅の苗を植えてみました」

「ほお……」

グルントウィの顔に希望の色がもどった。

（後略——そして全体の最後に次のように語って、本を終わらせている）

宗教、教育、政治、あらゆる面でグルントウィの働きは大きかった。

デンマークに神の愛を伝える志は、ダルガスをはじめ多くの人たちに受けつがれ、荒れ地は緑の大地に変えられたのです。

——完——

明らかに、大樅の話で内村を引き継いでいるものの、その書の設定は、完全に事実とは無縁の重平友美の創作そのものであった。

そして、いまだに内村の『デンマルク国の話』が、デンマークのあの時代の真実であったかのように語る文章も見受けられる。結局は、筆者が以上のようなことを指摘しても、絶対多数のデンマーク識者に蟷螂之斧(とうろうのおの)を振り回しているようで、筆者の存在が嗤(わら)われているだけかもしれないが……。

（村井誠人）

ありえない山中の遭遇の図

69

東海大学とデンマーク

★松前重義の教育の理想★

東海大学の創立者、松前重義（1901〜91）が、デンマークのフォルケホイスコーレの教育を範として開いた私塾「望星学塾」が、今日の東海大学の母体になったことは、東海大学関係者にはよく知られている。そして、松前重義がデンマークを知るきっかけになったのが、内村鑑三（1861〜1930）の『デンマルク国の話』（1911）であることも、少し興味を持った関係者であれば、聞いたことのある話に違いない。そしてさらに詳しい人は、それが日本独特の「誤解」ともいえる〝デンマーク理解の仕方〟につながったこともご存知のことだろう。

たしかに内村鑑三はいささか大げさにデンマークの開拓事業の誤った情報を紹介した。アメリカの雑誌『マクルーアズ・マガジン』第37巻5月号（1911）に載ったハーヴァード大学講師H・G・リーチの論文の内容の一部を、キリスト教精神、特にユグノー党と結び付けて牽強付会ぎみに紹介したのである。しかしながら、この『デンマルク国の話』で描かれているのはダルガス父子の植林の話であり、教育に関してはひとことも触れられていない。松前重義が「デンマークの教育」に関心を持ったのは内村聖書研究会での平林広人（１８８６〜１９８６）のデンマークからの帰国講演によるのであった。

その後１９３４年松前重義は逓信省（かつて日本に存在した中央官庁）の命令でベルリンに留学したついでに、デンマークに渡り、グロントヴィ主義のフォルケホイスコーレであるアスコウ校など９校ほどを見学してまわった。松前は、家族に宛てた手紙の中で、ナチスのことを「中はロシヤと全く同様の組織と精神」と評しているが、当時のドイツと違って自由で闊達なデンマークに心酔して帰国した。

そして、無装荷ケーブルによる長距離通信方式の発明で得た賞金を元手に、フォルケホイスコーレを模した私塾「望星学塾」を三鷹に建て、そこに塾生たちとともに住んだ。教師やその家族も生徒たちとともに生活するというのが、フォルケホイスコーレの基本的スタイルなのである。ただしフォルケホイスコーレは冬季５か月といったような短期のものがその発端となっている。この短期集中の合宿講座という形としては、戦後間もない１９４６年11月に、松前重義は、猪苗代湖畔で冬季の４か月間、「英世学園日本国民学舎」を開講した。これには平林広人の提唱により１９１７年に始まった「信濃木崎夏期大学」の発想も影響しているだろう。この英世学園日本国民学舎じたいは、戦後の混乱の中で短命に終わってしまうが、その理想と精神だけは、のちの東海大学へとひきつがれている。

松前の教育構想は私塾にとどまらず、教育による国家改造をめざす大規模なものであった。科学技術者である松前は、理科系を中心とした大学設立の趣意書をつくり、自身のリークではないかと思える形で特ダネとして新聞記事になり、それを機に寄付金を募った。そして、１９４３年静岡市清水区に航空科学専門学校、１９４４年中野区江古田に電波科学専門学校を創立、両校は合併して東海専門学校となり、さらに旧制大学に昇格して東海大学となったのである。

その後、渋谷区富ヶ谷への本部移転、新制大学への移行、平塚市のメインキャンパス建設など、幾多の困難を経て、巨大化していったわけであるが、松前重義のデンマークへの思いは、決して失われてはいなかった。1970年にはコペンハーゲンの北、ヴィズベクの町に「ヨーロッパ学術センター」を開設して、教育、研究機関との積極的な交流を図った。そしていよいよ1988年、フォルケホイスコーレ構想の生みの親、N・F・S・グロントヴィが生まれ育った南シェランの地に、「東海大学付属デンマーク校」が開校したのである。ここに松前重義の教育の夢は、また1つ、デンマークの地に結実した。彼はその開校式にも参列したが、3年後の1991年、89歳の生涯を閉じた。

東海大学付属デンマーク校は英語名をTokai University Boarding School in Denmarkといい、TUBS（タブス）がその略称であったが、地元のデンマーク人にはもっぱらTokai（トカイ）と呼ばれていた。1908年ファクシンゲ・サナトリウムという先進的な結核療養施設として森の中に建てられた木造の建物を、TUBSの開校にあたりリフォームし、さらに体育館、柔道場、温水プール、男子寮、女子寮、事務棟、教員住宅などが新築されていった。開校当時はまだ諸施設の建設が間に合わず、生徒も教員も校舎内で暮らすという状況でスタートした。やがて美しいブナの森の中に施設も整い、生徒たちは教員やその家族たちと生活空間をともにしながら、学び暮らす学校になったのである。生徒は主に日本企業の海外駐在員の子女であったが、欧州に限らずアラブ圏、中東、東南アジアなどの日本人学校から集まり、さらに日本教育を受けたいという外国籍の生徒も複数在籍することもあって、日本人教員と欧米諸国出身の講師たちを含め、国際的な教育環境ができあがっていった。

ところが、インターネットの普及により日本企業の海外駐在員の年齢層が若くなる傾向が表れた。それに伴い在外の中高生の数も減少しだしたので、次第に生徒数の確保が困難になり、TUBSは、2008年春をもって、閉校となった。

東海大学はこのときTUBSの用地・施設を売却するのではなく、デンマークの社会に寄贈することにした。そして譲渡の条件として、将来にわたり、この地をホイスコーレ（かつてのフォルケホイスコーレは社会の国際化多様化とともにフォルケをとって、単にホイスコーレというのが一般的になっている）として使用することを課したのである。この条件が果たせなくなったときは、これらの不動産は東海大学に返還しなければならないという。TUBSの譲渡先として、新しくデンマーク人の理事会が組織され、東海大学からは独立したものとなっている。そして「望星学塾」から名前をとってボーセイ・スポーツ・ホイスコーレ（Idrætshøjskolen Bosei）という名のホイスコーレになって、現在に至っている。デンマーク政府からの助成金・補助金を、他のホイスコーレと同様に受けているが、東海大学との金銭関係はない。かつてのTUBSの学び舎には、今もホイスコーレとして若者たちの声があふれている。こうして、デンマークに範をとった松前重義の教育の理想は、デンマークに里帰りして、不死鳥のように脈打っているのである。

（先山実）

ボーセイ・スポーツ学校校舎外観

70

デンマークと日本の教育

★「キリスト教教育」と「特別の教科　道徳」の比較から★

デンマークでは、保育所、入学前教育から高校修了までの普通教育課程、成人向け教育（職業訓練、学び直しなど）は子ども教育省所管であり、高校修了以降は、教育研究省所管となっている。デンマークにおいては「基本法」（日本の憲法に相当する）第76条ほかで無償の義務教育、信仰その他の自由について記されており、中でも義務教育については、「国民学校に関する法」で目的、制度、科目、評価、教育方法、教材などについて定められている。これを受ける形で「国民学校の科目および主題に関する目的、能力目標、技能目標、知識目標を定める法令」および「国民学校における試験に関する法令」が置かれている。なお、国教である国民教会（福音ルーテル派）についても「基本法」第66条で言及されている。また国民教会をはじめとする宗教団体を監督する教会省が設置されているほか、国民教会メンバーと登録されているデンマーク国民には教会税が課されている。

デンマークでは教育を受ける義務は法で定められているが、この義務は国民学校（日本の小学校と中学校を合わせたものに相当）へ行く義務ではないため、国民学校以外での教育実施も選択肢としては存在する。デンマークにおける義務教育は、入学前準備クラスおよび第1学年から第9学年の原則10年で、6歳になった8月に入学前準備クラスに入ることにより開始される。またいわゆる高校課程へ進学するには学習が不十分と考えている生徒が本人の希望により第10学年で学ぶことを選択することもできる。

「国民学校に関する法」において、教育課程での履修科目および配当年次が決められており、人文科学分野の必修科目として「キリスト教教育」が置かれている。同法第5条第2項Cにおいて「キリスト教教育」は、堅信礼準備クラス（7年生または8年生）を除く全ての学年で実施されることとなっている。この「キリスト教教育」におけるキリスト教とは国教である福音ルーテル派であること、および、親権者が書面で申告した場合、親権者自身が宗教に関する教育を行なうことで「キリスト教教育」が免除されることも同法第6条に記されている。「キリスト教教育」の推奨される年間授業時間数は、1年生および6年生は60時間、その他の学年は30時間となっている。参考までに、人文科学分野での必修科目としては、「デンマーク語」（全ての学年）、「英語」（1年生から9年生）、「キリスト教教育」（堅信礼準備クラスを除く全ての学年）、「歴史」（3年生から9年生）、「ドイツ語またはフランス語」（5年生から9年生［一部例外あり］）、「公民」（8年生と9年生）となっている。

デンマークの国民学校では、科目ごとに「科目ガイド」が用意されている。単純比較はできないが、日本における「学習指導要領」と「学習指導要領解説」を合わせたようなものと考えられる。この「科目ガイド」は、「導入」、「国民学校の目的」、「科目の目的（科目全体としての目的、科目で身につけさせる能力）」、「学習計画」、「授業指導要領」から構成されている。「科目の目的」には、科目全体の目的および4つの能力分野ごとに能力目標、技能目標、知識領域・目標が記されている。「学習計画」では、学校の目的、教育組織に関する法律、当該科目の目的などの関係性を説明しながら科目の根幹について記されている。「授業指導要領」は、国民学校法、当該科目の目的などを説明しながら、授業で扱う主題、授業計画、授業実施、学習評価などについて記されている。この科目ガイドに加えて、子ども教育省は教員向けに個別科目ごとに教育、学習、学習指導に関するより詳細な情報を提供するデンマーク学習ポータルも開設している。

デンマークの「キリスト教教育」の目的は、以下のように記されている。(1)生徒は、「キリスト教教育」の科目において、一個人として、また、他者との関わりにおける人生観における宗教的特質（側面）の持つ意味を理解し行動することができるようにするための技能と知識を獲得する。(2)生徒は、キリスト教の歴史と現代社会への関わり、および、聖書の物語とそれらが私たちの文化における基本的な価値観に対して持っている意味についての知識を獲得する、加えて、最高学年においては、生徒は、他の宗教および人生観についての知識も獲得する。(3)生徒は、民主主義社会における、個人の考え方、連帯責任、行動に関わる専門的能力を活用できるようになるとされており、人間としての生き方を考え、主体的な判断の下に行動し、自立した人間として他者と共によりよく生きるための基盤となる道徳性を養うことを目標としている。「キリスト教教育」の内容は、人生観および倫理観（道徳規範）、聖書の物語、キリスト教の3つに大きく分けられ、それぞれに対して、獲得すべき能力目標、技能領域・目標、知識領域・目標が定められている。人生観および倫理観（道徳規範）については、学年によって違いはあるが、「存在に対する基礎的な疑問および倫理原則に基づく宗教的特質

（側面）について自らの考えを表現し、判断を下すことができる」を柱として、細分化された下位項目が設定されている。「キリスト教教育」での評価については、形成的評価を柱とし、生徒個人や他者の思想信条を評価対象やフィードバック対象にしない点が強調されており、課題／その解決過程／学習・課題解決過程に対する自己評価／個人の4点について形成的評価を行なうこととされている。

一方、日本では、日本国憲法、教育基本法、学校教育法、学校教育法施行規則という法体系で義務教育が実施されており、学校教育法施行規則において小学校、中学校それぞれの課程で学ぶべき科目が定められている。道徳も教育課程の編成要素として位置づけられているほか、「特別の教科　道徳」を道徳教育の柱の科目としている。さらに、小学校および中学校学習指導要領解説「特別の教科　道徳編」では、目標、内容、指導計画、評価について記されている。道徳教育の目標は学習指導要領第1章総則によると「道徳教育は、教育基本法及び学校教育法に定められた教育の根本精神に基づき、自己の生き方を考え、主体的な判断の下に行動し、自立した人間として他者と共によりよく生きるための基盤となる道徳性を養うこと」とされている。

日本の「特別の教科　道徳」における学習成果指標的記述として「4つの視点」（A　主として自分自身に関すること、B　主として人との関わりに関すること、C　主として集団や社会との関わりに関すること、D　主として生命や自然、崇高なものとの関わりに関すること）とそれぞれの下位分類としての「内容項目」（学年によって項目数は異なる）が設定されている。評価方法としては、「個々の内容項目ごとではなく、大くくりなまとまりを踏まえた評価とすることや、他の児童との比較による評価ではなく、児童がいかに成長したかを積極的に受け止めて認め、励ます個人内評価として記述式で行なうことが求められる」

とされている。

以上、デンマークの「キリスト教教育」と日本の「特別の教科　道徳」について見てきた。日本とデンマークでは、社会背景も信仰の状況、宗教の位置づけも異なるが、デンマークの教育基本法に相当するものが見られない点を除くと上位法、下位法、個別の学習指導要領が整備されている法体系、および、人間として生きていく基盤となる道徳性、倫理観を養成している点、評価方法として形成的評価で項目に沿って評価しない点などデンマークの「キリスト教教育」と日本の「特別の教科　道徳」には一定程度の共通点が見られる。なお、デンマークにおいては科目名が「キリスト教教育」であってもキリスト教信仰だけを教えるのではなく広く人としてのあり方を扱い、民主主義社会における基本的価値観についてもその目的に組み込んでいる点は注目すべきである。

（堀井祐介）

デンマークをもっと知るためのブックガイド

このブックガイドは各章執筆者が、書き記した文献リストに、編者が本書作成にあたって、基本的情報として書名を書き足したものである。

◉総合

村井誠人編著『デンマークを知るための68章』明石書店、2009年。

国立公文書館『日本とデンマーク――文書でたどる交流の歴史』（平成29年秋の特別展／日本・デンマーク外交関係樹立150周年記念）2017年。

北欧文化協会・バルト＝スカンディナヴィア研究会・北欧建築・デザイン協会編『北欧文化事典』丸善出版、2017年。

村井誠人編著『日本&デンマーク 私たちの友情150年』日本デンマーク協会、2017年。

◉地理・歴史

ヨウーン・アウトナソン編、菅原邦城訳『アイスランドの昔話』三弥井書店、1979年。

橋本淳編『デンマークの歴史』創元社、1999年。

グンナー・カールソン著、岡沢憲芙監訳、小森宏美訳『アイスランド小史』早稲田大学出版部、2002年。

深沢克己編著『近代ヨーロッパの探究9 国際商業』ミネルヴァ書房、2002年。

海保千暁「フェロー諸島――迷える『羊の島々』」（綾部恒彦監修、原聖・庄司博史編）『講座 世界の先住民族――ファースト・ピープルズの現在――06 ヨーロッパ』明石書店、2005年。

長島要一『日本・デンマーク文化交流史１６００－１８７３』東海大学出版会、２００７年。

小澤実ほか『辺境のダイナミズム』岩波書店、２００９年。

清水誠『北欧アイスランド文学の歩み――白夜と氷河の国の六世紀』現代図書、２００９年。

高橋美野梨『自己決定権をめぐる政治学――デンマーク領グリーンランドにおける「対外的自治」』明石書店、２０１３年。

ニコリーネ・マリーイ・ヘルムス著、村井誠人・大溪太郎訳『デンマーク国民をつくった歴史教科書』彩流社、２０１３年。

山本健兒・平川一臣編『中央・北ヨーロッパ』（朝倉世界地理講座――大地と人間の物語―― ９）朝倉書店、２０１４年。

斯波照雄・玉木俊明編『北海・バルト海の商業世界』悠書館、２０１５年。

小澤実・中丸禎子・高橋美野梨編著『アイスランド・グリーンランド・北極を知るための65章』明石書店、２０１６年。

高橋美野梨「写真とめぐる旅35：絶海に浮かぶ北の孤島 フェロー諸島」、『地理・地図資料 ２０１７年度3学期号』帝国書院、２０１７年。

高橋美野梨「デンマーク／グリーンランド」（川名晋史編著）『世界の基地問題と沖縄』明石書店、２０２２年。

高橋美野梨「基地政治とデンマーク」、『国際安全保障』第47巻3号、２０１９年。

百瀬宏・熊野聰・村井誠人編『北欧史　上・下』山川出版社、２０２２年。

高橋美野梨編著『グリーンランド――人文社会学から照らす極北の島』藤原書店、２０２３年。

田中きく代ほか編『海のグローバル・サーキュレーション――海民がつなぐ近代世界』関西学院大学出版会、２０２３年。

北極環境研究コンソーシアム編『北極域の研究――その現状と将来構想』海文堂出版、近刊。

◉言語

岡田令子・菅原邦城・間瀬英夫『現代デンマーク語入門』大学書林、１９８４年。

鈴木雅子・新谷俊裕編著『デンマーク語慣用表現小辞典』大学書林、２００３年。

間瀬英夫『デンマーク語学ハンドブック――デンマーク語文法術語集・デンマーク語音表記のための音声記号』大阪外国語大学、２００５年。

新谷俊裕・Thomas Breck Pedersen・大辺理恵『（世界の言語シリーズ）デンマーク語』大阪大学出版会、２０１４年。

◉政治・経済・社会

吉武信彦「ＥＣとグリーンランド――脱退問題の展開と帰結」『法学政治学論究』（慶應義塾大学）第二号、１９８９年。

吉武信彦「ＥＵとデンマークの政党政治」『北ヨーロッパ研究』（北ヨーロッパ学会）第一巻、２００５年。

吉武信彦『国民投票と欧州統合――デンマーク・ＥＵ関係史』勁草書房、２００５年。

鈴木優美『デンマークの光と影――福祉社会とネオリベラリズム』壱生舎：リベルタ出版、２０１０年。

クラウス・ペーターセン／スタイン・クーンレ／パウリ・ケットネン編著、大塚陽子・上子秋生監訳）『北欧福祉国家は持続可能か――多元性と政策協調のゆくえ』ミネルヴァ書房、２０１７年。

佐野利夫『女神フライアが愛した国――偉大な小国デンマークが示す未来』東海大学出版部、２０１７年。

吉武信彦「欧州統合過程におけるレファレンダム――北欧諸国の事例を中心として」『地域政策研究』（高崎経済大学）第二三巻第四号、２０２１年。

◉文化（芸術含む）

松前重義『デンマークの文化を探る』向山堂書房、１９３６年。

内村鑑三『後世への最大遺物・デンマルク国の話』岩波文庫、１９４６年。

松前重義『東海大学の精神』東海大学出版部、１９６９年。

オーヴェ・コースゴー著、川崎一彦監訳、高倉尚子訳『光を求めて――デンマークの成人教育５００年の歴史』東海大学出版会、1995年。

清水満編著『生のための学校――デンマークで生まれたフリースクール「フォルケホイスコーレ」の世界』新評論、1996年。

宇野豪『国民高等学校運動の研究――一つの近代日本農村青年教育運動史』溪水社、2003年。

ハル・コック著、小池直人訳『生活形式の民主主義――デンマーク社会の哲学』花伝社、2004年。

小松弘監修『北欧映画　完全ガイド』新宿書房、2005年。

ハル・コック著、小池直人訳『グルントヴィ――デンマーク・ナショナリズムとその止揚』風媒社、2007年。

岡田眞樹『魅惑のデンマーク――もっと知りたいあなたへ』新評論、2012年。

ブース、マイケル著、黒田眞知訳『限りなく完璧に近い人々』角川書店、2016年。

村井誠人・大島美穂・佐藤睦朗・吉武信彦編著『映画の中の「北欧」――その虚像と実像』小鳥遊書房、2019年。

長島要一『デンマーク文化読本――日本との文化交流史から読み解く』丸善出版株式会社、2020年。

宮坂靖子編著『ケアと家族愛を問う――日本・中国・デンマークの国際比較』青弓社、2022年。

トーヴェ・ディトレウセン著、枇谷玲子訳『結婚／毒――コペンハーゲン三部作』みすず書房、2023年。

◉定期刊行物

大阪大学言語文化研究科 言語社会専攻 デンマーク語・スウェーデン語研究室『IDUN――北欧研究――』1973年～

バルト＝スカンディナヴィア研究会『北欧史研究』1982年～

北ヨーロッパ学会『北ヨーロッパ研究』2004年～

段畑実生（だんばた・みお）［67］
日本学術振興会特別研究員（DC1）、大阪大学大学院人間科学研究科博士後期課程。

冨岡次郎（とみおか・じろう）［58］
オーフス大学日本語教育准教授。オーフス日本語補習学校講師代表。ヨーロッパ日本語教師会(AJE) 副会長。

中里巧（なかざと・さとし）［コラム 2, 25, 26］
東洋大学文学部哲学科教授。著書に『キルケゴールとその思想風土――北欧ロマンティークと敬虔主義』（創文社、1994 年）、『福祉人間学序説――生きがい・ぬくもり・ケアの意味を探求する』（未知谷、2000 年）、中里巧他編著『新版増補生命倫理事典』（太陽出版、2010 年）。

長谷川美子（はせがわ・よしこ）［49］
元洗足学園音楽大学講師。専攻は西洋近代美術史。訳書にペーター・ラウトマン『フリードリヒ《氷海》――死を通過して、新しい生命へ』（三元社、2000 年）がある。

福井信子（ふくい・のぶこ）［44］
東海大学非常勤講師。専攻はデンマーク語・北欧の児童文学。共訳に『子どもに語る北欧の昔話』（こぐま社、2001 年）、共編著で『現代デンマーク語辞典』（大学書林、2011 年）など。

古谷大輔（ふるや・だいすけ）［6］
大阪大学大学院人文学研究科教授、専門はスウェーデン語圏における国家形成史。共著に『礫岩のようなヨーロッパ』（山川出版社、2016 年）、『論点・西洋史学』（ミネルヴァ書房、2020 年）、『王のいる共和政』（岩波書店、2022 年）など。

堀井祐介（ほりい・ゆうすけ）［70］
大阪大学国際共創大学院学位プログラム推進機構学位プログラム企画室教授。高等教育質保証、教育評価を中心に研究。その他、北欧神話、デンマーク語も専門とする。

松村一（まつむら・はじめ）［7］
在ノルウェー日本大使館参事官。主な著作に「エネルギー政策と環境政策」（『ノルウェーの政治』早稲田大学出版部、2004 年）、「日北欧首脳会談」「オーランド諸島帰属問題」「アイスランド人の精霊信仰」（『北欧文化事典』丸善出版、2017 年）など。

三待栞（みまち・しおり）［64］
大阪大学人間科学研究科人間科学専攻行動学系人間行動学講座（環境行動学）博士前期課程在学中。

*村井誠人（むらい・まこと）［1, 2, コラム 1, 10, 24, 30, 54, 68］
編著者紹介を参照。

吉武信彦（よしたけ・のぶひこ）［32, 33］
高崎経済大学地域政策学部教授。専攻は国際関係論、北欧地域研究。主な著作に『国民投票と欧州統合――デンマーク・ＥＵ関係史』（勁草書房、2005 年）など。

小松弘（こまつ・ひろし）［53, コラム 5］
早稲田大学文学学術院教授。専攻は映画史。主な著書に『起源の映画』（青土社、1991 年）、『ベルイマン』（清水書院、2015 年）。共訳書に G･サドゥール『世界映画全史』（国書刊行会）など。

先山実（さきやま・みのる）［69］
バルト＝スカンディナヴィア研究会会員。

新谷俊裕（しんたに・としひろ）［11, 16, コラム 3］
大阪外国語大学教授・大阪大学教授を経て、現在大阪大学名誉教授（デンマーク語学）。主な業績に『大阪大学外国語学部 世界の言語シリーズ 10 デンマーク語』（共著、大阪大学出版会、2014 年）など。

菅沼隆（すがぬま・たかし）［34, 35, 37］
立教大学経済学部教授。主な著作に「［デンマークの］社会保障──普遍主義とフレクシキュリティ」（『新･世界の社会福祉 第 3 巻 北欧』旬報社、2018 年）、「なぜデンマークは所得格差が小さいのか」（連合総研『DIO』第 35 巻第 4 号、2022 年）など。

杉尾京香（すぎお・きょうか）［23］
大阪大学人文学研究科博士前期課程。

鈴木雅子（すずき・まさこ）［13, 51］
昭和女子大学国際学部英語コミュニケーション学科専任講師。デンマーク語、英語における言語学（辞書学、ことわざ）に関心を寄せ、『旅の指さし会話帳デンマーク』（情報センター出版局、2002 年）、『デンマーク語のしくみ』（白水社、2017 年）などを執筆。

鈴木優美（すずき・ゆうみ）［41, 60, 61, 62］
デンマークの民間精子バンクに勤務し、性的指向やパートナーの有無を問わず、世界中の子どもを持ちたい方を支援する一方、Madogucci（マドグチ）でコミュニケーション、コンタクト、文化（3C）を仲介、通訳・コーディネートを行なう。

高橋美野梨（たかはし・みのり）［4, 5］
北海学園大学法学部准教授。『グリーンランド──人文社会科学から照らす極北の島』（編著、藤原書店、2023 年）、*Exploring Base Politics: How Host Countries Shape the Network of U.S. Overseas Bases.*(Eds. Routledge. 2021)、*The Influence of Sub-state Actors on National Security: Using Military Bases to Forge Autonomy.*(Ed. Springer. 2019)、『自己決定権をめぐる政治学──デンマーク領グリーンランドにおける「対外的自治」』（明石書店、2013 年）。

田辺欧（たなべ・うた）［46, 47］
大阪大学人文学研究科教授。専攻はデンマーク文学、近・現代北欧文学。主な著書に『待ちのぞむ魂──スーデルグランの詩と生涯』（春秋社、2012 年）、田辺欧･大辺理恵編著『デンマーク語で四季を読む──デンマーク文化を学ぶための中・上級テキスト集』（溪水社、2014 年）。

田渕宗孝（たぶち・むねたか）［28, 63］
羽衣国際大学現代社会学部准教授。主な著作に「北極評議会」（『グリーンランド・アイスランド・北極を知るための 65 章』）、「国民的王室」（『ノルウェーを知るための 60 章』）など。

小川有美（おがわ・ありよし）［31］
立教大学法学部政治学科教授。編著に『ポスト代表制の比較政治――熟議と参加のデモクラシー』（早稲田大学出版部、2007 年）、共編著に『ヨーロッパ・デモクラシー――危機と転換』（岩波書店、2018 年）など。

尾崎俊哉（おざき・としや）［36, 38］
立教大学経営学部教授、コペンハーゲンビジネススクール前客員教授。専門は国際経営論、比較経営論。『国際的な競争優位につながる「デンマーク型」の経営モデルは存在するのか』北ヨーロッパ研究（2020 年第 16 号）など。

小澤実（おざわ・みのる）［17, 18, 43］
立教大学文学部史学科教授。編著に Minoru Ozawa et al. (ed.), *Communicating Papal Authority in the Middle Ages* (Routledge, 2023)、谷口幸男・小澤実編『ルーン文字研究序説』（八坂書房、2022 年）、小澤実・佐藤雄基編『史学科の比較史』（勉誠出版、2022 年）など。

小野寺綾子（おのでら・あやこ）［52］
SADI（北欧建築・デザイン協会）会員、共著に『北欧文化事典』（丸善出版、2017 年）など。SADI のサイトに主にデンマークの建築についてブログを執筆。

勝矢博子（かつや・ひろこ）［コラム 4］
2020 年 3 月大阪大学外国語学部外国語学科デンマーク語専攻卒業。訳書に絵本『フィン・フォトンさんと量子力学』（2020 年 12 月、アグネ技術センター）。

亀井瞳（かめい・ひとみ）［22］
大阪大学人文学研究科博士前期課程。

ラスムセン京子（Kyoko Sakata Rasmussen）［55］
ネストヴィズ病院の放射線科で非常勤の胸部診断の専門医として勤務。シェラン地域の肺癌患者の治療決定において、国立病院、オーゼンセ大学病院などの胸部外科医、シェラン地域の腫瘍科医、呼吸内科医、病理科医によるカンファレンス 開催を交代で担当。また、専門医教育課程の医師の教育も担当。

久木田奈穂（くきた・なほ）［48］
大阪大学人文学研究科外国学専攻博士前期課程 1 年。業績に久木田奈穂「現代デンマークにおけるアンデルセン――教材としてのアンデルセンへの期待と課題」バルト = スカンディナヴィア研究会、2023.6.24（オンライン・例会報告）。

倉地真太郎（くらち・しんたろう）［39, 40］
明治大学政治経済学部専任講師。共著に『多文化共生社会を支える自治体――外国人住民のニーズに向き合う行政体制と財源保障』（旬報社、2023 年）、『財政社会学とは何か――危機の学から分析の学へ』（有斐閣、2022 年）など。

小池直人（こいけ・なおと）［27, 29］
思想史研究者。著書に『デンマーク共同社会の歴史と思想――新たな福祉国家の生成』（大月書店、2017 年）、訳書にグルントヴィ『ホイスコーレ』（上下巻、風媒社、2014・2015 年）など。

〈執筆者紹介および担当章〉（＊は編者）

青木加奈子（あおき・かなこ）［66］
京都ノートルダム女子大学現代人間学部生活環境学科准教授。専門は家族関係学、ジェンダー論。共著に『文化のポリフォニー』（かもがわ出版、2023 年）、『ケアと家族愛を問う――日本・中国・デンマークの国際比較』（青弓社、2022 年）など。

朱位昌併（あかくら・しょうへい）［9, 42］
アイスランド大学大学院生。アイスランド文学研究。翻訳家。翻訳にラニ・ヤマモト『さむがりやのスティーナ』（平凡社、2021 年）、『かいぶつかぜ』（ゆぎ書房、2023 年）ほか、翻訳補助や解説など多数。

イェンヴォル、ビアギト（JENVOLD, Birgit）［45］
元デンマーク王室史料コレクション学芸員。元アメーリェンボー博物館館長代理（Dagligleder）。

石黒暢（いしぐろ・のぶ）［56, 57］
大阪大学大学院人文学研究科教授。主な著作に斉藤弥生・石黒暢編著『新 世界の社会福祉 3 北欧』（旬報社、2019 年）、斉藤弥生・石黒暢編著『市場化のなかの北欧諸国と日本の介護――その変容と多様性』（大阪大学出版会、2018 年）。

石野裕子（いしの・ゆうこ）［8］
国士舘大学文学部史学地理学科准教授。主な著作に『「大フィンランド」思想の誕生と変遷――叙事詩カレワラと知識人』（岩波書店、2012 年）、『物語　フィンランドの歴史――北欧先進国「バルト海の乙女」の 800 年』（中公新書、2017 年）。

井上光子（いのうえ・みつこ）［19, 20, 21］
関西学院大学非常勤講師。専攻：北欧近世史・国際商業史。主な著作に「デンマーク王国の海上貿易」（深沢克己編著『国際商業』ミネルヴァ書房、2002 年）、「グリーンランド貿易の成立とイヌイット社会」（高橋美野梨編『グリーンランド』藤原書店、2023 年）。

大辺理恵（おおべ・りえ）［12, 14, 15］
大阪大学大学院人文学研究科外国学専攻（デンマーク語）講師。共著に『世界の言語シリーズ 10　デンマーク語』（大阪大学出版会、2014 年）、共編に『デンマーク語で四季を読む』（渓水社、2014 年）。

オールセン八千代（おーるせん・やちよ）［3, 59, 65, コラム 6］
バルト＝スカンディナヴィア研究会会員。専攻はデンマーク近現代史。

岡部昌幸（おかべ・まさゆき）［50］
帝京大学名誉教授、群馬県立近代美術館特別館長、畠山記念館顧問、日本フェノロサ学会会長。『スウェーデンの国民画家 カール・ラーション 』『フィンランド美術の歩み：大気 水 土』などの展覧会企画を担当。

〈編著者紹介〉

村井誠人（むらい・まこと）
津田塾大学・大阪外国語大学・東京大学等非常勤講師を兼務し、2000 〜 01 年にコペンハーゲン大学歴史学研究所客員教授としてデンマークに滞在。本属は早稲田大学文学学術院教授。北欧史専攻。2017 年定年退職後、早稲田大学名誉教授。2022 年より、王立デンマーク科学・文学アカデミー会員。
主な編著書に、百瀬宏・村井誠人監修『読んで旅する世界の歴史と文化　北欧』（新潮社、1996 年）、村井誠人編著『デンマークを知るための 68 章』（明石書店、2009 年）、村井誠人編・監修『日本＆デンマーク　私たちの友情 150 年』（日本デンマーク協会、2017 年）、百瀬宏・熊野聰・村井誠人編『YAMAKAWA Selection 北欧史 上・下』（山川出版社、2022 年）など。

エリア・スタディーズ　76

デンマークを知るための 70 章【第 2 版】

2009 年6 月 30 日初　版第 1 刷発行
2024 年1 月 20 日第 2 版第 1 刷発行

編著者　　村井誠人
発行者　　大江道雅
発行所　　株式会社 明石書店
〒101-0021 東京都千代田区外神田 6-9-5
電　話　03-5818-1171
ＦＡＸ　03-5818-1174
振　替　00100-7-24505
https://www.akashi.co.jp/

装　幀　明石書店デザイン室
印刷／製本　日経印刷株式会社

（定価はカバーに表示してあります）　ISBN978-4-7503-5689-1

エリア・スタディーズ

1 **現代アメリカ社会を知るための60章**
明石紀雄、川島浩平 編著

2 **イタリアを知るための62章【第2版】**
村上義和 編著

3 **イギリスを旅する35章**
辻野功 編著

4 **モンゴルを知るための65章【第2版】**
金岡秀郎 著

5 **パリ・フランスを知るための44章**
梅本洋一、大里俊晴、木下長宏 編著

6 **現代韓国を知るための60章【第2版】**
石坂浩一、福島みのり 編著

7 **オーストラリアを知るための58章【第3版】**
越智道雄 著

8 **現代中国を知るための52章【第6版】**
藤野彰 編著

9 **ネパールを知るための60章**
日本ネパール協会 編

10 **アメリカの歴史を知るための65章【第4版】**
富田虎男、鵜月裕典、佐藤円 編著

11 **現代フィリピンを知るための61章【第2版】**
大野拓司、寺田勇文 編著

12 **ポルトガルを知るための55章【第2版】**
村上義和、池俊介 編著

13 **北欧を知るための43章**
武田龍夫 著

14 **ブラジルを知るための56章【第2版】**
アンジェロ・イシ 著

15 **ドイツを知るための60章**
早川東三、工藤幹巳 編著

16 **ポーランドを知るための60章**
渡辺克義 編著

17 **シンガポールを知るための65章【第5版】**
田村慶子 編著

18 **現代ドイツを知るための67章【第3版】**
浜本隆志、髙橋憲 編著

19 **ウィーン・オーストリアを知るための57章【第2版】**
広瀬佳一、今井顕 編著

20 **ハンガリーを知るための60章【第2版】** ドナウの宝石
羽場久美子 編著

21 **現代ロシアを知るための60章【第2版】**
下斗米伸夫、島田博 編著

22 **21世紀アメリカ社会を知るための67章**
明石紀雄 監修 赤尾千波、大類久恵、小塩和人、
落合明子、川島浩平、高野泰 編

23 **スペインを知るための60章**
野々山真輝帆 著

24 **キューバを知るための52章**
後藤政子、樋口聡 編著

25 **カナダを知るための60章**
綾部恒雄、飯野正子 編著

26 **中央アジアを知るための60章【第2版】**
宇山智彦 編著

27 **チェコとスロヴァキアを知るための56章【第2版】**
薩摩秀登 編著

28 **現代ドイツの社会・文化を知るための48章**
田村光彰、村上和光、岩淵正明 編著

29 **インドを知るための50章**
重松伸司、三田昌彦 編著

30 **タイを知るための72章【第2版】**
綾部真雄 編著

31 **パキスタンを知るための60章**
広瀬崇子、山根聡、小田尚也 編著

32 **バングラデシュを知るための66章【第3版】**
大橋正明、村山真弓、日下部尚徳、安達淳哉 編著

33 **イギリスを知るための65章【第2版】**
近藤久雄、細川祐子、阿部美春 編著

34 **現代台湾を知るための60章【第2版】**
亜洲奈みづほ 著

35 **ペルーを知るための66章【第2版】**
細谷広美 編著

36 **マラウィを知るための45章【第2版】**
栗田和明 著

37 **コスタリカを知るための60章【第2版】**
国本伊代 編著

38 **チベットを知るための50章**
石濱裕美子 編著

39 **現代ベトナムを知るための63章【第3版】**
岩井美佐紀 編著

40 **インドネシアを知るための50章**
村井吉敬、佐伯奈津子 編著

41 **エルサルバドル、ホンジュラス、ニカラグアを知るための45章**
田中高 編著

エリア・スタディーズ

42 パナマを知るための70章【第2版】
国本伊代 編著

43 イランを知るための65章
岡田恵美子、北原圭一、鈴木珠里 編著

44 アイルランドを知るための70章【第3版】
海老島均、山下理恵子 編著

45 メキシコを知るための60章
吉田栄人 編著

46 中国の暮らしと文化を知るための40章
東洋文化研究会 編

47 現代ブータンを知るための60章【第2版】
平山修一 著

48 バルカンを知るための66章【第2版】
柴宜弘 編著

49 現代イタリアを知るための44章
村上義和 編著

50 アルゼンチンを知るための54章
アルベルト松本 著

51 ミクロネシアを知るための60章【第2版】
印東道子 編著

52 アメリカのヒスパニック＝ラティーノ社会を知るための55章
大泉光一、牛島万 編著

53 北朝鮮を知るための55章【第2版】
石坂浩一 編著

54 ボリビアを知るための73章【第2版】
真鍋周三 編著

55 コーカサスを知るための60章
北川誠一、前田弘毅、廣瀬陽子、吉村貴之 編著

56 カンボジアを知るための60章【第3版】
上田広美、岡田知子、福富友子 編著

57 エクアドルを知るための60章【第2版】
新木秀和 編著

58 タンザニアを知るための60章【第2版】
栗田和明、根本利通 編著

59 リビアを知るための60章【第2版】
塩尻和子 編著

60 東ティモールを知るための50章
山田満 編著

61 グアテマラを知るための67章【第2版】
桜井三枝子 編著

62 オランダを知るための60章
長坂寿久 著

63 モロッコを知るための65章
私市正年、佐藤健太郎 編著

64 サウジアラビアを知るための63章【第2版】
中村覚 編著

65 韓国の歴史を知るための66章
金両基 編著

66 ルーマニアを知るための60章
六鹿茂夫 編著

67 現代インドを知るための60章
広瀬崇子、近藤正規、井上恭子、南埜猛 編著

68 エチオピアを知るための50章
岡倉登志 編著

69 フィンランドを知るための44章
百瀬宏、石野裕子 編著

70 ニュージーランドを知るための63章
青柳まちこ 編著

71 ベルギーを知るための52章
小川秀樹 編著

72 ケベックを知るための54章
小畑精和、竹中豊 編著

73 アルジェリアを知るための62章
私市正年 編著

74 アルメニアを知るための65章
中島偉晴、メラニア・バグダサリヤン 編著

75 スウェーデンを知るための60章
村井誠人 編著

76 デンマークを知るための70章【第2版】
村井誠人 編著

77 最新ドイツ事情を知るための50章
浜本隆志、柳原初樹 著

78 セネガルとカーボベルデを知るための60章
小川了 編著

79 南アフリカを知るための60章
峯陽一 編著

80 エルサルバドルを知るための55章
細野昭雄、田中高 編著

81 チュニジアを知るための60章
鷹木恵子 編著

82 南太平洋を知るための58章 メラネシア ポリネシア
吉岡政德、石森大知 編著

83 現代カナダを知るための60章【第2版】
飯野正子、竹中豊 総監修 日本カナダ学会 編

エリア・スタディーズ

84 **現代フランス社会を知るための62章**
三浦信孝、西山教行 編著

85 **ラオスを知るための60章**
菊池陽子、鈴木玲子、阿部健一 編著

86 **パラグアイを知るための50章**
田島久歳、武田和久 編著

87 **中国の歴史を知るための60章**
並木頼壽、杉山文彦 編著

88 **スペインのガリシアを知るための50章**
坂東省次、桑原真夫、浅香武和 編著

89 **アラブ首長国連邦（UAE）を知るための60章**
細井長 編著

90 **コロンビアを知るための60章**
二村久則 編著

91 **現代メキシコを知るための70章**【第2版】
国本伊代 編著

92 **ガーナを知るための47章**
高根務、山田肖子 編著

93 **ウガンダを知るための53章**
吉田昌夫、白石壮一郎 編著

94 **ケルトを旅する52章** イギリス・アイルランド
永田喜文 著

95 **トルコを知るための53章**
大村幸弘、永田雄三、内藤正典 編著

96 **イタリアを旅する24章**
内田俊秀 編著

97 **大統領選からアメリカを知るための57章**
越智道雄 著

98 **現代バスクを知るための60章**【第2版】
萩尾生、吉田浩美 編著

99 **ボツワナを知るための52章**
池谷和信 編著

100 **ロンドンを旅する60章**
川成洋、石原孝哉 編著

101 **ケニアを知るための55章**
松田素二、津田みわ 編著

102 **ニューヨークからアメリカを知るための76章**
越智道雄 著

103 **カリフォルニアからアメリカを知るための54章**
越智道雄 著

104 **イスラエルを知るための62章**【第2版】
立山良司 編著

105 **グアム・サイパン・マリアナ諸島を知るための54章**
中山京子 編著

106 **中国のムスリムを知るための60章**
中国ムスリム研究会 編

107 **現代エジプトを知るための60章**
鈴木恵美 編著

108 **カーストから現代インドを知るための30章**
金基淑 編著

109 **カナダを旅する37章**
飯野正子、竹中豊 編著

110 **アンダルシアを知るための53章**
立石博高、塩見千加子 編著

111 **エストニアを知るための59章**
小森宏美 編著

112 **韓国の暮らしと文化を知るための70章**
舘野晳 編著

113 **現代インドネシアを知るための60章**
村井吉敬、佐伯奈津子、間瀬朋子 編著

114 **ハワイを知るための60章**
山本真鳥、山田亨 編著

115 **現代イラクを知るための60章**
酒井啓子、吉岡明子、山尾大 編著

116 **現代スペインを知るための60章**
坂東省次 編著

117 **スリランカを知るための58章**
杉本良男、高桑史子、鈴木晋介 編著

118 **マダガスカルを知るための62章**
飯田卓、深澤秀夫、森山工 編著

119 **新時代アメリカ社会を知るための60章**
明石紀雄 監修 大類久恵、落合明子、赤尾千波 編著

120 **現代アラブを知るための56章**
松本弘 編著

121 **クロアチアを知るための60章**
柴宜弘、石田信一 編著

122 **ドミニカ共和国を知るための60章**
国本伊代 編著

123 **シリア・レバノンを知るための64章**
黒木英充 編著

124 **EU（欧州連合）を知るための63章**
羽場久美子 編著

125 **ミャンマーを知るための60章**
田村克己、松田正彦 編著

エリア・スタディーズ

126 **カタルーニャを知るための50章**
立石博高、奥野良知 編著

127 **ホンジュラスを知るための60章**
桜井三枝子、中原篤史 編著

128 **スイスを知るための60章**
スイス文学研究会 編

129 **東南アジアを知るための50章**
今井昭夫 編集代表　東京外国語大学東南アジア課程 編

130 **メソアメリカを知るための58章**
井上幸孝 編著

131 **マドリードとカスティーリャを知るための60章**
川成洋、下山静香 編著

132 **ノルウェーを知るための60章**
大島美穂、岡本健志 編著

133 **現代モンゴルを知るための50章**
小長谷有紀、前川愛 編著

134 **カザフスタンを知るための60章**
宇山智彦、藤本透子 編著

135 **内モンゴルを知るための60章**
ボルジギン・ブレンサイン 編著　赤坂恒明 編集協力

136 **スコットランドを知るための65章**
木村正俊 編著

137 **セルビアを知るための60章**
柴宜弘、山崎信一 編著

138 **マリを知るための58章**
竹沢尚一郎 編著

139 **ASEANを知るための50章**
黒柳米司、金子芳樹、吉野文雄 編著

140 **アイスランド・グリーンランド・北極を知るための65章**
小澤実、中丸禎子、高橋美野梨 編著

141 **ナミビアを知るための53章**
水野一晴、永原陽子 編著

142 **香港を知るための60章**
吉川雅之、倉田徹 編著

143 **タスマニアを旅する60章**
宮本忠 著

144 **パレスチナを知るための60章**
臼杵陽、鈴木啓之 編著

145 **ラトヴィアを知るための47章**
志摩園子 編著

146 **ニカラグアを知るための55章**
田中高 編著

147 **台湾を知るための72章**【第2版】
赤松美和子、若松大祐 編著

148 **テュルクを知るための61章**
小松久男 編著

149 **アメリカ先住民を知るための62章**
阿部珠理 編著

150 **イギリスの歴史を知るための50章**
川成洋 編著

151 **ドイツの歴史を知るための50章**
森井裕一 編著

152 **ロシアの歴史を知るための50章**
下斗米伸夫 編著

153 **スペインの歴史を知るための50章**
立石博高、内村俊太 編著

154 **フィリピンを知るための64章**
大野拓司、鈴木伸隆、日下渉 編著

155 **バルト海を旅する40章**　7つの島の物語
小柏葉子 著

156 **カナダの歴史を知るための50章**
細川道久 編著

157 **カリブ海世界を知るための70章**
国本伊代 編著

158 **ベラルーシを知るための50章**
服部倫卓、越野剛 編著

159 **スロヴェニアを知るための60章**
柴宜弘、アンドレイ・ベケシュ、山崎信一 編著

160 **北京を知るための52章**
櫻井澄夫、人見豊、森田憲司 編著

161 **イタリアの歴史を知るための50章**
高橋進、村上義和 編著

162 **ケルトを知るための65章**
木村正俊 編著

163 **オマーンを知るための55章**
松尾昌樹 編著

164 **ウズベキスタンを知るための60章**
帯谷知可 編著

165 **アゼルバイジャンを知るための67章**
廣瀬陽子 編著

166 **済州島を知るための55章**
梁聖宗、金良淑、伊地知紀子 編著

167 **イギリス文学を旅する60章**
石原孝哉、市川仁 編著

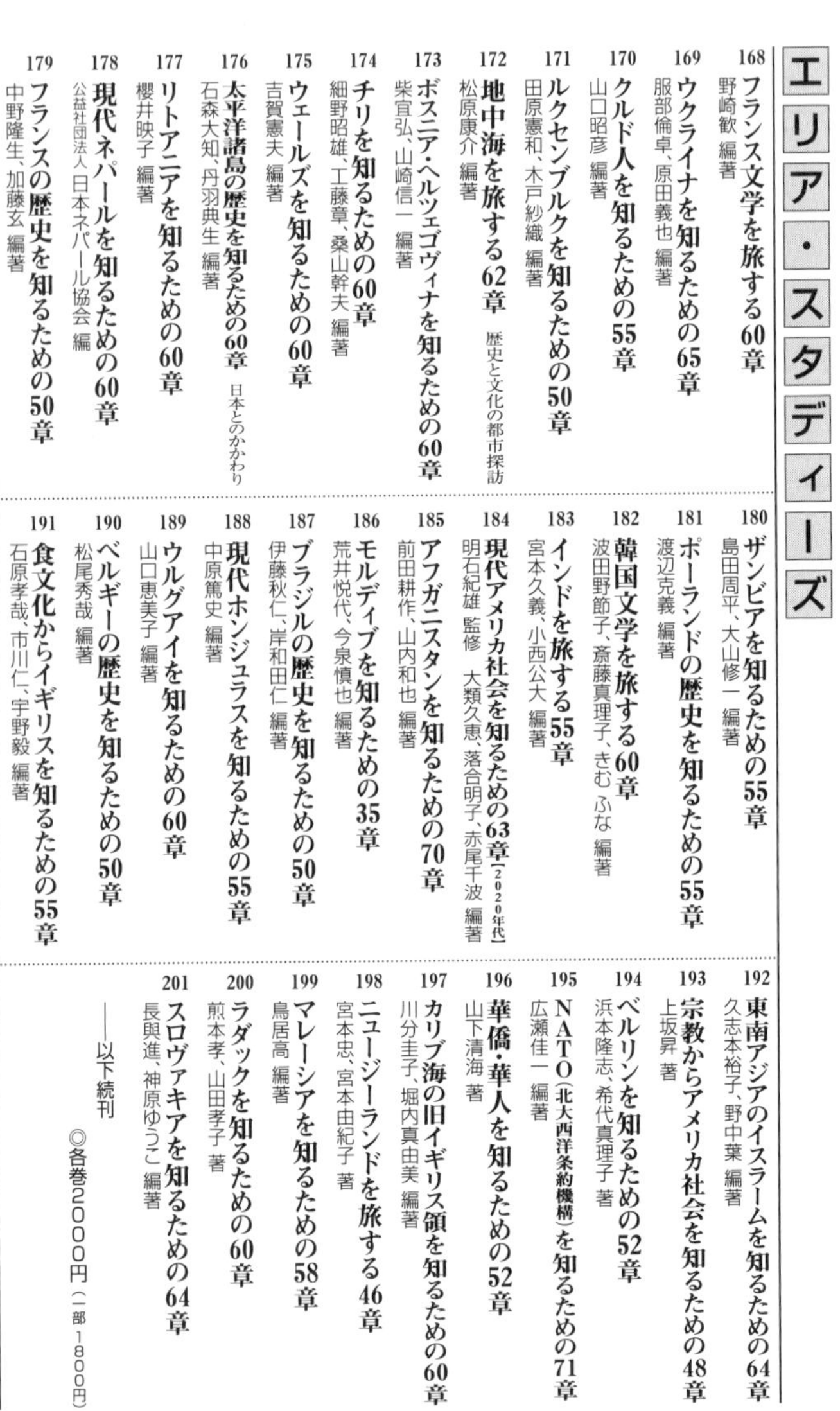

エリア・スタディーズ

168 フランス文学を旅する60章
野崎歓 編著

169 ウクライナを知るための65章
服部倫卓、原田義也 編著

170 クルド人を知るための55章
山口昭彦 編著

171 ルクセンブルクを知るための50章
田原憲和、木戸紗織 編著

172 地中海を旅する62章 歴史と文化の都市探訪
松原康介 編著

173 ボスニア・ヘルツェゴヴィナを知るための60章
柴宜弘、山崎信一 編著

174 チリを知るための60章
細野昭雄、工藤章、桑山幹夫 編著

175 ウェールズを知るための60章
吉賀憲夫 編著

176 太平洋諸島の歴史を知るための60章 日本とのかかわり
石森大知、丹羽典生 編著

177 リトアニアを知るための60章
櫻井映子 編著

178 現代ネパールを知るための60章
公益社団法人 日本ネパール協会 編

179 フランスの歴史を知るための50章
中野隆生、加藤玄 編著

180 ザンビアを知るための55章
島田周平、大山修一 編著

181 ポーランドの歴史を知るための55章
渡辺克義 編著

182 韓国文学を旅する60章
波田野節子、斎藤真理子、きむ ふな 編著

183 インドを旅する55章
宮本久義、小西公大 編著

184 現代アメリカ社会を知るための63章【2020年代】
明石紀雄 監修 大類久恵、落合明子、赤尾千波 編著

185 アフガニスタンを知るための70章
前田耕作、山内和也 編著

186 モルディブを知るための35章
荒井悦代、今泉慎也 編著

187 ブラジルの歴史を知るための50章
伊藤秋仁、岸和田仁 編著

188 現代ホンジュラスを知るための55章
中原篤史 編著

189 ウルグアイを知るための60章
山口恵美子 編著

190 ベルギーの歴史を知るための50章
松尾秀哉 編著

191 食文化からイギリスを知るための55章
石原孝哉、市川仁、宇野毅 編著

192 東南アジアのイスラームを知るための64章
久志本裕子、野中葉 編著

193 宗教からアメリカ社会を知るための48章
上坂昇 著

194 ベルリンを知るための52章
浜本隆志、希代真理子 著

195 NATO（北大西洋条約機構）を知るための71章
広瀬佳一 編著

196 華僑・華人を知るための52章
山下清海 著

197 カリブ海の旧イギリス領を知るための60章
川分圭子、堀内真由美 編著

198 ニュージーランドを旅する46章
宮本忠、宮本由紀子 著

199 マレーシアを知るための58章
鳥居高 編著

200 ラダックを知るための60章
煎本孝、山田孝子 著

201 スロヴァキアを知るための64章
長與進、神原ゆうこ 編著

——以下続刊

◎各巻2000円（一部1800円）

〈価格は本体価格です〉